Architecture maure

en Andalousie

Marianne Barrucand · Achim Bednorz

Architecture maure

en Andalousie

TASCHEN
HONG KONG KÖLN LONDON LOS ANGELES MADRID PARIS TOKYO

Pour être informé des prochaines parutions TASCHEN, demandez notre magazine sur www.taschen.com/magazine ou écrivez à TASCHEN, 82 rue Mazarine, F–75006 Paris, France, contact-f@taschen.com, Fax : +33-1-432 67380.
Nous nous ferons un plaisir de vous envoyer à domicile notre magazine gratuit rempli d'informations sur tous nos ouvrages.

Hohenzollernring 53, D-50672 Köln
www.taschen.com

Edition et production : Rolf Taschen, Cologne
Couverture : Sense/Net, Andy Disl et Birgit Reber, Cologne

Printed in South Korea
ISBN 978–3–8228–3073–4

Table des matières

Introduction

Sur les montagnes arides, les ruines désolées des châteaux forts; dans les villes proches, des palais qui témoignent d'un art de vivre raffiné, avec la fraîcheur de leur patio, le murmure de leurs jeux d'eau et le parfum de leurs fleurs. Dès l'époque romantique, ce contraste a frappé l'imagination des Européens du Nord. Depuis Washington Irving – l'un des premiers et des plus séduisants de ces amoureux de l'Espagne, dont les Alhambra-Tales de 1832 ont acquis une renommée mondiale – le voyage en Andalousie répond à la quête d'un monde de rêve et de contes, où Almançor, Boabdil et Carmen vivent, aiment et souffrent d'après leurs propres lois. «Andalousie»: pour les Européens, le mot désigne un «Orient» qui possèderait les charmes de l'Orient islamique mais non ses risques. Car si ses mœurs et ses coutumes sont parfois encore médiévales, ses paysages et ses villes rappellent le Maghreb et le Proche-Orient, sa modernité protège des dépaysements trop aventureux.

L'Andalousie est un pays où islam et chrétienté ont mené un combat sans merci; un pays de croisades, où le Grand Inquisiteur a succédé à l'imâm, où les processions de pénitents parcourent les ruelles des anciens souks, mais où se sont aussi épanouies des formes de vie commune qui donnent à rêver, en dépit de toute l'intolérance et de toute la haine dont étaient capables les deux religions et les deux cultures.

Dans la seconde moitié du XIXe siècle, la science est venue prendre la relève de l'engouement romantique; et la première moitié du XXe siècle a fourni sur l'histoire, la littérature et l'art de l'Andalousie de grandes études qui demeurent toujours valables, et qui n'ont cessé d'être élargies et enrichies.

L'Espagne islamique de jadis suscite aujourd'hui une intense activité historique et archéologique: il est trop tôt encore pour en tirer de nouvelles synthèses, mais il faut néanmoins d'ores et déjà intégrer les acquis des recherches plus récentes dans le panorama ébauché par la génération de nos maîtres.

Du point de vue géographique et administratif, le mot Andalousie (Andalucía) correspond actuellement au Sud-Ouest de l'Espagne, avec les provinces d'Almeria, Malaga, Cadix, Huelva, Séville, Cordoue, Jaén et Grenade. On distingue nettement trois unités géomorphologiques: au centre, la vallée marneuse et sablonneuse du Guadalquivir, bordée par des collines, qui va mourir à l'Atlantique dans la monotonie d'un paysage de sable et de marécages; au Nord, la Sierra Morena, le Piémont méridional de la Meseta ibérique, paysage montagneux peu peuplé, dont les seules richesses proviennent de quelques mines de cuivre, de charbon, de mercure et de plomb; au Sud enfin, les puissantes montagnes bétiques qui s'étendent de Gibraltar, à l'Ouest, jusqu'à Cap

Grenade, Alhambra
«Salle des deux sœurs», vue dans le belvédère de Linderaja, autrefois la «Maison de 'A'îsha». La gravure est remarquablement précise; elle rend parfaitement la structuration des volumes, qui fait l'un des charmes de cette architecture.

PAGES 8, 9:
La Guardia de Jaén
Le sommet de la montagne était occupé depuis l'époque romaine – et peut-être déjà auparavant – par une fortification. Se superposent des vestiges de murs romains, wisigoths, puis arabes et chrétiens qui sont parfois difficiles à distinguer les uns des autres. La présence des tours atteste les dangers qui menaçaient constamment cette région située à la frontière des royaumes chrétiens et musulmans.

Nao, à l'Est. Les chaînes sous-bétiques séparent la vallée du Guadalquivir d'une série de vallées intérieures parallèles qui sont sèches à l'Est, vers Guadix et Baza, mais irriguées et donc extrêmement fertiles du côté de Grenade (la Vega). Dans le Sud, les hautes chaînes de montagnes (Sierra de Ronda, Sierra Nevada et Sierra de los Filabres) ne laissent que peu d'espace en bord de mer à de petites plaines côtières bien irriguées. La zone la plus importante, du point de vue économique et historique, est la riche plaine du Guadalquivir, où se sont développées les grandes villes, Cordoue, Séville et Cadix .

A l'origine «al-Andalus» désignait toute l'Espagne islamique, c'est-à-dire, du VIIIe au Xe siècle, la plus grande partie de la péninsule ibérique; sa frontière septentrionale suivait approximativement le cours du Douro, sa frontière orientale les Pyrénées. Il doit donc pouvoir se trouver des vestiges matériels de la culture islamique dans toute cette région. Nous utiliserons donc ici «andalou» comme synonyme de «islamo-ibérique» ou «islamo-hispanique», et «Andalousie» pour désigner la péninsule ibérique islamisée.

Jusqu'à une date récente, l'origine du nom d'al-Andalus demeurait une énigme. Le terme apparaît pour la première fois cinq ans après la conquête islamique sur une monnaie bilingue, dont la légende latine indique «Span(ia)» et l'arabe «al-Andalus»[1]. Des historiens et géographes arabes postérieurs ont fait dériver ce nom de celui d'un mystérieux peuple autochtone antédiluvien, et des savants européens (p. ex. R. Dozy, M. Streck et aussi E. Lévi-Provençal) ont établi un lien peu explicite avec les Vandales: «Wandal» aurait donné «al-Andalus». Phonétiquement la transformation est impossible; en outre, les Vandales, arrivés d'ailleurs en même temps que les Alains et les Suèves, ne sont restés que peu d'années en Espagne (411–429), avant de passer en Afrique du Nord. Comment un si bref épisode aurait-il pu, trois cents ans plus tard,engendrer tout à coup des conséquences aussi importantes?

Heinz Halm[2] a réussi récemment à démontrer qu'«al-Andalus» est simplement une arabisation de la désignation wisigothique de l'ancienne province romaine de Bétique: les Wisigoths ont dominé ce pays de 468 jusqu'à la conquête islamique en 711; comme leurs ancêtres germaniques, ils ont réparti

Grenade, Alhambra
Dessin coloré d'une mosaïque de faïence

Grenade, Alhambra, Cour des Lions
La Cour des Lions était à l'origine un jardin. La végétation touffue que l'on voit sur cette gravure romantique du XIXe siècle est plus fidèle à l'état d'origine que le gravier actuel.

par tirage au sort la terre conquise, les lots échus aux différents seigneurs germaniques – et donc aussi les terres – étant appelés «Sortes gothica». Dans les sources écrites, toutes en latin, le terme de «Gothica sors» (singulier) désigne l'ensemble du royaume gothique; l'équivalent en langue gothique, «Landahlauts» se transforma vite et quasiment automatiquement en «al-Andalus» (ce qui explique l'article arabe al-, inhabituel pour les noms propres de pays).

Les Musulmans héritèrent non seulement du nom, mais aussi de l'art de leurs prédécesseurs immédiats. La genèse de l'art hispano-islamique est en effet d'abord un processus de fusion: des éléments wisigothiques, ibéro-romains, syro-romains, byzantins et arabes se mêlent pour former un style nouveau et spécifique. Celui-ci, à son tour, marque d'autres cultures: on ne peut comprendre les civilisations juive et chrétienne de l'Espagne à partir du VIIIe siècle si l'on méconnaît ce qu'elles doivent, formellement, à l'islam. Les églises mozarabes (c'est-à-dire les églises érigées pendant la domination islamique) ne peuvent être détachées du contexte de l'architecture islamique contemporaine; mais bien plus marquée encore sera l'empreinte de l'architecture andalouse sur les églises et les palais construits après la Reconquista. Monastère de Las Huelgas près de Burgos (qui n'a jamais été sous domination islamique),

CASA DE LA JUVENTUD

avec ses ornements en stuc purement islamiques, chapelle de San Fernando dans la Grande Mosquée de Cordoue – tous deux du XIIIe siècle – Alcázar de Pierre le Cruel à Séville au XIVe siècle, clochers aragonais du XVe siècle, et jusqu'aux gares de l'Espagne du Sud à la fin du XIXe et au début du XXe siècle: les arcs polylobés entrelacés, les jeux décoratifs des briques, les faïences polychromes animent l'architecture hispanique. «Style mudéjar» désigne l'héritage formel islamique du royaume chrétien; et il peut se trouver aussi bien dans des chapelles palatiales somptueuses ou dans des cathédrales magnifiques, que dans de modestes églises rurales. «Mudéjar» (du mot arabe mudajjan, «ceux qui peuvent rester», avec la nuance de «domestiqués») est à l'origine un terme péjoratif, qu'appliquèrent les musulmans exilés à ceux qui demeurèrent en Espagne après la Reconquista. L'art mudéjar est infiniment varié, chaque paysage a sa propre physionomie, marquée par les traditions locales, le goût et les moyens financiers des commanditaires. Le seul dénominateur commun de l'ensemble de l'art mudéjar est l'empreinte des formes islamiques. Mais la résurgence des formes médiévales, dans l'art de l'Espagne méridionale de la fin du XIXe siècle, appartient cependant moins au phénomène mudéjar qu'il ne procède de ces mêmes tendances historicistes qui ont conduit à l'érection de l'hôtel de ville de Hambourg.

L'Espagne chrétienne et les pays qu'elle a influencés ont gardé des témoignages de l'art d'al-Andalus, notamment de son architecture; mais cet art a également eu un rayonnement durable dans le monde islamique. Aux échanges, durant la domination entre l'Andalousie et l'Afrique du Nord islamique, succèdent, du côté nord-africain, des siècles d'une création qui demeure dans la mouvance de ses origines. On constate que presque tout l'art marocain des derniers siècles puise à l'art de Grenade: tandis que la Tunisie et l'Algérie devenaient, après la conquête turque, des provinces de l'art ottoman, le Maroc, avec une constance sans faille, est demeuré fidèle à l'héritage andalou.

L'architecture hispano-islamique n'a donc cessé de marquer fortement, pendant des siècles, l'architecture non islamique de la presqu'île ibérique, et celle,

Grenade, Alhambra
Dessin coloré d'une mosaïque de faïence

Tarifa, complexe scolaire et sportif installé dans des murailles «anciennes»
Les murs couronnés de merlons, les bassins dans des cours intérieures rectangulaires, les édifices à un seul étage avec des galeries ombragées, les faïences polychromes, les arcs outrepassés, et jusqu'aux palmiers et aux orangers: l'architecture domestique de l'Espagne du Sud est restée fidèle à la tradition de sa période islamique.

Arcos de la Frontera. Vue d'ensemble de la ville
L'ancien site détruit par les Vandales connut une renaissance sous les Maures. Arcos fut conquise en 1250 par Alphonse X.

EN BAS:
Ruine de château fort près d'Arcos de la Frontera

islamique, de l'Afrique du Nord. Quels facteurs, dans son propre développement, peuvent expliquer ce dynamisme posthume?

Avant d'entrer dans le vif du sujet, quelques remarques s'imposent encore à propos de la situation particulière de l'islam hispanique.

Depuis le XIXe siècle, la culture andalouse a souvent été présentée comme une création spécifiquement ibérique, dans une vision étroitement espagnole. L'historiographie espagnole a été longtemps dominée par l'idée que les cultures qui s'étaient épanouies sur le sol de l'Espagne contenaient toutes une sorte de principe d'hispanité. Or, il est certain que, dans leur grande majorité, les musulmans espagnols (à l'exception évidemment des premières générations de convertis) se considéraient comme des musulmans vivant sur sol ibérique, et nullement comme des Espagnols islamisés. Le nom d'Ishbanya était réservé à la partie chrétienne du pays, tandis que celui d'al-Andalus en désignait la partie islamique. L'emploi du mot a d'ailleurs varié quant à l'aire géographique à laquelle il s'est appliqué: à l'origine, il vaut pour la plus grande partie de la péninsule, puis au XVe siècle, seulement pour le petit royaume de Grenade. On peut douter que les musulmans espagnols aient jamais développé un sentiment national territorial, car c'est beaucoup plus la religion et l'appartenance tribale qui fondaient leur identité. Certes, dans les périodes de tension, ils conclurent de multiples pactes avec les chrétiens, comme ce fut d'ailleurs aussi le cas au Proche-Orient du temps des Croisades; mais ces alliances ne changent rien au fait que l'«autre» est, fondamentalement, le non-musulman, qu'il soit espagnol ou non.

Pourtant, al-Andalus a été perçu comme une unité clairement individualisée au sein du monde islamique, et ses poètes – qui ont créé des formes lyriques spécifiques – célèbrent avec orgueil la beauté de leur pays. Comme la littérature hispano-islamique, l'architecture a su trouver un langage propre. Mais de même qu'il est impossible de comprendre cette littérature sans connaître l'arabe, de même il est vain d'isoler cet art de bâtir de l'architecture islamique. Fonctions et formes des édifices sont au premier chef déterminées par l'islam;

Górmaz, citadelle
La forteresse, construite sur une crête rocheuse qui domine la vallée du Douro, s'étire sur près de 380 mètres de long, pour une largeur maximale de 50 mètres; son plan épouse le relief naturel. Cette forteresse contrôle la grande plaine située à la frontière Nord de l'Espagne islamique à l'époque de sa plus grande extension.

leur hispanité est secondaire. En outre, le vocabulaire formel de l'architecture andalouse, de la fin du XIe jusqu'au début du XIIIe siècle, est également marqué par l'Afrique du Nord; c'est pourquoi a fini par s'imposer la notion d'art hispano-maghrébin ou hispano-mauresque.

«Maure» (du grec mauros, sombre) est un terme déjà utilisé par Lucien pour la population autochtone blanche de l'Afrique du Nord occidentale. Aujourd'hui, le mot est appliqué à l'ensemble de la population de l'Afrique du Nord, composée essentiellement de l'ancien fond auquel se sont mêlées et souvent superposées des vagues répétées d'immigrants arabes. Par ailleurs le mot «Maghreb» («Occident») désigne en arabe le Maroc et l'Algérie, tandis qu'en français il est devenu le nom de l'ensemble des pays d'Afrique du Nord (Egypte exclue).

On pourrait discuter longtemps de la meilleure caractérisation de cette architecture: «mauresque» ou plutôt «maure» (car «mauresque» signifierait seulement «à la manière des maures»), «hispano-islamique», «hispano-maghrébine». Il demeure qu'aucune d'entre elles ne rend entièrement compte d'une réalité issue d'un processus d'échanges et de fécondation mutuelle, sur le fond commun de l'islam, et c'est le cadre dans lequel les éléments arabes, berbères, espagnols sont venus se fondre pour produire d'inégalables chefs-d'œuvre.

Teruel, vue d'ensemble et détail de la Torre del Salvador
La plus célèbre des tours mudéjares de la ville date du XIIIe siècle. A l'époque islamique, Teruel appartient pour un temps au petit royaume d'Albarracín, avant d'être reprise en 1171 par le roi Alphonse II d'Aragon. On appelle «mudéjar» le style des Arabes sous domination chrétienne.

710–912

Les événements jusqu'à la fin du IXe siècle

Le royaume wisigothique au début du VIIIe siècle

Au début du VIIIe siècle, la faiblesse du royaume wisigothique, jadis puissant, devint évidente. D'un côté il y avait une petite classe supérieure, immensément riche, constituée par l'aristocratie germanique et les descendants de la noblesse de l'administration ibéro-romaine; de l'autre une population campagnarde appauvrie, et une masse croissante de serfs. Le durcissement des lois appliquées aux serfs fugitifs, entre autres, révèle l'exaspération de ces tensions économiques et sociales; mais en dépit de leur rigueur, elles ne suffisaient pas à endiguer les fuites. En outre, on constate un anti-judaïsme qui conduisit à de véritables persécutions. Les villes s'étaient appauvries, elles avaient perdu leurs privilèges anciens et leur puissance d'antan. Certes, le monarque disposait de biens considérables, mais il n'avait aucun pouvoir réel. Intrigues de cour et assassinats de parents aboutirent à une situation chaotique. Ce désordre s'explique sans doute, du moins en partie, par l'ancien système gothique de la monarchie électorale, qui ne connaît pas de véritable succession dynastique, la seule condition d'éligibilité étant l'appartenance à la noblesse gothique. Chacun des clans rivaux avait ses prétendants et ses fidèles, dont la plupart étaient massacrés en cas de victoire de l'adversaire. De surcroît, il ne semble pas que la monarchie disposât d'une armée régulière et fiable; en principe, tout homme libre était soumis à des obligations militaires, mais vers la fin du VIIe siècle, le souverain n'eut plus les moyens de les imposer. Du coup, l'armée était réduite à quelques unités tribales, et les prétendants au trône contraints de rechercher des appuis extérieurs pour réaliser leurs ambitions. Ainsi Athanagild se tourna-t-il vers les Byzantins, Sisenand vers les Francs, Froia vers les Basques; et pour finir, Akhila et ses frères, les fils du dernier roi Wittiza, firent appel, en 711, aux musulmans d'Afrique du Nord pour lutter contre l'usurpateur Rodrigue.[3]

En dépit de cette fin sanglante et misérable, il serait faux de ne juger que négativement l'ère gothique. C'est l'époque de la première unification administrative de l'Espagne, l'époque de sa christianisation, et aussi celle de la romanisation linguistique et juridique de la presqu'île ibérique. Dans ce processus, les Wisigoths germaniques jouèrent sans doute un rôle de catalyseur, bien que l'historiographie postérieure place à cette époque la naissance du sentiment national espagnol.[4]

Quelques rares églises, modestes pour la plupart – basiliques, édifices à plan central ou simples salles rectangulaires – témoignent aujourd'hui encore de l'architecture religieuse wisigothique.[5] Elles sont généralement édifiées en bel appareil de pierre de taille, selon le noble «more gothico», pour citer Isidore de Séville (qui distingue celui-ci du «more gallicano», plus modeste, en briques avec du bois et du mortier). Tandis que le plan et l'élévation des édifices religieux révèlent une influence orientale, leur technique de construction renvoie à des modèles romains. Certaines formes architecturales sont cependant originales, comme par exemple l'arc outrepassé («l'arc en fer à cheval»), qui est fréquent. Le décor architectural est l'héritier de cet art provincial romain tardif qui est moins uniforme qu'il n'y paraît de prime abord, et qui a donné naissance à des variantes locales nettement affirmées. La marque de l'art populaire est très sensible dans le décor géométrique de l'architecture wisigothique – comme d'ailleurs aussi dans le répertoire végétal et figuratif – avec cette tendance à couvrir entièrement les surfaces, et à négliger en revanche le rendu des volumes. Avec ses acanthes, ses feuilles de vigne et de laurier, le répertoire formel végétal est néanmoins bien d'origine romaine, même si sa qualité technique est fort éloignée de celle des modèles.

Quelques objets liturgiques – très influencés par l'art byzantin et copte – et quelques couronnes votives en or, surchargées de pierres précieuses, constituent d'autres témoignages remarquables de l'art wisigothique. La tradition «germanique», avec son goût pour la polychromie et pour l'abstraction, s'y manifeste plus nettement que dans l'architecture et la sculpture, plus déterminées par l'apport romain; c'est le cas aussi pour les simples objets métalliques d'usage courant (fibules, broches, aiguilles, boucles, anneaux, etc.).

L'art wisigothique a subi des influences diverses. Fond germanique, apports byzantins, éléments ibéro-romains ou romano-maghrébins se sont fondus en un idiome artistique spécifique, qui jouera à son tour un rôle décisif dans la formation de la civilisation ibéro-islamique.

L'expansion islamique

Le message religieux

Lorsqu'il commence à prêcher à la Mecque, au début du VIIe siècle, Muhammad n'est d'abord qu'un prophète parmi d'autres. Mais l'annonce monothéiste, la promesse pour tous d'un salut éternel par l'islam, l'invitation à se soumettre à la volonté divine, eurent vite un tel succès que Muhammad conquit une place tout à fait unique. Le Qur'ân («Coran») – texte sacré de cette nouvelle religion – est la Parole de Dieu, éternelle comme lui. Iqra'! «récite»!, tel fut l'ordre de l'ange Gabriel qui la communiqua au prophète, afin qu'il la proclamât aux hommes. Le message nouveau promet à chacun la béatitude éternelle, à condition qu'il croie à un seul Dieu miséricordieux, Allah, et qu'il obéisse à ses commandements. Ceux-ci reposent principalement sur les «cinq piliers de la religion»: la confession de foi («il n'y a d'autre Dieu que Dieu et Muhammad est son prophète»), les cinq prières rituelles quotidiennes, l'impôt religieux (zakât), l'observance du jeûne pendant le mois de Ramadân, et le pèlerinage à la Mecque une fois dans la vie (hadj). Les exigences d'Allah ne paraissaient pas écrasantes, en comparaison de celles des polythéismes qui régnaient alors en Arabie. En outre, Muhammad promettait l'accès direct au Paradis à tous ceux qui mourraient dans la Guerre Sainte – c'est-à-dire pour la propagation de l'islam – les autres musulmans devant attendre jusqu'au

Jugement dernier. Le Coran décrit de façon détaillée les plaisirs – en particulier ceux des sens – de ce Paradis. L'hostilité des notables suscitée par le succès grandissant de ses prêches obligea Muhammad à fuir la Mecque en septembre 622 et à s'installer dans l'oasis de Yathrib, à environ 360 km au Nord; l'oasis reçut alors le nom de Médine (Madîna)[6]. Cet établissement marque la fondation d'un premier Etat islamique, au sommet duquel se trouvait le Prophète, qui détenait le pouvoir temporel ainsi que le pouvoir spirituel.

Le message de Muhammad s'était adressé d'abord aux Mecquois, puis à tous les Arabes. Il est probable que le Prophète lui-même, vers la fin de sa vie, incluait l'humanité tout entière dans son plan de salut. Toutefois le Coran, parole divine, a été communiqué à l'humanité en arabe, et par là la prédominance des Arabes était assurée dans la religion nouvelle, en dépit de son caractère universel.

La Mecque, ville natale du Prophète et sanctuaire de l'islam
Avant l'islam, la ville était déjà un lieu de commerce et de pèlerinage. Dès l'origine, la Kaaba, construction rectangulaire voilée de noir qui occupe le milieu d'une grande cour, constitua le centre religieux de l'islam. D'après le Coran, ce sont Abraham et Ismaïl qui auraient eux-mêmes scellé la pierre noire sacrée dans le mur du temple. La Mecque est située dans une région désertique et vit des pèlerinages; son architecture actuelle n'a plus rien à voir avec celle des origines de l'islam. Seule la Kaaba a conservé sa forme originale en dépit de toutes les restaurations successives.

Gibraltar, Djabl Târiq (la montagne de Târiq)
Târiq ibn Ziyâd, sans doute un berbère converti à l'islam, fut gouverneur des califes syriens à Tanger et mena la conquête de l'Espagne. Même s'il ne put voir lui-même les fruits de ses exploits guerriers, l'histoire a immortalisé son nom. Gibraltar, l'une des «Colonnes d'Hercule» de l'Antiquité est demeuré jusqu'à un passé récent un point stratégique essentiel de la côte espagnole, qui contrôle le passage de la Méditerranée à l'Atlantique.

Les conquêtes

La diffusion de la nouvelle religion fut accélérée par les succès de ses armes. On a interprété, certainement avec raison, la notion de Guerre Sainte comme une conceptualisation des razzias alors habituelles sur la péninsule arabique. En tout cas, la rencontre des motivations religieuses et des intérêts économiques et politiques a conféré au nouveau mouvement un dynamisme qui conduisit en peu de temps à la conquête d'une grande partie de l'Asie et de l'Afrique du Nord.

La Guerre Sainte n'aboutit néanmoins pas à l'alternative brutale «conversion ou mort». Le Coran reconnaît aux «Gens du Livre» (Ahl al-kitâb) une condition privilégiée de «protégés» (Dhimmî): en terre d'islam, les monothéistes qui reconnaissent des textes sacrés peuvent pratiquer assez librement leur religion, à condition de s'acquitter d'une dîme particulière. Les tribus polythéistes vaincues de l'Arabie n'avaient d'autre choix que la conversion, mais il n'en allait pas de même dans les terres conquises de l'ancien Empire byzantin. Il était plus simple et plus avantageux de maintenir les structures sociales et administratives et de faire rentrer des impôts. Quant aux nouveaux convertis à l'islam (mawlâ, pl. mawâlî) – de plus en plus nombreux, ne serait-ce que pour des raisons économiques – ils se mettaient sous la protection et la dépendance d'une tribu arabe anciennement islamisée; ce statut de mawlâ créait des liens étroits entre seigneurs et néo-musulmans, liens qui allaient se poursuivre pendant des générations, et qui eurent des effets particulièrement importants en Espagne après 750.

L'expansion islamique ne correspondait pas à une stratégie d'ensemble programmée par avance, comme ce pourrait être le cas à l'époque moderne; il s'agit plutôt d'une progression au coup par coup, grâce souvent à l'action de tribus fraîchement vaincues et islamisées. Cette expansion se fit d'abord vers le Nord et l'Est, c'est-à-dire vers la Syrie, l'Irak et l'Iran. L'Egypte fut soumise entre 640 et 642. Par la suite, plusieurs expéditions plus à l'Ouest ne connurent pas de succès durable. Kairouan ne fut fondé qu'en 670, comme point d'appui dans la lutte contre les tribus berbères locales qui résistaient de toutes leurs forces. En 698 la ville byzantine de Carthage fut prise, et, à partir du début du VIIIe siècle, les armées arabes et berbères entrèrent ensemble au Maroc, en passant par l'Algérie. Le commandement de ces armées mixtes restait en mains arabes. Les terres nouvellement conquises du Maghreb furent soumises, à partir de 708, à l'autorité du gouverneur de l'Ifrîqiya (c'est-à-dire de la Tunisie), Mûsâ ibn Nusayr, un Syrien qui dépendait directement du calife de Damas.

Du Maroc, les armées islamiques se tournèrent non vers le Sud, où elles auraient cependant rencontré des régions familières, mais vers le Nord, qui promettait des richesses incomparables; mais il fallait traverser un bras de mer, ce qui entraînait de sérieuses difficultés.

La conquête de l'Espagne

Sous la direction du berbère Tarif ibn Malluk, une petite troupe débarqua à l'été 710 à l'Ouest de Gibraltar, le futur emplacement de Tarifa. Cette première reconnaissance s'avéra très prometteuse et, au printemps 711, une armée de 7 000 combattants traversa le détroit dans des bateaux qui avaient été fournis par la faction wisigothique d'Akhila. Cette armée majoritairement berbère était conduite par Târiq ibn Ziyâd, un affranchi probablement berbère (ou persan, d'après d'autres sources) de Mûsâ ibn Nusayr. Son nom a été immortalisé par celui de Gibraltar, qui vient de Djabl Târiq (la montagne de Târiq). Târiq avait été nommé gouverneur de Tanger par Mûsâ et connaissait certai-

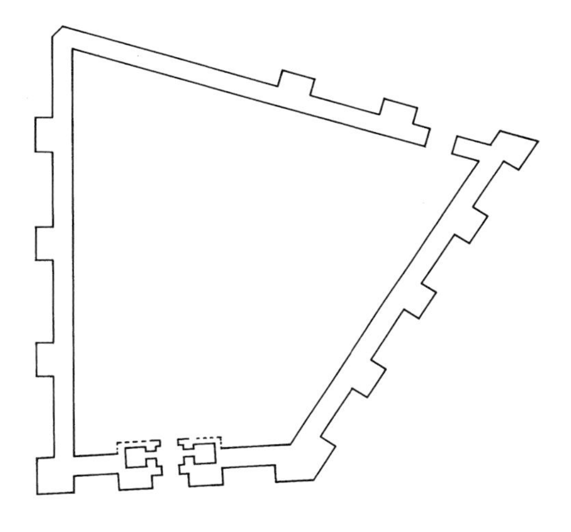

A COTE ET EN HAUT:
Tarifa, plan et vue de l'Alcazaba
La forteresse du Xe siècle jouait un rôle déterminant dans le système défensif de la côte méridionale.

A GAUCHE:
Tarifa, vue vers la côte africaine

nement bien les difficultés intérieures du royaume wisigothique, en voie de désagrégation. Au moment du débarquement de Târiq, Rodrigue se trouvait dans le Nord, occupé à lutter contre les Basques; il accourut aussitôt vers le Sud et, le 19 juillet 711, il fut défait sans peine près d'Algéciras (au Rio Barbate) par l'armée islamique, appuyée par ses opposants wisigothiques. Après cette victoire, Târiq ne rencontra plus guère de résistance organisée: Cordoue et Tolède, la capitale wisigothique, furent soumises au cours du même été. A l'été 712, Mûsâ ibn Nusayr lui-même traversa le détroit, à la tête d'une armée de 18 000 hommes, pour la plupart arabes. Il prit d'abord Séville et ses environs, puis Mérida. Ce n'est qu'à l'été 713 qu'il rencontra à nouveau Târiq, tandis que son fils emportait Niebla et Béja. Les sources arabes soulignent combien les succès de Târiq suscitèrent la jalousie de Mûsâ. Quoi qu'il en soit, celui-ci fit pourtant une entrée triomphale à Tolède et s'installa dans le palais royal wisigoth, célèbre pour sa somptuosité. La conquête de l'Espagne se poursuivit durant l'été 714, avec la progression de Mûsâ au-delà de Soria et de la vallée supérieure du Douro jusqu'à Oviedo, et avec la campagne de Târiq dans la haute vallée de l'Ebre jusqu'en Galice. Entre-temps, à la suite d'intrigues et de dénonciations à la cour de Damas, Mûsâ et Târiq furent appelés en Syrie pour se justifier devant le calife. L'Espagne restait alors sous l'autorité de 'Abd al-'Azîz, un fils de Mûsâ. Ce dernier termina probablement sa vie dans un cachot syrien et Târiq disparut également en Orient.

Sous 'Abd al-'Azîz, l'armée du calife s'empara, à l'Ouest, de l'actuel Portugal et, à l'Est, de la Catalogne et de la Narbonnaise. Malaga, Elvire (la future Grenade) et Murcie se soumirent d'elles-mêmes. Le traité avec le prince gothique de Murcie a été conservé; en échange d'un impôt annuel, il garantit aux goths la souveraineté, la liberté du culte et l'autonomie économique.

Il semble que 'Abd al-'Azîz ait épousé la veuve de Rodrigue; il résida à Séville où il fut assassiné en 816, sur l'ordre du calife. A cette époque, la conquête islamique de l'Espagne était à peu près terminée.

Les quarante années suivantes sont assez confuses. Les sources arabes font état de querelles innombrables, de révoltes, de luttes entre les différents groupes de conquérants. Ceux-ci étaient entrés en Espagne en contingents autonomes, et s'y étaient installés en conservant leur cohérence tribale. Aussi la population d'al-Andalus était-elle extrêmement hétérogène, sa société divisée, et le gouvernement central incapable d'imposer son autorité. Les Arabes du Sud combattaient les Arabes du Nord (le célèbre conflit entre les tribus des Kalb contre celles des Qais), les gens de Médine étaient les ennemis de ceux de Damas, les Berbères étaient hostiles aux Arabes. Les gouverneurs se succédaient sans répit, la plupart ne demeurant en fonction qu'environ six mois. L'éloignement et l'isolement d'al-Andalus, qui n'avait de frontière commune avec aucun pays islamique, rendaient impossible toute intervention efficace de Damas. Mais en dépit de cette situation, les conquêtes se poursuivirent vers l'Est: de Narbonne vers Avignon, puis jusqu'à Lyon en remontant la vallée du Rhône, et de Pampelune à Poitiers en passant par Bordeaux. La bataille de Tours et Poitiers (732), où Charles Martel remporta une victoire décisive sur les musulmans, occupe dans les manuels d'histoire français une place qui correspond à son importance du point de vue chrétien, mais semble surestimée selon l'optique islamique, car ce ne fut ni la première ni la dernière campagne arabe en royaume franc. Mais Pépin reprit Narbonne en 751, et les incursions à l'Est des Pyrénées cessèrent.

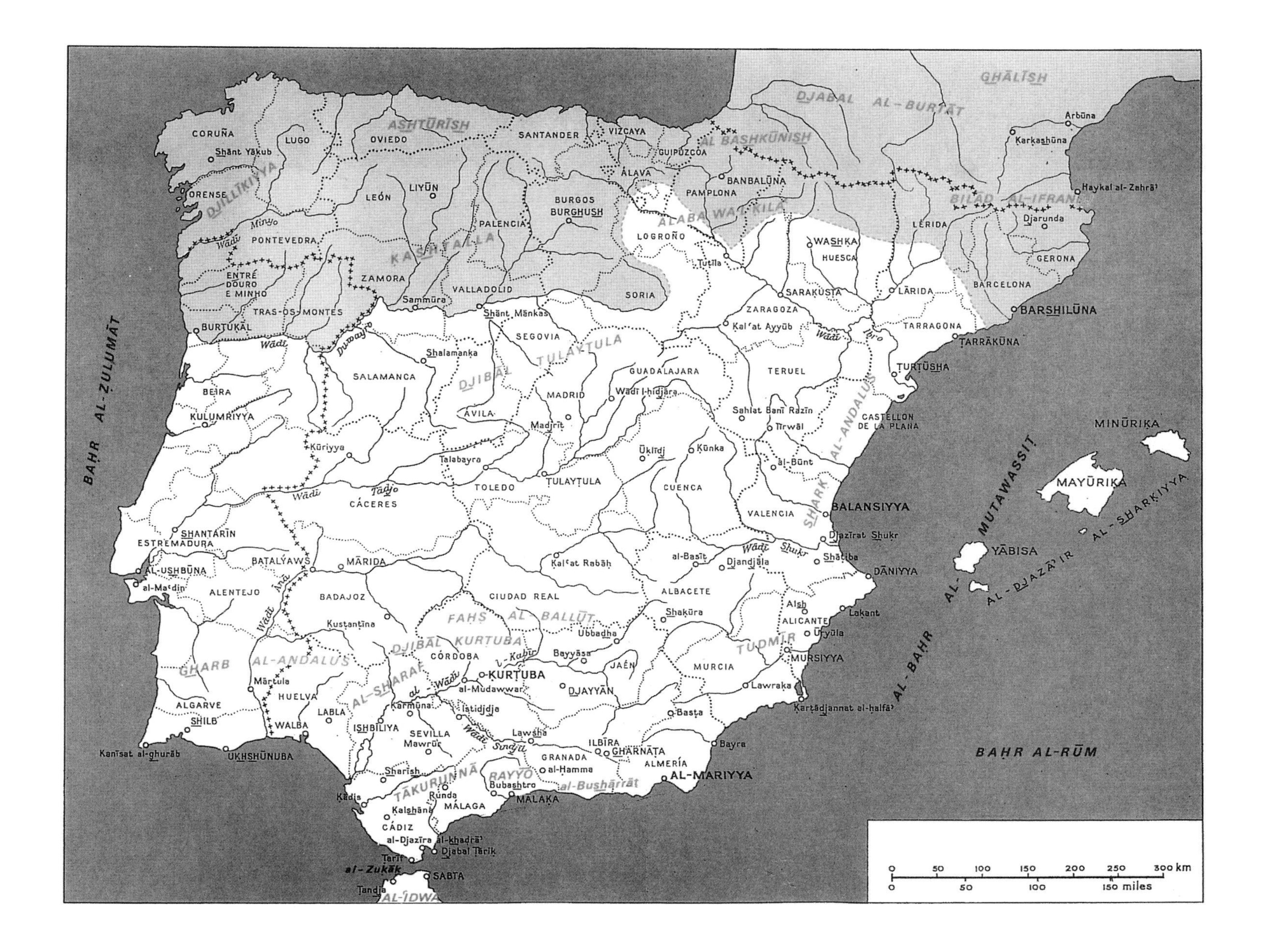

Sous Alphonse Ier (739–757), la contre-offensive chrétienne s'organisa dans les Asturies, et la Galice et certaines parties de la Vieille Castille au Nord du Douro furent reconquises. Alphonse Ier n'était toutefois pas en mesure de tenir les régions dépeuplées du Sud des Asturies; une sorte de «no man's land» se forma alors entre les forteresses méridionales du royaume asturien et celles, septentrionales, d'al-Andalus, dont la frontière floue suivait plus ou moins le cours du Douro. Des siècles durant, ces régions restèrent exposées aux attaques menées du Nord comme du Sud.

Pour les historiens chrétiens d'autrefois, la chute de Grenade en 1492 conclut un mouvement amorcé sous le règne d'Alphonse Ier, l'anéantissement d'al-Andalus se trouvant déjà inscrit dans ce petit royaume asturo-galicien. Pour les historiens de l'Islam, en revanche, ce n'est qu'un problème de frontières parmi bien d'autres.

La péninsule ibérique: zone d'influence islamique.

PAGES 28, 29:
Buitrago, façade Nord de la citadelle
Buitrago, pittoresque ville fortifiée sur la route de Madrid à Burgos, contrôle l'un des principaux cols de la Sierra de Guadarrama. Elle fut construite par les musulmans pour contrer les invasions chrétiennes venues du Nord. Après la reconquête chrétienne, à la fin du XIe siècle, les murailles furent restaurées mais en fait, les armées islamiques ne remontèrent plus jamais si loin au Nord. Ne subsiste de la citadelle que l'enceinte extérieure avec ses cinq tours.

La famille des Umayyades

A sa mort, en 632, Muhammad n'avait laissé ni fils ni consignes claires concernant sa succession, mais l'élection des premiers califes (khalîfa, représentant [du Prophète]), choisis parmi ses compagnons, se fit sans grand problème. En 760, Mu'âwiya, membre d'une des familles les plus riches de la Mecque qui s'était convertie assez tard à l'islam, réussit à prendre le pouvoir et à imposer une succession dynastique. C'est de Damas, et non plus de Médine, que cette première dynastie islamique des Umayyades régna sur un Empire islamique qui, vers 740, s'étendait du Sind (Pakistan) jusqu'en Espagne.

Schismes religieux, querelles entre les différents clans arabes, problèmes économiques et mécontentement social grandissant, disputes familiales sanglantes, incompétence de nombreux chefs: l'empire était devenu trop vaste pour qu'une administration centralisée puisse être efficace. L'évolution de l'Espagne, de 711 à 755, révèle d'ailleurs particulièrement bien à quel point Damas était peu à même de comprendre les événements périphériques.

'Abd al-Rahmân Ier

En 750, la dynastie des Abbassides renversa la dynastie des Umayyades dont elle massacra presque tous les représentants. Seul Abû'l-Mutarrif 'Abd al-Rahmân ibn Mu'âwiya, âgé de vingt ans à peine, parvint à s'enfuir. Sa mère était une Berbère de la tribu des Nafza du Nord du Maroc, ce qui explique qu'il se soit aussitôt dirigé vers le Maghreb. Après quatre années d'errance, il résolut de tenter sa chance en Espagne. Il pouvait en effet compter sur les nombreux mawâlî (clients) des Umayyades venus en Espagne avec la cavalerie syrienne, et qui s'étaient installés à Jaén et à Elvire. Le fugitif s'adressa à eux et réussit à obtenir leur confiance et leur soutien. D'autres groupes arabes ainsi que des Berbères d'Andalousie les rejoignirent. Si 'Abd al-Rahmân Ier possédait sans aucun doute des qualités personnelles hors pair, il est certain aussi qu'il bénéficia du prestige de l'ancienne famille souveraine. Les habitants de la lointaine province andalouse s'étaient en effet tenus à l'écart des convulsions qui avaient agité l'Orient et demeuraient pour la plupart loyaux à la dynastie renversée. En tout cas, 'Abd al-Rahmân parvint à imposer son autorité au gouverneur officiel et à ses fidèles, et en mai 756, il se fit proclamer Amîr al-Andalus dans la Grande Mosquée de Cordoue.

Sous le règne de 'Abd al-Rahmân Ier, Cordoue devint la capitale d'al-Andalus; les remparts furent réparés, on construisit des mosquées. En 784/85, il fit ériger un nouveau palais (Dâr al-Imâra) au bord du Guadalquivir, et peu après, il entreprit, non loin, la construction d'une nouvelle Grande Mosquée. Toute sa vie durant, 'Abd al-Rahmân Ier, l'«immigrant» (al-dâkhil), demeura attaché à son pays natal, la Syrie. Il fit bâtir dans des jardins situés au Nord-Ouest de Cordoue un palais d'été qu'il appela al-Rusâfa, en souvenir de la célèbre résidence umayyade de la Palmyrène. La nostalgie de la patrie syrienne s'exprime également dans quelques-uns de ses poèmes:

«A Rusâfa je vis soudain un palmier;
en terre d'Occident, loin du pays des palmiers;

Je dis alors: ‹tu es seul, comme moi, en pays lointain et étranger,
tu regrettes comme moi les enfants et amis là-bas,
tu n'as pas grandi dans la terre de ton pays,
comme toi, je suis étranger, et loin de ma maison.›»[7]

Néanmoins, ni lui, ni aucun de ses successeurs ne tentèrent jamais de reconquérir la patrie syrienne.

La littérature andalouse chante à l'infini l'éloge de 'Abd al-Rahmân Ier, le «faucon des Umayyades». Elle prête ces phrases à Abû Dja'far al-Mansûr, le calife abbasside: «'Abd al-Rahmân ibn Mu'âwiya est le faucon des Quraysh: il traversa les mers et les déserts, il vint en terre non arabe; ne comptant que sur lui seul, il fonda des villes, rassembla des troupes et mit en place une administration; ayant perdu le trône ici, il conquit un empire là-bas, aidé seulement par l'intelligence de son esprit et le courage de son cœur . . . .'Abd al-Rahmân Ier fonda seul – avec comme unique soutien son but, comme unique ami sa volonté – l'émirat al-Andalus, il conquit des forteresses de frontière, mit à mort les hérétiques, et soumit les tyrans récalcitrants.»[8]

La longue durée de son règne lui permit de bâtir un Etat puissant, bien organisé et prospère, qui inaugure une période de plus de deux siècles dont les époques suivantes reconnurent l'incomparable rayonnement culturel sans parvenir jamais à l'égaler.

Le nouvel Etat umayyade

La position de 'Abd al-Rahmân Ier constitue une nouveauté dans le monde islamique, dans la mesure où, sans prétendre aucunement au titre califal et sans développer d'idéologie du pouvoir, il régna néanmoins en souverain autonome, qui ne devait de comptes à personne.

Les difficultés auxquelles le nouvel Amîr al-Andalus se heurta durant tout son règne tiennent d'abord à la seule configuration physique du pays: en effet son morcellement et sa diversité géographique rendent la tâche d'un pouvoir centralisé extrêmement difficile. Il fallait une armée rigoureusement organisée et une administration efficace et de confiance pour venir à bout des révoltes incessantes d'une population hétérogène, et garantir ainsi la paix et la prospérité intérieures.

Les conflits étaient en effet inévitables. Ne serait-ce que dans la classe dirigeante, Arabes de la première vague (les «baldiyyûn») et Arabes venus plus tardivement, les «Syriens» (les «shâmiyyûn») s'affrontaient, ces derniers étant d'ailleurs privilégiés du point de vue économique; en outre, il y avait aussi les membres de la famille umayyade que 'Abd al-Rahmân Ier avait attirés d'Orient vers l'Espagne. D'autre part, les rivalités ancestrales entre Arabes du Nord et Arabes du Sud ne s'étaient nullement éteintes. L'hostilité de ces différents groupes arabes se nourrissait donc aussi bien d'antagonismes tribaux que d'oppositions sociales et économiques. Des contingents de Berbères islamisés avaient participé à la conquête de l'Espagne au même titre que les contingents arabes. Mais les Berbères, traités avec condescendance, voire avec mépris, par les Arabes, avaient été contraints à s'installer surtout dans les régions défavorisées ou périphériques d'al-Andalus. Ils s'étaient donc établis, de gré ou de force, dans le bassin de l'Ebre, la région de Valence, la partie méridionale de la Meseta et l'Estremadure[9], tandis que les Arabes s'étaient réservé les grandes villes et les vallées fertiles – les vegas et les huertas. Mais les Berbères ne constituaient pas non plus une population homogène, car se maintenaient les clivages de leur patrie nord-africaine – l'appartenance tribale et des modes de vie traditionnels différents, selon qu'ils avaient été nomades, semi-nomades ou paysans sédentaires.

La population autochtone chrétienne semble s'être largement convertie de plein gré à la religion des vainqueurs[10]; les chrétiens avaient appris l'arabe, adopté des mœurs arabes et parfois même arabisé leur nom. Sarah la Gothe est un exemple célèbre de l'adaptation rapide de la caste dominante chrétienne. Cette petite-fille de Wittiza entreprit le voyage de Séville à Damas afin de se rendre à la cour du calife umayyade Hishâm qui la reçut avec tous les honneurs; elle y fit la connaissance du jeune 'Abd al-Rahmân Ier et épousa un musulman qui la raccompagna en Andalousie, dont elle eut deux fils; après son veuvage, elle épousa un dignitaire de la cour de 'Abd al-Rahmân Ier, lequel avait, entre-temps, pris le pouvoir à Cordoue. Un fils naquit de cette seconde union, dont la nombreuse descendance appartint à l'aristocratie arabe la plus distinguée.[11]

Les sources appellent ces néo-musulmans des «musâlimûn» ou «muwalladûn» (le premier terme est surtout utilisé pour les convertis de la première génération, le second pour leurs descendants). Une minorité était restée chrétienne; ces «musta'ribûn» (les «arabisés»), que l'historiographie européenne connaît sous le nom de Mozarabes, jouissaient, en tant que dhimmî, de la protection officielle de l'Etat, au même titre que les Juifs; ils constituaient des groupes assez nombreux dans les grandes villes comme Tolède, Cordoue, Séville et Mérida. En revanche, nous sommes beaucoup moins bien renseignés sur la paysannerie mozarabe.[12] Les groupes juifs avaient activement soutenu la conquête islamique; citadins, ils allaient vivre une longue période de paix sous une protection officielle et jouèrent un rôle important, notamment dans le commerce. Mais même s'ils semblent avoir adopté l'arabe comme langue courante, on ne connaît cependant guère de conversions à l'islam.

Si des conflits éclataient souvent au sein de cette population en raison de sa disparité, les différents groupes étaient néanmoins souvent prêts à conclure des alliances contre l'autorité umayyade.

Il y avait longtemps que l'ancienne organisation militaire, qui reposait sur le service général des musulmans, s'était avérée insuffisante, et à l'instar de ses prédécesseurs syriens, 'Abd al-Rahmân Ier commença à recruter une armée d'esclaves, composée de «mécréants» nord-africains et européens.

Les bases de l'administration avaient été jetées dès la conquête islamique et 'Abd al-Rahmân semble ne les avoir guère modifiées. Les provinces intérieures étaient entourées par une large ceinture que l'administration centrale de Cordoue ne parvenait pas à contrôler complètement. Cette zone était divisée non pas en provinces, mais en trois grandes «marches»: la «Marche supérieure», dominée par les Banû Qâsî, d'origine gothe, dont la capitale était Saragosse; la «Marche centrale» avec comme capitale Tolède; la «Marche inférieure» enfin, qui incluait le Portugal et l'Estremadure, et dont la métropole était Mérida. A leur tête se trouvait un qâ'id («margrave») et non un wâlî (gouverneur civil). Les provinces centrales étaient subdivisées en districts administratifs (kuwar), dirigés par un préfet (wâlî ou 'amîl) nommé par le gouvernement central qui résidait dans la capitale du district (qâ'ida). Il semble que ces administrateurs aient été recrutés plutôt parmi les autorités locales, et

Mérida, Alcazaba «el Conventual»
La forteresse umayyade est pourvue de tours de flanquement reliées au mur prinicpal par des arcades. Elles ont sans doute été rajoutées après coup, mais datent certainement de l'époque islamique. L'appareil de l'enceinte est caractéristique de la technique umayyade, avec ses groupes de boutisses.

Sâmarrâ, minaret en spirale du IXe siècle
Sâmarrâ, résidence des califes abbassides sur les rives du Tigre, à 125 kilomètres au Nord de Bagdad, fut fondée en 836. La ville royale était non seulement le centre administratif de l'empire abbasside, mais aussi un immense camp militaire. Elle atteignit très rapidement une extension gigantesque, mais déclina aussi vite, car les califes regagnèrent Bagdad dès 892.

leur pouvoir confirmé par l'émir de Cordoue. 'Abd al-Rahmân Ier régnait à Cordoue, assisté par une classe de fonctionnaires sur lesquels les sources arabes contemporaines ne fournissent guère de renseignements. Le juge suprême (qâdî) et le hadjîb, tout à la fois chambellan et premier ministre, jouaient un rôle important. Le mot vizir, qui en Orient désignait habituellement le premier ministre, était utilisé en Andalousie plutôt comme titre honorifique et ne correspondait pas à une charge gouvernementale bien définie.[13] Le souverain s'entourait de conseillers qui constituaient un corps privilégié, qu'il pouvait consulter mais auxquels il ne devait aucun compte. Ce groupe avait néanmoins un rôle important lors des successions, car c'était les membres de la famille royale et les courtisans qui prêtaient le premier serment de fidélité au prétendant, celui qui était de loin le plus important, la bay'a privée.

Dans l'ensemble, les charges de cour à Cordoue semblent avoir été interchangeables et assez peu précisément définies. Les fonctions militaires, juridiques, policières, fiscales et administratives n'étaient pas attribuées au vu d'une compétence spécifique, et pouvaient changer de main très simplement. Les hauts fonctionnaires étaient tous issus de familles aristocratiques arabes et directement responsables devant l'Emir. Contrairement à ce qui se passait dans l'empire abbasside d'Orient, l'Emir andalou régnait en autocrate, sans déléguer son pouvoir à une classe spécialisée de fonctionnaires. En ce sens l'Etat andalou est plus proche de l'ancienne Syrie umayyade que du califat contemporain de Bagdad.[14]

Les successeurs de 'Abd al-Rahmân Ier

Le règne du pieux Hishâm fut paisible malgré les campagnes guerrières qu'il mena régulièrement en été contre les Chrétiens. C'est à cette époque qu'on situe l'introduction du malikisme en al-Andalus. Celui-ci favorisa la formation d'une élite juridico- religieuse extrêmement conservatrice, qui acquit une influence politique grandissante et s'opposa jalousement à la diffusion de courants hétérodoxes en Andalousie.

Al-Hakam Ier n'imposa que difficilement son autorité, et des révoltes éclatèrent dans différentes régions du royaume, à Sarragosse, Huesca, Mérida, Lisbonne, et surtout à Tolède. L'insurrection des muwalladûn y fut réprimée de façon particulièrement sanglante, et la «journée du fossé» est demeurée tristement célèbre dans la mémoire de tous les historiens: en 797, al-Hakam aurait invité 5000 nobles tolédans à un festin de réconciliation dans l'Alcázar de Tolède et les aurait fait tous assassiner; les corps auraient été ensuite jetés dans le fossé entourant l'Alcázar.

C'est aussi à cette époque que se produisit à Cordoue même la célèbre «insurrection du faubourg»: le quartier très peuplé au Sud du pont romain devint, entre 805 et 818, un foyer de révoltes permanentes, noyées finalement dans le sang sur l'ordre de l'Emir. Bon nombre d'expatriés se réfugièrent alors au Maroc; ils prirent une part active et efficace à l'agrandissement de la ville de Fès, où le «quartier des Andalous» (madînat al-andalusiyyîn) témoigne aujourd'hui encore de cette contribution.

Les difficultés intérieures empêchèrent al-Hakam Ier de mener les campagnes traditionnelles contre les voisins chrétiens. Sous son règne Barcelone fut prise par les Francs, qui poussèrent leurs incursions jusqu'à Huesca, Lérida et Tortose.

Les historiens dépeignent al-Hakam Ier comme un homme pieux et scrupuleux, soumis au jugement des Qâdîs même lorsque cela allait à l'encontre de ses propres intérêts. Dans l'ensemble il paraît cependant avoir été un souverain peu populaire. Mais c'est à son énergie brutale que son fils et successeur, 'Abd al-Rahmân II, dut de trouver, lorsqu'il accéda au pouvoir, un pays unifié.

Cordoue, noria sur le Guadalquivir
Ces roues destinées à puiser l'eau sont munies de palettes de bois mobiles et de godets. Le système était largement diffusé dans le monde islamique au Moyen-Age et est encore utilisé de nos jours.

Le règne de 'Abd al-Rahmân II fut plutôt paisible et prospère. Les quelques révoltes périphériques qui éclatèrent à Tolède et à Mérida ne menacèrent pas vraiment son pouvoir, non plus que les incursions normandes qui remontaient le Tage et le Guadalquivir. Au contraire, la victoire sur les Normands, qui apparaissaient comme un danger collectif, augmenta le prestige de l'Emir. C'est cette menace qui conduisit à fortifier Séville et à construire des arsenaux, et qui porta en outre les Arabes à s'intéresser à la guerre navale, dont ils s'étaient jusqu'alors traditionnellement méfiés. Les pirates andalous commençaient d'ailleurs à cette époque à jouer un certain rôle dans l'espace méditerranéen, tout à fait indépendamment du gouvernement de Cordoue: ainsi par exemple lors de la conquête aghlabide de la Sicile (chute de Palerme en 831) ou lors de l'islamisation de la Crète (825/26 – 960/61).

Pour les petits royaumes du Maghreb, 'Abd al-Rahmân II intervint comme protecteur face à leurs voisins puissants: on sait qu'il y eut des relations amicales entre Cordoue et les Rustumides de Tahert et les Salihides du Rif, dont Nakur était la capitale. L'empereur byzantin délégua alors une ambassade à Cordoue afin d'impliquer l'Espagne dans la guerre contre les Abbassides en Irak, ce qui montre que les Umayyades de Cordoue étaient en quelque sorte entrés sur la scène mondiale. Tout en rappelant la haine inébranlable des Umayyades à l'égard des Abbassides, l'Emir opposa cependant une fin de non recevoir à la demande byzantine, ce qui témoigne de son sens des réalités.

Malgré l'hostilité politique qui régnait entre al-Andalus et le califat abbasside, les relations culturelles entre Orient et Occident islamiques étaient intenses, et Cordoue admirait sans réserve le faste de la cour de Bagdad et de Sâmarrâ. On cite souvent l'exemple du chanteur Ziryâb, affranchi persan du calife abbasside al-Mahdî, qui vint de la cour de Bagdad à celle de Cordoue; il tint le rôle d'un véritable «arbitre des élégances» à la cour de 'Abd al-Rahmân II, où il introduisit non seulement une notation musicale et des instruments nouveaux, mais aussi des recettes de cuisine, des mœurs de table, des coiffures, des modes vestimentaires, des types de tissu, ainsi que le jeu d'échec.[15] D'autres mœurs persanes furent alors adoptées en Andalousie: les fêtes de nairûz (Nouvel an persan) et mihradjân (solstice d'été; cette fête d'origine persane fut assimilée plus tard à la Saint-Jean), et surtout le jeu de polo.

On attribue à 'Abd al-Rahmân II l'institution du monopole royal des émissions monétaires, l'organisation des manufactures royales de tissus de luxe (suivant l'exemple abbasside et byzantin) et une révision de l'ensemble de l'appareil administratif.[16] Le protocole aulique s'orientalisa à cette époque, devenant également plus rigide, plus impersonnel et plus fastueux; les contacts entre le souverain et le peuple furent de plus en plus limités. Enfin, les esclaves, et parmi eux beaucoup d'eunuques, s'arrogèrent un rôle grandissant à la cour.

Temps de crise (852–912)

L'émirat umayyade connut plusieurs crises graves au cours des soixante années qui suivirent: les Mozarabes et les muwalladûn, toujours prompts à s'insurger, se révoltèrent au moment où Muhammad Ier accéda au trône. Dans la Marche supérieure (Tudela et Saragosse) les velléités d'indépendance de Mûsâ ibn Mûsâ ibn al-Qâsî prirent des proportions menaçantes. Dans la Marche inférieure (Mérida et Badajoz), Ibn Marwân ibn al-Djillîqî (également un muwallad) essaya à son tour de se libérer de la tutelle de Cordoue. A Séville, Elvire et Almeria, les familles régnantes tentèrent de secouer l'autorité des Umayyades. Mais c'est surtout la révolte de 'Umar ibn Hafsûn, au cœur même de l'Andalousie, qui est restée dans toutes les mémoires. Les régions montagneuses presque inaccessibles au Sud de Grenade et de Cordoue, entre Ronda et Antequera, étaient habitées par des Berbères et des muwalladûn – donc des groupes socialement et économiquement défavorisés – qui suivaient avec attention les événements dans les Marches et y puisèrent le courage nécessaire à des mouvements autonomes d'indépendance. Ils trouvèrent en 'Umar ibn Hafsûn un chef à la fois capable, hardi et ambitieux.

L'homme descendait d'une famille de muwalladûn aisés de la région de Ronda. A la suite d'un meurtre commis dans sa jeunesse, il fut obligé de quitter le pays et s'exila à Tahert (dans l'Algérie actuelle), où il travailla dans l'atelier d'un couturier. Là, un Andalou le reconnut et lui prophétisa un avenir brillant. Vers 850, 'Umar retourna en Andalousie, où il commença à recruter des partisans (sans doute surtout des spadassins) et à guerroyer dans la région. Les insurgés installèrent leur base d'opérations à Bobastro, sur un sommet d'accès difficile.[17] En 883 Muhammad Ier y envoya le général de l'armée umayyade, qui parvint à s'emparer du rebelle et à l'emmener à Cordoue. Ibn Hafsûn servit d'abord comme officier dans l'armée émirale et participa même à une campagne d'été dans le Nord. Mais il ne tarda pas à s'enfuir à nouveau dans les montagnes et à reprendre ses razzias, appuyé par les muwalladûn, les mozarabes et les berbères – donc par toute sorte d'opposants. Au départ, la chance fut avec lui, son pouvoir s'affirma, et Bobastro devint une véritable ville, avec palais, Mosquée du Vendredi et église. Les ambitions d'Ibn Hafsûn grandirent avec ses succès et il régna en autocrate sur la région située entre Cordoue et la Méditerranée. Il noua des relations diplomatiques avec les ennemis des Umayyades au Maghreb. Il fit aussi alliance – mais toujours pour une durée limitée – avec les différents chefs insurgés andalous et parfois même avec l'émir de Cordoue. Dans l'ensemble, sa politique paraît avoir été déterminée plus par la situation du moment que par un but politique précis ou une idéologie cohérente. En 899, il se convertit au christianisme, avec son épouse et ses enfants. Les raisons de ce geste nous sont inconnues, mais ce fut une grave erreur politique, car nombre de musulmans l'abandonnèrent et sa position s'en trouva considérablement affaiblie. Il réussit néanmoins à tenir Bobastro jusqu'à la fin de ses jours (917) et c'est seulement sous 'Abd al-Rahmân III que la révolte fut définitivement jugulée, et Bobastro prise par le souverain (928).

Musulmans et chrétiens firent souvent alliance au cours de ces luttes pour l'indépendance. Les familles dominantes des Marches qui avaient toutes des liens de sang et de parenté avec leurs voisins chrétiens, menaient des guerres avec ou contre les chrétiens, avec ou contre les musulmans, au gré des circonstances. L'épopée d'Ibn Hafsûn est faite, elle aussi, de ces alliances éternellement changeantes, dans lesquelles le facteur religieux ne semble avoir été qu'exceptionnellement déterminant. Dans l'Andalousie du IXe siècle, les raisons principales d'agir ne paraissent pas avoir été d'abord d'ordre religieux: les intérêts économiques, sociaux, politiques ou familiaux étaient au moins aussi déterminants.

L'architecture des VIIIe et IXe siècles

La première Grande Mosquée de Cordoue

Il n'est guère d'édifices que l'on puisse attribuer avec certitude à l'époque de la conquête. Les premières tribus arabes et berbères se sont sans doute contentées de ce qu'elles trouvaient sur place et passèrent plus de temps à guerroyer qu'à construire. Toutefois, les premières mosquées hispaniques semblent avoir été construites à Saragosse et à Elvire dès avant 720.[18] Séville, la première capitale islamique, possédait une mosquée dont le mihrâb est mentionné par des sources historiques;[19] Cordoue avait également une mosquée du Vendredi, puisque les textes disent explicitement que c'est là que 'Abd al-Rahmân Ier se fit proclamer Amîr al-Andalus. On construisit sans doute aussi des forteresses, mais il est difficile aujourd'hui d'identifier les parties qui pourraient remonter à la première moitié du VIIIe siècle. A Cordoue, on n'est guère en mesure non plus de déterminer la part des restaurations effectuées vers 719/720 sur les remparts et l'imposant pont romain du Guadalquivir, étant donné la multiplicité des réfections ultérieures. Des textes attribuent à 'Abd al-Rahmân Ier la mosquée du Vendredi d'Algeciras, la rénovation et la transformation du palais wisigothique à Cordoue, la réfection du rempart de Cordoue, la construction d'un certain nombre de petites mosquées dans la capitale et l'édification d'un palais d'été (une munya) dans ses environs; mais rien de tout cela n'est identifiable actuellement.[20]

Le plus ancien édifice que nous connaissions quelque peu est d'emblée un chef-d'œuvre, un sommet de l'art de construire: il s'agit de la Grande Mosquée de Cordoue, qui allait donner la mesure de toute l'architecture sacrée de l'Andalousie. Elle a subi maintes modifications au cours des siècles, mais les transformations islamiques ont toujours respecté l'édifice premier et repris ses formes, de sorte qu'il n'est pas exagéré de dire que c'est le goût personnel de 'Abd al-Rahmân Ier qui continuera de marquer toute l'architecture hispano-maghrébine.

'Abd al-Rahmân Ier s'était contenté pendant assez longtemps de l'ancienne mosquée du Vendredi, qui était peut-être à l'origine une église chrétienne, et qui se trouve dans la partie occidentale de la Grande Mosquée. C'est seulement après avoir emménagé dans le palais rénové sur la rive droite du Guadalquivir qu'il fit construire la nouvelle mosquée. Il paraît avoir acheté à la communauté chrétienne le reste du complexe ecclésiastique[21] situé à proximité immédiate du palais, et dont une partie servait déjà de mosquée; c'est là qu'allait se dresser la nouvelle Grande Mosquée. Parmi les raisons qui poussèrent

Cordoue, façade Sud de la Grande Mosquée
Au premier plan, le Guadalquivir avec les vestiges (restaurés) du pont romain et d'un moulin à eau. La cathédrale construite au XVIe siècle écrase complètement la construction plutôt basse de la mosquée.

'Abd al-Rahmân Ier à entreprendre cette construction il y avait certainement la volonté de créer une œuvre d'art et le désir d'ériger un monument à la gloire de la nouvelle dynastie; mais il est certain aussi que la croissance démographique rapide de Cordoue nécessitait une nouvelle Mosquée du Vendredi.

La Mosquée du Vendredi est l'édifice le plus important de la ville islamique; tous les hommes adultes de la communauté doivent s'y réunir pour la prière du vendredi midi. C'est le souverain ou son représentant qui prononce le sermon, lequel a une double fonction, religieuse et politique: en effet, le nom du souverain est mentionné dans la prière du vendredi, qui devient ainsi une proclamation politique. La Mosquée du Vendredi constitue donc en quelque sorte le «blason» d'une dynastie; c'est un monument qui symbolise le souverain, à la fois guide temporel et spirituel, et qui permet d'établir, grâce au service du vendredi, un contact direct avec le peuple. Le groupe architectural formé par la Grande Mosquée et le palais est une constante de la ville islamique dès ses origines proche-orientales. Ce qui est surprenant ici, c'est qu'un même complexe – église/palais – paraît avoir occupé déjà cet emplacement à l'époque wisigothique.

La mosquée de 'Abd al-Rahmân Ier a été construite en un an, entre 785/86 et 786/87; ce bref laps de temps s'explique par l'abondance des matériaux de remploi romains et wisigothiques et par la richesse du butin chrétien remporté après une expédition victorieuse à Narbonne.[22] La mosquée, de dimensions modestes, a un plan approximativement carré d'environ 74 m de côté, et se composait d'une salle de prière et d'une cour sans portique. Les murs Est et Ouest de la salle de prière, dont la profondeur n'atteignait pas tout à fait 37 m, étaient renforcés par quatre gros piliers-contreforts; les deux piliers situés à l'extrémité Sud, au retour du mur qibla, étaient de véritables tours d'angle; on ne peut en revanche restituer, dans l'état actuel des choses, les piliers-contreforts du mur Sud. L'édifice avait quatre entrées: l'une au milieu du mur Nord, dans l'axe du mihrâb, deux autres respectivement sur les côtés Est et Ouest de la cour, et la dernière au centre de la façade occidentale de la salle de prière; celle-ci était appelée «Bâb al-wuzâra'», «la Porte des ministres», car elle permettait aux fonctionnaires de la cour d'accéder directement à la salle de prière en venant du palais gouvernemental, sis en face.

La salle de prière se composait de onze nefs à douze travées, perpendiculaires au mur qibla. Les deux nefs extérieures étaient plus étroites, et on suppose qu'elles étaient séparées par une grille et réservées aux femmes. La nef centrale était en revanche plus large que les cinq nefs latérales; ainsi le mihrâb, au fond de cette nef, donnait une direction et un axe principal à tout l'édifice, axe allant de la niche du mihrâb jusqu'à la porte située au milieu du mur Nord. Beaucoup plus qu'un héritier direct des églises chrétiennes locales, ce type basilical est une évocation explicite de l'un des principaux édifices religieux du monde islamique, particulièrement cher à la dynastie umayyade de Syrie, la mosquée al-Aqsâ à Jérusalem.

Les arcades à deux niveaux d'arc dans la salle de prière sont une solution unique et géniale pour créer, malgré les dimensions réduites des supports disponibles, une salle d'une hauteur impressionnante (page 87). Au-dessus du chapiteau de chaque colonne se trouve une large imposte sur laquelle repose le pilier massif soutenant l'arcade supérieure qui supporte, elle, les toitures. L'imposte reçoit également la charge des arcades inférieures qui font office de tirants; ceux-ci sont nécessaires pour maintenir l'équilibre de ces longues ar-

Cordoue, Grande Mosquée, vue d'ensemble du Nord-Est vers le Sud-Ouest.

Le contraste entre les vastes dimensions de la mosquée et l'exiguïté de l'habitat qui se presse aux alentours est caractéristique de la ville islamique médiévale. Les Mosquées du Vendredi étaient les principaux édifices de ces villes qui ne possédaient par ailleurs ni places monumentales, ni architecture profane de prestige.

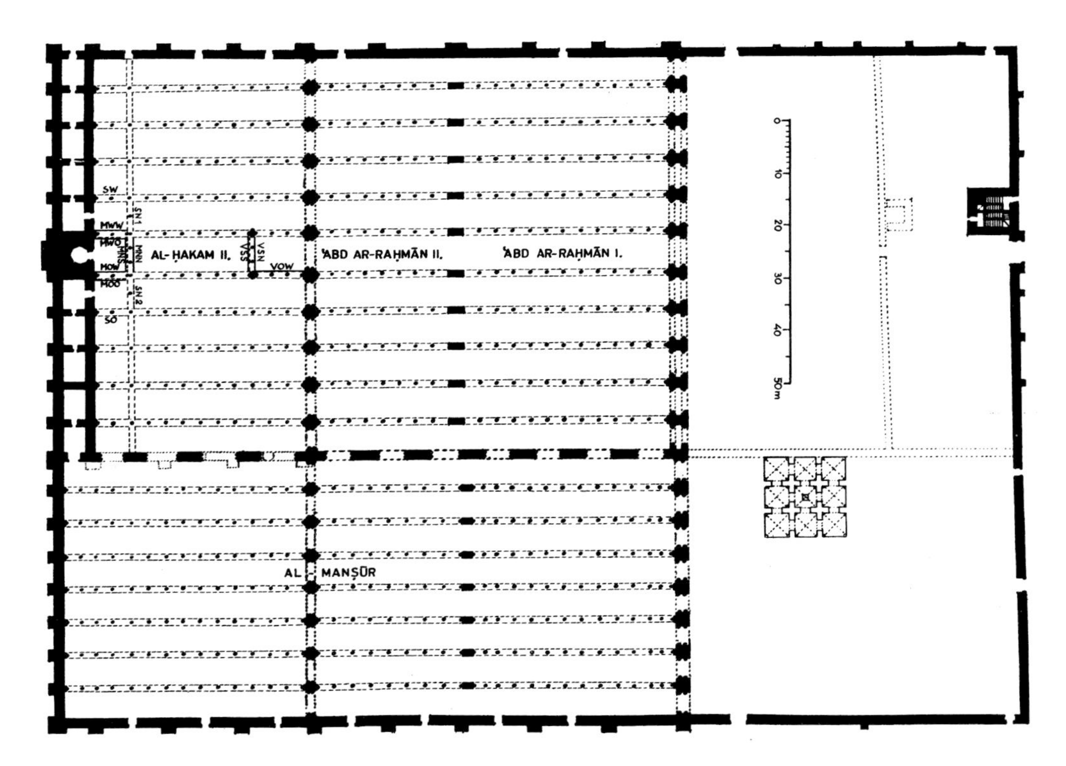

Cordoue, plan restitué de la mosquée (Ewert)

Cordoue, Grande Mosquée, Porte Saint-Etienne
C'est la plus ancienne porte conservée de la mosquée; appelée autrefois «Porte des Vizirs», elle remonte à l'époque de la fondation. Elle a servi de modèle à toutes les portes ultérieures.

cades, et il y en a dans la plupart des mosquées à arcades (sous forme de poutres horizontales). Les arcs inférieurs sont en fer à cheval; les arcs supérieurs, plus larges, sont en demi-cercle. Les deux arcs se composent d'une alternance de claveaux de calcaire clair et de briques rouges. Cette polychromie de l'appareil est une technique habituelle dans la Syrie umayyade que l'on observe également dans l'Espagne préislamique; elle n'est pas forcément une importation umayyade du Proche-Orient, comme on a eu tendance à le penser.

On trouve déjà des arcades à plusieurs niveaux dans l'architecture umayyade de Syrie, par exemple dans la Grande Mosquée des Umayyades à Damas, dans la mosquée al-Aqsâ (page 43), ou dans l'un des palais de 'Anjar, mais sous une forme beaucoup plus simple. Peut-être ce dispositif vient-il tout simplement, en Syrie comme à Cordoue, des aqueducs romains. En tout cas, l'architecte cordouan est un véritable créateur qui sut transposer le modèle romain. L'origine de l'arc outrepassé en plein cintre – l'arc en fer à cheval – a été souvent discutée; il s'agit là de la forme d'arc la plus courante dans l'architecture andalouse. Elle n'est pas inconnue dans l'architecture umayyade du Proche-Orient, même si elle n'y est pas répandue: elle apparaît de façon discrète dans la Grande Mosquée umayyade de Damas. En revanche, cette forme est fréquente dans l'architecture wisigothique d'Espagne; bien que l'arc outrepassé wisigothique soit loin d'être aussi délicat que sa version arabe, on peut néanmoins supposer qu'il s'agit donc ici de l'élaboration d'un héritage local, et non d'une importation syrienne.[23]

L'actuelle Porte Saint-Etienne – la «Porte des Vizirs» – (page 42) remonte en grande partie au premier édifice. Or, comme la structure de cette porte semble avoir imposé son modèle à toutes les portes construites par la suite ainsi qu'au mihrâb du Xe siècle, on peut supposer que le mihrâb d'origine obéissait également au même schéma. La division tripartite verticale – le portail proprement dit flanqué de deux arcades aveugles symétriques – répond à une division bipartite horizontale en deux étages et indique le thème fondamental. Le linteau droit de la porte est surmonté par un arc de décharge en forme de fer à cheval qui est entouré d'un alfiz (encadrement rectangulaire). Une frise épigraphique accompagne la voussure à l'intérieur et coupe le tympan à peu près à mi-hauteur; elle souligne l'horizontalité de la plate-bande maçonnée du linteau. Les claveaux sont maçonnés, là aussi, en assises alternées; leur décor végétal est peut-être une restauration effectuée en 855/56, car l'inscription de la frise mentionne Muhammad Ier.

Bien des motifs de cette façade apparaissent ici pour la première fois, mais ils vont dorénavant faire partie du vocabulaire formel permanent du décor architectural hispano-maghrébin: les arcades aveugles en haut de la partie centrale ainsi que les panneaux à décor végétal qui les séparent, la corniche en saillie au sommet, qui repose sur des consoles à décor de feuilles enroulées horizontalement de part et d'autre d'une nervure centrale, ou encore les merlons crénelés qui surmontent la façade. Il en va de même pour certains motifs des parties latérales, qui entrent là dans le répertoire désormais usuel. Les médaillons circulaires convexes des écoinçons préfigurent déjà le décor des écoinçons andalous. Le motif des merlons à degrés qui se détachent des panneaux rectangulaires en retrait, et surtout l'enlacement inextricable de rin-

Jérusalem, Mosquée al-Aqsâ, début du VIIIe siècle
La mosquée al-Aqsâ est l'une des principales mosquées umayyades du Proche-Orient. Elle servit de modèle à la Grande Mosquée de Cordoue.

EN HAUT:
Nef centrale, vue du Nord vers le Sud

A COTE:
La façade et le narthex ont été ajoutés bien plus tard. On aperçoit la nef centrale surélevée et la coupole surmontant la travée devant le mihrâb, qui appartiennent à l'édifice umayyade.

ceaux qui envahit toute la surface, sont tous deux des apports du Proche-Orient umayyade et préumayyade, qui passent alors dans le décor architectural andalou.

Le décor végétal n'est pas une simple reprise des types proche-orientaux. L'Espagne possédait, tout particulièrement dans ce domaine, des traditions propres, ibéro-romaines et wisigothiques. L'ornementation végétale qui se développe ici est profondement spécifique et ne se confond guère avec celle du Proche-Orient. Dans certains détails, elle est encore assez proche de celle de l'architecture wisigothique, mais d'une qualité technique cependant supérieure.

Les murs de la mosquée sont construits en pierres claires soigneusement taillées; la façade occidentale de la salle de prière, qui remonte au premier édifice, présente des assises régulières de dimension moyenne, avec ça et là quelques boutisses. La brique est utilisée pour les voussoirs rouges des arcades. Le bois joue un rôle important, car, à l'origine, les nefs étaient couvertes de plafonds en bois peint, dont certains ont été retrouvés. Chaque nef a sa propre toiture à deux pentes, et ces charpentes légères sont recouvertes de tuiles. Comme toutes les mosquées de cette époque, celle de 'Abd al-Rahmân Ier était certainement dépourvue de minaret.

Le goût de 'Abd al-Rahmân Ier, l'«immigré», était manifestement formé par les traditions architecturales du Proche-Orient. Conçut-il lui-même sa mosquée, ou s'adressa-t-il à un architecte syrien? Les sources littéraires et les traditions royales islamiques permettent d'imaginer une intervention personnelle importante de 'Abd al-Rahmân Ier. Mais il est certain que des Syriens ont participé à ce chantier, à côté des artisans locaux, et c'est à juste titre que l'on a toujours souligné l'apport formel syrien. Il ne faudrait toutefois pas sous-estimer les influences locales, wisigothiques et romaines tardives. Le remploi de colonnes et de chapiteaux préislamiques dans l'édifice le plus prestigieux de la dynastie montre clairement l'admiration des Umayyades d'Espagne pour cet héritage. Leurs descendants les plus célèbres partageront cet attachement de 'Abd al-Rahmân Ier pour les formes et les lignes pures léguées par le monde antique.

Damas, Grande Mosquée des Umayyades, construite entre 705 et 715

EN HAUT:
Claustra en marbre
A COTE:
Vue de la mosquée du Sud-Ouest

L'agrandissement de la Mosquée du Vendredi

On connaît mal les constructions de la période suivante. Hishâm Ier fit refaire le pont de Cordoue; sur le toit de la Grande Mosquée, il fit également aménager, un abri (accessible par un escalier) pour le muezzin qui appelait cinq fois par jour à la prière rituelle.[24] Le règne de 'Abd al-Rahmân II connut à nouveau une époque de prospérité marquée par une intense activité architecturale: fondation de Murcie, construction de l'Alcázar de Mérida réparation des remparts, des aqueducs et des palais de Séville et surtout de Cordoue. Une nouvelle mosquée du Vendredi fut érigée à Jaén, tandis qu'étaient agrandies celles de Séville et de Cordoue; à Cordoue encore, le clocher de l'actuelle église Saint-Jean, qui était autrefois une mosquée avec un minaret, semble dater de cette époque. La mosquée de Pechina, contemporaine, n'est pas conservée. La mosquée de Tudela et la forteresse de Bobastro datent de la seconde moitié du IXe siècle; la première fut construite par un rival des Umayyades, Mûsâ ibn Mûsâ al-Qâsî, et la seconde par le principal ennemi de la dynastie, Ibn Hafsûn.

Cordoue, Grande Mosquée, Porte Saint-Etienne
Claustra à motifs circulaires

L'agrandissement de la Grande Mosquée de Cordoue sous 'Abd al-Rahmân II témoigne de la prospérité de la capitale umayyade, dont la population s'était considérablement accrue. Le mur qibla fut repoussé de huit travées vers le Sud, mais on se servit de l'ancien mur pour faire des piliers de section rectangulaire destinés à recevoir la poussée des arcades, dont la portée se trouvait démesurément accrue. La salle de prière devint donc presque carrée, avec une profondeur d'environ 64 mètres. 'Abd al-Rahmân II ne modifia pas le programme architectural de son arrière-grand-père; il utilisa, lui aussi, des éléments de remploi et, tout comme 'Abd al-Rahmân Ier, il s'attacha surtout à mettre en valeur la nef centrale et le mur qibla perpendiculaire, grâce au décor architectural, et notamment aux chapiteaux. Patrice Cressier[25] et Christian Ewert[26] ont prouvé que dès la première étape de construction, les chapiteaux avaient un rôle très important dans la hiérarchisation des différentes parties de la salle de prière. Déjà à l'époque de 'Abd al-Rahmân Ier, les divers chapiteaux de remploi disponibles avaient été répartis selon leur type en fonction de l'axe de symétrie constitué par la nef centrale et en fonction de la mise en valeur de la qibla; les chapiteaux «non corinthiens canoniques classiques» (Cressier) jouèrent dans ce contexte le rôle principal, bien avant les types corinthiens canoniques classiques, utilisés plutôt comme «toile de fond dans les parties latérales de la mosquée» (Cressier); au IXe siècle, le fonds monumental d'où provenaient les remplois s'était épuisé et il fallut en sculpter de nouveaux. Sous 'Abd al-Rahmân II, on eut donc recours à des copies islamiques de modèles romains avec cependant une composition et une facture non strictement classiques; on y observe une nette préférence pour les types dérivés du chapiteau corinthien et l'absence de modèles composites. Ces chapiteaux – qu'on trouve dans la partie de 'Abd al-Rahmân II de la Grande Mosquée, mais dont quelques-uns sont dispersés dans la région cordouane – révèlent nettement les caractéristiques stylistiques et artisanales de la sculpture monumentale de l'émirat. Leur qualité technique et leur fidélité à l'égard des modèles classiques, plutôt oubliés à l'époque wisigothique, sont séduisantes. D'autres chapiteaux contemporains conservent la composition des modèles romains, mais reprennent cependant, pour le traitement des surfaces, les techniques beaucoup plus rapides de l'époque wisigothique. Un autre groupe, techniquement peu cohérent, copie un modèle romain particulier, relative-

Mérida, Conventual
Muraille longeant le Guadiana

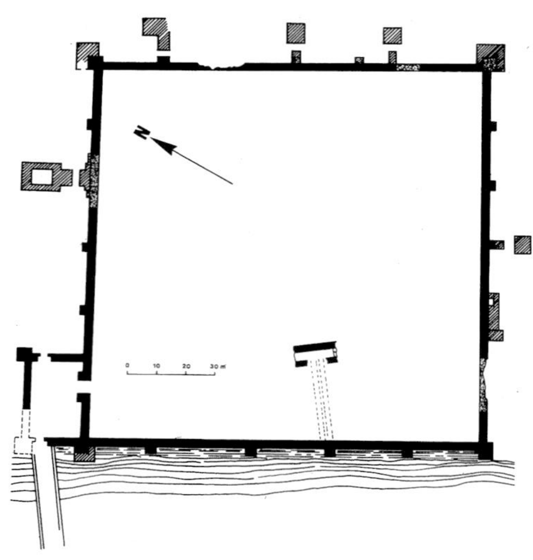

Plan (Torres Balbás)
La forteresse arabe est construite sur des vestiges romains.

ment rare, avec trois rangées d'acanthe. Dans l'ensemble, les chapiteaux de l'émirat se distinguent par la vitalité, la richesse et l'imagination de la sculpture; par la qualité technique et l'abondance des motifs formels, ils sont bien supérieurs à la production wisigothique. La persistance de l'inspiration antique a souvent conduit à évoquer d'éventuelles traditions syro-umayyades. Certes on constate également, dans le Proche-Orient du VIIIe siècle, une volonté de revenir à des formes classiques anciennes apparemment oubliées aux siècles précédents,[27] mais, dans le domaine des chapiteaux, il n'y a rien de vraiment comparable.

Séville et Mérida

Une inscription de 830 (déposée au Musée archéologique de Séville) attribue la construction de la Grande Mosquée umayyade de Séville à 'Abd al-Rahmân II; peut-être n'a-t-il cependant fait que l'agrandir. A son emplacement se dresse aujourd'hui l'église du Sauveur. On sait par les textes que, comme la Grande Mosquée de Cordoue, elle avait onze nefs perpendiculaires au mur qibla, avec une nef centrale surélevée, ce qui est encore un trait typiquement syro-umayyade. Les nefs étaient délimitées par des arcades supportées par des colonnes de remploi. La largeur de l'édifice était sans doute inférieure à 50

mètres, pour une longueur nettement supérieure. Le minaret, de plan carré (avec 5,88 mètres de côté) se trouvait sur le côté Nord de la cour, dans l'axe du mihrâb; sa partie inférieure est encore visible dans le clocher actuel.[28] Il comportait plusieurs étages et possédait des fenêtres géminées; un escalier en colimaçon conduisait à la galerie supérieure. Après les destructions normandes de 844, la mosquée fut restaurée; mais on construisit néanmoins une nouvelle Grande Mosquée au XIIe siècle, plus au Sud de la ville (à l'emplacement actuel de la Cathédrale).

En 828, une révolte particulièrement grave éclata dans la ville de Mérida; menée par un muwallad (Sulaymân ibn Martín) et un berbère (Mahmûd ibn 'Abd al-Jabbâr), elle fut activement soutenue par les Asturiens et ne fut matée qu'après des années de lutte difficile. En guise de représailles, 'Abd al-Rahmân II fit raser l'enceinte urbaine et ériger, à la tête du puissant pont romain sur le Guadiana, une forteresse (un «hisn», selon l'inscription de fondation), qui «verrouillait» vraiment la ville.

Cette forteresse – appellée «el Conventual» depuis la reconquête chrétienne, car les chevaliers de l'ordre de Saint-Jacques s'y installèrent – a un plan approximativement carré: la longueur des côtés varie entre 132 et 137 mètres (page 46). Vers la rivière, le rempart avec ses piliers-contreforts s'élève sur les restes de l'enceinte romaine de la ville (il y a des remplois romains dans toute la muraille). L'enceinte est ponctuée, à intervalles réguliers, de tours carrées peu saillantes. Les tours d'angle, également carrées, sont nettement plus puissantes. L'unique porte se trouve non pas au centre de l'une des façades, mais à l'extrémité occidentale du mur Nord; elle donne dans une avant-cour, une sorte de barbacane, qui englobe la tête du pont, l'accès à la forteresse et la porte de la ville. Avec son plan régulier, les tours extérieures carrées, ses bastions d'angle renforcés et son entrée droite entre deux tours-contreforts, cet édifice appartient au type des forteresses byzantines habituelles en Afrique du Nord.[29] Le palais arabe à l'intérieur de la forteresse n'a pas subsisté; au XIIe siècle déjà, il devait se trouver dans un état d'abandon fort déplorable, à en juger par une source contemporaine[30]. La vaste citerne (ci-contre), à l'intérieur de la citadelle, est alimentée par le Guadiana; d'époque romaine, elle a probablement été utilisée par les Wisigoths; à l'époque umayyade, on y a ajouté des montants de porte qui sont des remplois de marbres sculptés wisigothiques. Des fouilles récentes ont mis au jour, à l'intérieur de la forteresse, les vestiges d'une riche villa romaine dont les Umayyades avaient sans doute su tirer parti.

Mérida avait été une ville particulièrement importante aux époques romaine et wisigothique; les vestiges romains – temple, théâtre, amphithéâtre, cirque, pont, aqueduc – demeurent aujourd'hui encore impressionnants. En comparaison, l'héritage islamique de Mérida paraît peu spectaculaire, mais il témoigne cependant de la ferme volonté des souverains umayyades de s'imposer dans ces villes anciennes et chargées de traditions, et d'en utiliser, dans la mesure du possible, les monuments anciens.

Bobastro

Bobastro se dresse fièrement sur un sommet solitaire, qui surplombe de haut le Guadalhorce, dans une situation quasiment imprenable.[31] L'activité architecturale de 'Umar ibn Hafsûn y a sans doute démarré dans les années quatre-vingt, et les quelques pierres de taille qui subsistent de la citadelle datent peut-

Mérida, Alcázar, citerne romaine
Cette citerne a été utilisée et entretenue par les Wisigoths et les Arabes.

être de cette époque.[32] Les murs d'enceinte de la forteresse rectangulaire semblent surgir directement de la roche. On reconnaît encore quelques tours de fortification de plan carré, et à l'intérieur de la ville les vestiges de fondation de divers édifices, dominés par une construction plus imposante installée sur la partie supérieure du haut-plateau. L'appareil inclut de nombreuses boutisses irrégulièrement disposées, soit isolées, soit regroupées: on retrouve donc cette maçonnerie en carreaux et groupes de boutisses, souvent considérée comme une spécificité caractéristique de l'architecture du califat. Mais cette technique «califale», en usage au Xe siècle, est déjà attestée auparavant et ne peut donc être retenue comme critère de datation. En contrebas de l'enceinte, des habitations troglodytes indatables sont creusées dans les parois rocheuses (ci-contre). Plus bas encore, toujours à l'extérieur de la zone délimitée par le rempart, il y a une église taillée dans la roche, qui remonte probablement au début des années 900, entre la conversion d'Ibn Hafsûn (899) et sa mort en 917 (page 49). Ses trois nefs séparées par des piliers supportant des arcades, son transept, son abside profonde et les deux chapelles latérales correspondent à un type assez fréquent d'église mozarabe;[33] sa technique de construction est évidemment surprenante, de même que la forte dénivellation entre les différentes parties de l'édifice. Les arcs en fer à cheval très prononcé ainsi que la maçonnerie de la citadelle témoignent de l'influence et du rayonnement prodigieux de Cordoue, dont on peut retrouver les techniques et les formes de construction bien connues jusqu'aux plus lointains confins d'al-Andalus.

Vitalité et richesse formelle

Il faut souligner la vitalité et la richesse formelle de l'architecture à l'époque de l'émirat. Elle reprend l'héritage de l'antiquité classique qui s'y maintient de mille manières, sans jamais toutefois s'y fondre complètement. Nous ignorons presque tout des ateliers de construction et de l'organisation des chantiers en général. Syriens et Ibériques travaillaient-ils ensemble, ou constituaient-ils des ateliers séparés, chargés de tâches spécifiques? Dans des ateliers familiaux? En tout cas, l'originalité et la diversité de l'ornementation montrent qu'à cette

Bobastro
Le site de la ville, au sommet de la montagne, est impressionnant. Mais il n'en subsiste plus que quelques vestiges de fondation, parmi lesquels on pense pouvoir identifier une mosquée et un palais. Il y a quelques habitats troglodytes creusés dans le rocher sous le mur d'enceinte.

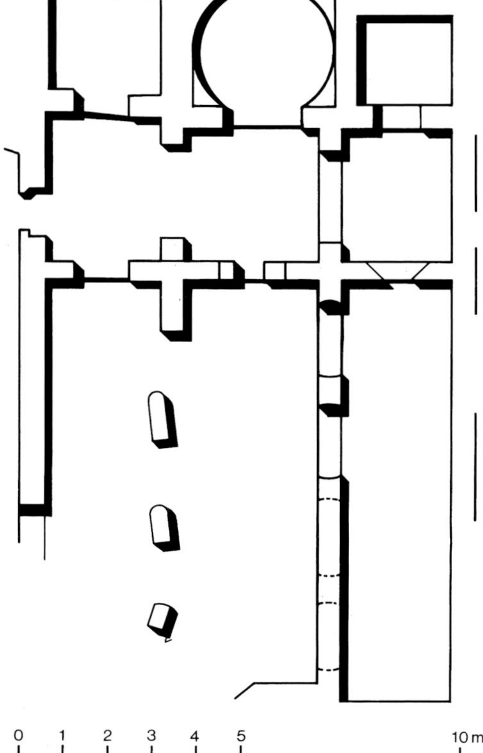

Bobastro, église (plan de C. de Mergelina)
Ibn Hafsûn fit faire à l'extérieur de l'enceinte une église entièrement creusée dans le roc, sans doute après qu'il se fut converti au christianisme. Elle correspond tout à fait au type habituel des églises mozarabes, avec ses trois nefs séparées par des piliers surmontés d'arcades, et son abside profonde flanquée de deux chapelles latérales; en revanche, cette architecture troglodyte est exceptionnelle. Les arcs très nettement outrepassés prouvent que l'influence de Cordoue s'est exercée jusqu'au fin fond de l'Andalousie.

époque, il n'y a pas encore cristallisation d'un langage formel propre et contraignant. On perçoit néanmoins bien dès le départ la présence d'une volonté spécifique, qui détermine tous les emprunts et oriente toutes les transformations stylistiques. Cette volonté stylistique – en vérité celle d'une seule dynastie, les Umayyades d'Espagne, et celle d'une seule ville, Cordoue – parvient à s'imposer à tous, aussi bien aux amis de ses créateurs et protagonistes qu 'aux ennemis de ceux-ci.

912–1031

Temps de splendeur: le Califat

'Abd al-Rahmân III (912–961)

'Abd al-Rahmân III devint Amir al-Andalus à 21 ans. Son père, Muhammad, prince héritier, avait été assassiné peu après la naissance de son fils sur l'ordre de son propre père, l'Emir 'Abd Allâh. Celui-ci élimina de la même manière quelques autres prétendants au trône, et désigna de son vivant son petit-fils plutôt que l'un de ses fils. 'Abd al-Rahmân III, qui était blond aux yeux bleus, avait, comme la plupart des Umayyades d'Espagne, autant de sang européen que de sang arabe, car sa mère était une prisonnière de guerre franque ou basque, et sa grand-mère une princesse basque. Les chroniques arabes lui prêtent toutes les qualités physiques, intellectuelles et morales imaginables: force et adresse, courage et détermination, intelligence et culture, bonté et générosité (bien que les mêmes sources rapportent également des décisions implacables, comme par exemple la condamnation à mort de son propre fils 'Abd Allâh). S'il est difficile de juger de la profondeur de sa piété, on a en revanche des témoignages de sa tolérance religieuse.

L'historien et vizir Ibn al-Khatîb le décrit ainsi: «Lorsque 'Abd al-Rahmân prit le pouvoir, al-Andalus était un charbon ardent (. . .). Par sa main heureuse* et son pouvoir vigoureux, Dieu pacifia le pays en entier.* Aussi compara-t-on le troisième 'Abd al-Rahmân au premier de ce nom: il dompta les rebelles aussitôt qu'ils se dressaient;* il construisit des châteaux, entreprit des cultures et immortalisa son nom.* Il extirpa l'idôlatrie; en al-Andalus il ne resta pas un opposant, ne concourut plus aucun concurrent.* Les peuples se soumirent tous à son pouvoir*, et acceptèrent sa paix!*»[34]

'Abd al-Rahmân III prit le pouvoir à un moment où la situation extérieure et intérieure était difficile. Son premier but, poursuivi avec ténacité, fut la restauration de l'unité intérieure du pays. Il lui fallut près de vingt ans pour y parvenir. Après de longues années d'efforts, les frontières extérieures furent enfin renforcées. Vers 960, les princes des Asturies-Léon, de la Castille, de Navarre et de Barcelone reconnurent la suzeraineté de 'Abd al-Rahmân III, confirmant cette reconnaissance par des tributs réguliers. 'Abd al-Rahmân III ne tenta pourtant pas de conquérir ces Etats chrétiens du Nord, demeurés indépendants. La phase du djihâd et de la conquête territoriale était définitivement révolue. En outre, si la lutte contre les chrétiens était certes toujours considérée comme une nécessité politique, le djihâd ne fut jamais ni l'argument principal de l'idéologie princière umayyade, ni l'instrument majeur de son pouvoir.

Le schisme fatimide s'était développé en Afrique du Nord. En Tunisie, le chef du mouvement avait pris le titre califal en 909. Il apparut certainement comme une menace à la dynastie umayyade d'Andalousie, avec sa prétention ouverte à exercer un pouvoir universel sur l'islam, et sa propagande efficace et omniprésente. 'Umar ibn Hafsûn comprit parfaitement la situation, puisqu'en 909, il essaya d'établir des contacts directs avec les Fatimides. Plusieurs campagnes furent nécessaires aux Umayyades pour conserver au Maghreb leur zone d'influence, qui s'étendait approximativement de Sijilmassa à Alger. 'Abd al-Rahmân III avait pour principe d'agir plutôt par des voies détournées que par des actions militaires directes. Quelques-unes de ses dernières interventions militaires permirent la prise de Ceuta (931) et de Tanger (951) sur la côte et consolidèrent nettement la position des Umayyades au Maghreb. L'administration de ces deux villes étaient assurée directement par Cordoue, mais le glacis nord-africain n'était soumis aux Umayyades que par des liens d'une vassalité plus ou moins fragile, dont la précarité n'échappait pas au souverain.

La fondation du califat fatimide, en 909, amena 'Abd al-Rahmân III à adopter lui-aussi le titre califal en 929: il se proclamait ainsi successeur (khalîfa) du Prophète et commandeur des croyants (amir al-mu'minîn). Des origines de l'islam jusqu'en 909, ce titre impliquait l'universalité, et il ne pouvait donc y avoir (tout du moins théoriquement) qu'un seul calife légitime pour l'ensemble du monde islamique. Mais ce ne furent pas des motifs religieux qui poussèrent 'Abd al-Rahmân III à s'emparer du titre. Il ne prétendait pas à l'autorité suprême, universelle et légitime sur l'ensemble du monde islamique, ni pour lui-même ni pour sa famille. Ce n'était pas non plus une déclaration de guerre à l'adresse de la dynastie abbasside: c'était tout simplement la confirmation officielle du pouvoir réel et de l'importance politique du royaume andalou. Parallèlement, le souverain adopta un usage oriental ancien, depuis longtemps familier aux Abbassides, en s'attribuant un nom de règne (laqab): al-Nâsir li-Dîn Allâh, ce qui signifie «le combattant victorieux pour la religion d'Allah». Mais on ne décèle pas d' idéologie impériale assortie d'un programme concret: les califes d'Espagne n'inscrivirent ainsi jamais la reconquête des lieux saints (la Mecque et Médine) au nombre de leurs objectifs, alors qu'elle est essentielle dans la conception du califat.

D'une façon générale, l'étiquette aulique se rigidifia et s'orientalisa durant les dernières années du règne de 'Abd al-Rahmân III. Elle devint ainsi une sorte de barrière somptueuse dressée entre les sujets et le souverain, qui résidait dans des palais inaccessibles, entouré de courtisans, à l'écart du peuple. En ceci aussi, les Umayyades d'al-Andalus avaient été précédés depuis longtemps par les Abbassides.

Les successeurs de 'Abd al-Rahmân III (961–1031)

Le fils aîné de 'Abd al-Rahmân III, al-Hakam II, fut tôt désigné comme successeur, mais il ne put prendre le pouvoir qu'à l'âge de 46 ans, et ne le conserva que quinze ans. On le décrit comme cultivé et pacifique, amateur d'art généreux (s'intéressant tout particulièrement aux œuvres antiques), constructeur remarquable, en même temps que profondément religieux et instruit dans les sciences religieuses. «A son nom sont attachés la gloire et le pouvoir,* la noblesse et la science,* des œuvres impérissables,* les hautsfaits de sa force.*»[35]

PAGES 52–53:
Madînat al-Zahrâ', «Salón Rico»
Cette salle de réception de 'Abd al-Rahmân III, soigneusement restaurée, était l'une des plus somptueuses de la ville; d'après les inscriptions, elle fut édifiée entre 953 et 957. Comme dans le «Grand Salon Occidental», les cinq nefs sont précédées par une nef transversale; les deux nefs extérieures sont séparées des trois nefs centrales par des murs pleins percés de portes. A la polychromie de l'appareil s'ajoutaient les couleurs des revêtements muraux et des impostes.

Il poursuivit la politique intérieure et extérieure de son père, sans toutefois y déployer la même énergie, et avec une nette tendance à se reposer largement sur ses fonctionnaires. Il réussit pourtant à repousser une attaque normande près d'Almeria, et en profita pour renforcer sa puissance navale. Les historiens arabes insistaient déjà sur son activité édilitaire, et son nom demeure surtout lié, aujourd'hui encore, à la création d'une nouvelle ville royale, Madînat al-Zahrâ', et à l'agrandissement et l'embellissement de la principale mosquée de Cordoue.

Hishâm, seul fils d'al-Hakam, né d'une épouse basque alors que son père était déjà fort âgé, reçut le serment d'allégeance à onze ans, peu avant la mort de son père. L'investiture d'un enfant ne fit pas l'unanimité: sa mère et ses partisans ne parvinrent que difficilement à l'imposer. Une autre faction umayyade poussait à la succession un frère d'al-Hakam, al-Mughîra; mais ses adversaires réussirent rapidement à l'emprisonner puis à le faire assassiner. C'est avec ce règne que s'achève l'âge d'or de la dynastie, et aussi, par conséquent, celui de Cordoue.

Les 'Amirides

Hishâm était mou et incapable, un jouet entre les mains de sa mère et de son tuteur Ibn Abî 'Amir, rapidement propulsé au poste le plus élevé de l'Etat, celui de hâdjib. Ibn Abî 'Amir était issu d'une ancienne famille arabe de propriétaires terriens de la région d'Algeciras; il possédait une solide formation juridique et avait de grandes ambitions. Les sources le dépeignent comme exceptionnellement intelligent et énergique, mais sans aucun scrupule. Ses bonnes relations avec la mère de Hishâm (on évoque des liens amoureux) et avec la classe conservatrice des juristes cordouans expliquent sa rapide ascension. Afin de se concilier ces juristes, très influents, Ibn Abî 'Amir alla jusqu'à faire brûler publiquement les livres de la bibliothèque d'al-Hakam II qu'ils avaient condamnés parce qu' hétérodoxes (parmi eux se trouvaient surtout des ouvrages scientifiques).

En 981, le hâdjib transféra l'administration de l'Etat de l'Alcázar umayyade dans sa propre ville palatiale, la récente Madînat al-Zâhira: ce faisant, il affirmait clairement la réalité de son autorité. De toutes les prérogatives califales, Hishâm ne conserva que la mention de son nom sur les monnaies et dans la prière du vendredi. Ibn Abî 'Amir s'attribua également un nom de règne: al-Mansûr billâh, «celui qui est victorieux par Dieu»; et c'est sous le nom d'«Almanzor» qu'il est entré dans les légendes chrétiennes. Mais en dépit de ses ambitions, Ibn Abî 'Amir n'usurpa cependant jamais le titre califal. En 1002, il légua sa charge à son fils, 'Abd al-Malik, qui ne régna que six ans. Les deux premiers 'Amirides menèrent plusieurs campagnes victorieuses – contre les chrétiens, ou en Afrique du Nord – qui contribuèrent à maintenir le prestige de l'Espagne umayyade, ou du moins l'illusion de ce prestige. A 'Abd al-Malik succéda son frère cadet, 'Abd al-Rahmân, un incapable, tout à fait dépourvu du sens des réalités, qui revendiqua le titre califal dès l'aube de sa courte carrière. Ce troisième 'Amiride fut assassiné en 1008, après l'échec d'une campagne d'hiver.

S'ouvrit alors une longue période de guerres et de luttes fratricides. Hishâm, incapable de s'imposer, fut contraint d'abdiquer en 1009; les innombrables prétendants au trône commencèrent à s'affronter, plongeant ainsi pour long-

Cordoue, Grande Mosquée, Porte Santa Catalina, détail
Ce blason du XVIe siècle montre le minaret avant sa transformation en clocher.

temps le pays dans un climat de guerre permanente. En même temps, les tendances locales d'indépendance, qui ne s'étaient jamais véritablement éteintes, se réveillèrent dans toute l'Andalousie. Il n'est pas une ville, même moyenne, dans laquelle une ou même plusieurs familles différentes ne prétendirent substituer son propre autonome au pouvoir califal fantôme, ou même revendiquer la succession califale. En 1031, un groupe de citoyens cordouans décida d'en finir avec l'institution califale, et instaura une sorte de gouvernement de conseillers municipaux qui ne parvint évidemment à s'imposer qu'à Cordoue même et dans ses environs immédiats.

Pour les historiens, ce fut le début de la période des mulûk al-tawâ'if, des «rois de partis», qui se prolongea jusqu'à l'accession au pouvoir de la dynastie maghrébine des Almoravides.

L'Andalousie à son apogée

Sur le plan économique et intellectuel, l'Espagne islamique du Xe siècle dépassait, et de loin, le reste de l'Europe. Sa richesse reposait sur l'agriculture (grâce à un système complexe d'irrigation), sur l'exploitation des mines et sur une prospérité urbaine sans précédent, car la sécurité et l'ordre favorisaient l'essor de l'artisanat et du commerce.

Les différents groupes de peuplement avaient fini par se fondre dans une unité relative. La couche supérieure arabe imposait sa langue, sa religion et sa culture. Les muwalladûn étaient en fait d'origine ibérique, mais ils s'étaient souvent fabriqué des généalogies fantaisistes arabes. Un rapprochement et une uniformisation des autres groupes avaient fini par s'opérer grâce aux mariages entre arabes et femmes autochtones. Les muwalladûn ne connaissaient pas l'équivalent idéologique de l'«orgueil national» arabe; bien au contraire, ils aspiraient à la reconnaissance sociale et à l'assimilation. Ce sont des motivations économiques et sociales, et non pas nationales, qui expliquent les révoltes des muwalladûn contre les Arabes.

Les chrétiens mozarabes – du moins ceux des villes – utilisaient l'arabe à côté de leur dialecte roman, et le parlaient sans doute souvent mieux que le latin; ils étaient également profondément marqués par les modes de vie et de pensée arabes. C'est au point que dès le IXe xiècle, Alvaro de Cordoue se plaint de ce que ses coreligionnaires préfèrent lire les poèmes et les romances des Arabes plutôt que les écrits des Pères de l'Eglise, de ce qu'ils étudient les théologiens et les philosophes islamiques, non pour les réfuter, mais pour y apprendre un style arabe châtié: «Quelle douleur! Les chrétiens ont oublié jusqu'à leur langue, et sur mille, vous en trouverez guère un seul qui sache écrire correctement une lettre en latin à un ami. Mais s'il s'agit d'écrire en arabe, vous trouverez une foule de personnes qui s'expriment dans cette langue avec la plus grande élégance . . . ».[36] Vers le milieu du Xe siècle, les chrétiens semblent s'être convertis en masse,[37] ce qui expliquerait l'absence, en al-Andalus, de toute trace d'activité intellectuelle chrétienne au XIe siècle; quant aux communautés mozarabes rurales, les sources en parlent peu.[38] Les juifs formaient pour leur part un groupe assez homogène et relativement autonome; ils prenaient une part active à la vie intellectuelle et culturelle, et jouaient un rôle prépondérant dans le commerce, notamment dans le trafic des eunuques.

Cordoue, Grande Mosquée, détail d'un des portails latéraux de l'époque d'al-Hakam II

Les saqâliba, les «esclavons», avaient fini par constituer une véritable classe

Cordoue, Grande Mosquée, salle de prière
La «forêt» des colonnes

à part dans le corps social: c'étaient des européens faits prisonniers pendant des campagnes militaires. Saqâliba (singulier: siqlabî ou saqlabî) est le terme arabe médiéval qui désigne la population de l'Europe orientale, les «slaves»; mais les saqâliba de Cordoue pouvaient être originaires d'autres régions d'Europe, par exemple d'Allemagne, de France, d'Italie; il ont toujours été distingués des esclaves noirs, les 'abîd.[39] Nombre d'entre eux avaient été castrés avant d'entrer dans le service de la cour. Mais la plupart des saqâliba étaient destinés à servir dans l'armée, et ne subissaient donc pas ce traitement. Il semble que dès la fin du Xe siècle, il y en avait 3750 dans la seule ville de Cordoue.[40] Arrivés généralement jeunes à la cour, ils se sentaient liés surtout au souverain, dont ils étaient souvent proches. Ils parvinrent ainsi bientôt à occuper les postes-clef de l'armée et de l'administration. La plupart de ces mamlouks[41] furent affranchis au bout de quelque temps, se convertirent alors à l'islam et s'installèrent dans les villes. Leur familiarité avec la cour leur conférait une influence démesurée, même lorsqu'ils n'habitaient pas Cordoue; et au XIe siècle, ils jouèrent un rôle important dans la lutte pour recueillir les miettes du Califat.

L'état umayyade fut d'emblée un état autocratique, dans lequel le souverain décidait de la politique intérieure et extérieure, ainsi que des affaires militaires; il était également maître de la décision suprême en matière juridique. En ce sens, peu de choses avaient changé depuis 'Abd al-Rahmân Ier; seule l'étiquette de cour était devenue plus écrasante, la distance entre peuple et souverain plus grande. Au milieu du Xe siècle, les services administratifs – qui appartenaient à la cour – quittèrent Cordoue pour emménager à Madînat al-Zahrâ' en même temps que le calife; ils y demeurèrent sous le règne de al-Hakam II; ensuite ils retournèrent pour un bref laps de temps à Cordoue, jusqu'à ce que le hâdjib Ibn Abî 'Âmir les transfère à Madîna al-Zâhira.

Al-Andalus ne se composait plus que de deux marches, la «moyenne» et la «supérieure» (l'«inférieure» avait été intégrée dans l'Etat central), et d'environ 21 provinces. Le système administratif n'avait pas connu de changement essentiel. Les non-musulmans formaient toujours des communautés propres, relativement indépendantes, disposant de leur propre juridiction; leur chef (qûmis, de comes, comte) était responsable des impôts. C'est sous le règne de 'Abd al-Rahmân III que les premières monnaies d'or furent frappées en Andalousie.[42]

'Abd al-Rahmân III et surtout al-Mansûr avaient commencé à transformer l'armée des musulmans libres en une armée constituée de non-musulmans, c'est-à-dire de saqâliba ou de 'abîd. A partir du milieu du Xe siècle, des groupes entiers de Berbères vinrent du Maghreb s'engager en Andalousie comme mercenaires. L'armée tribale traditionnelle, subdivisée en djunds, s'était avérée être facteur de troubles: en effet, ces groupes, assez cohérents, en dépit de leur installation en Espagne, étaient un danger latent de rebellion. Al-Mansûr dispersa les soldats des différents djunds pendant leur service et fit ainsi éclater leur unité tribale. Par la suite, il introduisit même la possibilité de se racheter du service militaire, avec comme conséquence que l'armée d'esclaves et de mercenaires vint dorénavant remplacer définitivement l'armée des musulmans libres. – Titre califal, étiquette aulique, nom de règne, a armée d'esclaves, monnaie d'or: ce sont là des «orientalismes» qui suivent l'exemple des Abbassides.

Cordoue, Porte de Séville
La structure et l'appareil de cette porte, située sur l'ancienne route conduisant à Séville, indiquent qu'elle remonte à l'époque umayyade.

L'architecture du Xe siècle

Madînat al-Zahrâ'

La construction de monuments importants fait partie des manifestations de prestige du pouvoir califal. 'Abd al-Rahmân III commença par agrandir l'Alcázar de Cordoue, où il fit édifier un nouveau palais. En été il s'installait souvent près de Cordoue, dans l'une des résidences de campagne héritées de ses prédécesseurs. Trouva-t-il l'Alcázar trop exigu, et ces munyas pas assez confortables? Ces demeures lui parurent-elles trop humbles au regard de son nouveau rang califal? Quoi qu'il en soit, il décida, en 936, de fonder une ville royale nouvelle, Madînat al-Zahrâ', à 5 km environ à vol d'oiseau au Nord-Ouest de Cordoue. Il confia la direction du chantier au prince héritier, le futur al-Hakam II. La mosquée fut inaugurée en 941, et on sait qu'il y eut une réception grandiose dès 945. En 947, la monnaie et les services administratifs furent transférés dans la nouvelle ville. Les travaux de construction se poursuivirent après la mort de 'Abd al-Rahmân III, en 961, pendant une quarantaine d'années environ. Mais dès le début du XIe siècle, des troupes berbères révoltées tranformèrent Madînat al-Zahrâ' en un champ de ruines. Cette si brève existence destinée à retourner si vite au néant a sans aucun doute donné des ailes à l'imagination des narrateurs qui vinrent plus tard et leur a inspiré ces descriptions chatoyantes d'un monde de rêve tragiquement disparu à jamais.

Les textes racontent que 'Abd al-Rahmân III donna à la nouvelle ville le nom de l'une de ses favorites, une certaine Zahrâ'. Sa statue aurait surmonté le portail principal de la ville – dit al-Maqqarî, un compilateur des XVIe/XVIIe siècles,[43] – jusqu'à ce que le calife almohade Ya'qûb al-Mansûr la fasse disparaître. Mais al-Maqqarî n'est pas toujours un auteur de confiance, et il est assez peu probable que la statue d'une favorite ait été placée au-dessus d'un portail de ville. On ne connaît aucun parallèle dans l'islam occidental; et si l'on sait que dans le Proche-Orient islamique du VIIIe siècle, il pouvait y avoir effectivement des statues au-dessus des entrées palatiales, ce n'étaient en revanche jamais des statues de femme.[44]

La ville de 'Abd al-Rahmân III fut créée ex nihilo pour servir de résidence califale, de siège du gouvernement, et pour héberger le personnel extrêmement nombreux (on parle de 20 000 personnes) qui gravitait autour du souverain. Le calife hispano-umayyade suivait en cela encore l'exemple des califes abbassides dont les villes de Bagdad et de Sâmarrâ fournissaient des modèles célèbres et admirés. A l'instar des califes abbassides en Orient, le calife andalou

Madînat al-Zahrâ', vue dans la nef centrale du Grand Salon occidental

Madînat al-Zahrâ', vue générale du Nord vers le Sud
Le palais du calife, au Nord de la ville royale, surplombe la terrasse intermédiaire et, plus loin, la terrasse inférieure, qui est à peine dégagée (voir pages 64, 65).

établit de la sorte une distance convenable entre sa cour et la population turbulente de l'ancienne et véritable capitale.

Les frais de construction semblent avoir englouti annuellement un tiers de l'ensemble des revenus de l'Etat. Dix mille ouvriers auraient travaillé à ce chantier; à côté des fondations et des pavements, on aurait taillé quotidiennement 6000 blocs pour la maçonnerie; 4324 colonnes de marbre auraient été importées, la plupart de Tunisie; les bassins de marbre venaient de Byzance et de Syrie; et de Syrie aussi, les douze sculptures dorées et ornées de perles qui décoraient la chambre à coucher califale.[45]

Quelques noms ont été transmis, entre autres Maslama ibn 'Abd Allâh, l'architecte en chef, 'Alî ibn Dja'far d'Alexandrie, responsable surtout du transport des matériaux de construction, 'Abd Allâh ibn Yûnus et Hasan ibn Muhammad de Cordoue, tous deux mentionnés comme architectes. Mais il est impossible d'identifier, derrière ces noms, des personnalités d'artistes bien déterminées. Al-Hakam fut probablement non seulement le bailleur de fonds, mais encore le maître d'œuvre de l'ensemble du chantier.

Aujourd'hui seul un champ de ruines, sur une pente désséchée de la Sierra de Cordóba, rappelle les splendeurs anciennes. Les fouilles ont commencé du côté Nord en 1910, mais elles ont subi de longues interruptions et ne sont toujours pas achevées.[46] Au cours de ces dernières années, Madînat al- Zahrâ' est devenue un important centre de recherches et de restauration.[47] Malgré les apports considérables de l'archéologie, il est encore difficile, à l'heure actuelle, de mettre en accord les sources littéraires et la réalité matérielle.

La ville s'étend sur une aire enclose d'un rempart qui mesure environ 1500 mètres sur 750 (voir pages 64 et 65). La pente du terrain a déterminé l'aménagement en trois terrasses successives occupées par trois quartiers différents séparés par des murailles. Du haut de la terrasse supérieure, la résidence du calife dominait l'ensemble. L'esplanade intermédiaire était réservée à l'administration et aux demeures de quelques notables, la terrasse inférieure au peuple et aux soldats. C'est là que se trouvaient la mosquée, les marchés et les bains publics, ainsi que des parcs. Ces trois terrasses, avec leurs quartiers nettement séparés les uns des autres, sont mentionnées dans tous les récits anciens. Al-Idrîsî décrit encore, 150 ans après sa destruction, «une ville considérable, construite en étages, l'un au-dessus de l'autre, de sorte que le sol de la ville supérieure se trouvait à la hauteur des toitures de la ville médiane, et que le sol de celle-ci était au niveau des toitures de la ville basse. Toutes trois étaient ceintes de murailles. Dans la partie haute s'élevait le palais, . . . dans la partie centrale, il y avait des vergers et des jardins; la Mosquée du Vendredi ainsi que les habitations privées se trouvaient dans la partie la plus basse.»[48]

En réalité, la délimitation des différentes terrasses n'est pas aussi claire, car chacune présente également des dénivelés importants. Ainsi le complexe d'habitation qui se trouve au Nord-Ouest de l'esplanade centrale (2) n'est qu'à 1,70 mètres en-dessous de la résidence califale voisine, située, elle, sur la terrasse supérieure (1); mais il surplombe de 7 à 11 mètres les autres édifices de la même terrasse. A l'Est, deux maisons à cour centrale séparées par une rampe, l'«Esplanade jumelle»[49], jouxtent ce complexe (3, 4); viennent ensuite, au Sud, la «Cour à piliers» (10) et la «Maison du prince» (11); au Sud de l'«Esplanade jumelle» se trouvent le «Complexe de garde» (8) et la «Maison du vizir Dja'far» (9). Un mur puissant, situé presque dans l'axe de la porte Nord de l'enceinte, chevauche la partie orientale de l'«Esplanade jumelle» (4) et constitue en direction Nord-Sud l'axe autour duquel s'organisent les édifices construits plus à l'Est: la «Maison de l'armée» (Dâr al-djund), connue aussi sous le nom de «Grand salon occidental» (5a et pages 60, 65), avec sa vaste avant-cour en contrebas (5b), la petite demeure qui vient ensuite au Nord-Est (6a) et d'où partent une rampe et une série d'arcades vers le Sud (7). Plus à l'Est encore, on trouve une grande cour qui n'a pas été encore fouillée (21). Cette zone a livré les vestiges de deux constructions: le «Salon doré» (22), de plan centré, et le «Salon oriental» (23), une salle basilicale à cinq nefs. Au Sud du groupe compact des constructions centrales, un peu décalée vers l'Ouest par rapport à la «Maison de l'armée», et également sur l'axe Nord-Sud, se trouve la salle de réception la plus importante de toute la ville royale (12 et pages 52, 53, 66 et 67), que les archéologues ont appelée «Salón Rico», «Salon riche». Cet édifice est situé à plus de 11 mètres en contrebas des autres constructions de la terrasse. Les bains royaux (13) se trouvent sur son flanc oriental, tandis que le «Chemin de ronde inférieur» (14) part de l'autre côté du Salón Rico. Plus loin à l'Ouest, il y a des habitations de courtisans qui n'ont pas encore été fouillées. Le «Jardino Alto», le «Jardin haut», s'étend immédiatement devant le «Salón Rico» (17); exactement dans l'axe central de la salle de réception s'élevait un pavillon entouré de bassins. Ce «Jardino Alto» est entouré d'une solide muraille qui sépare les terrasses médiane et inférieure. Plus bas, au Sud-Ouest – donc sur la terrasse inférieure – se trouve le «Jardino Bajo», le «Jardin bas» (16), qui est subdivisé en quartiers par des allées surélevées se coupant à angle droit, comme le «Jardin haut». Le mur oriental du

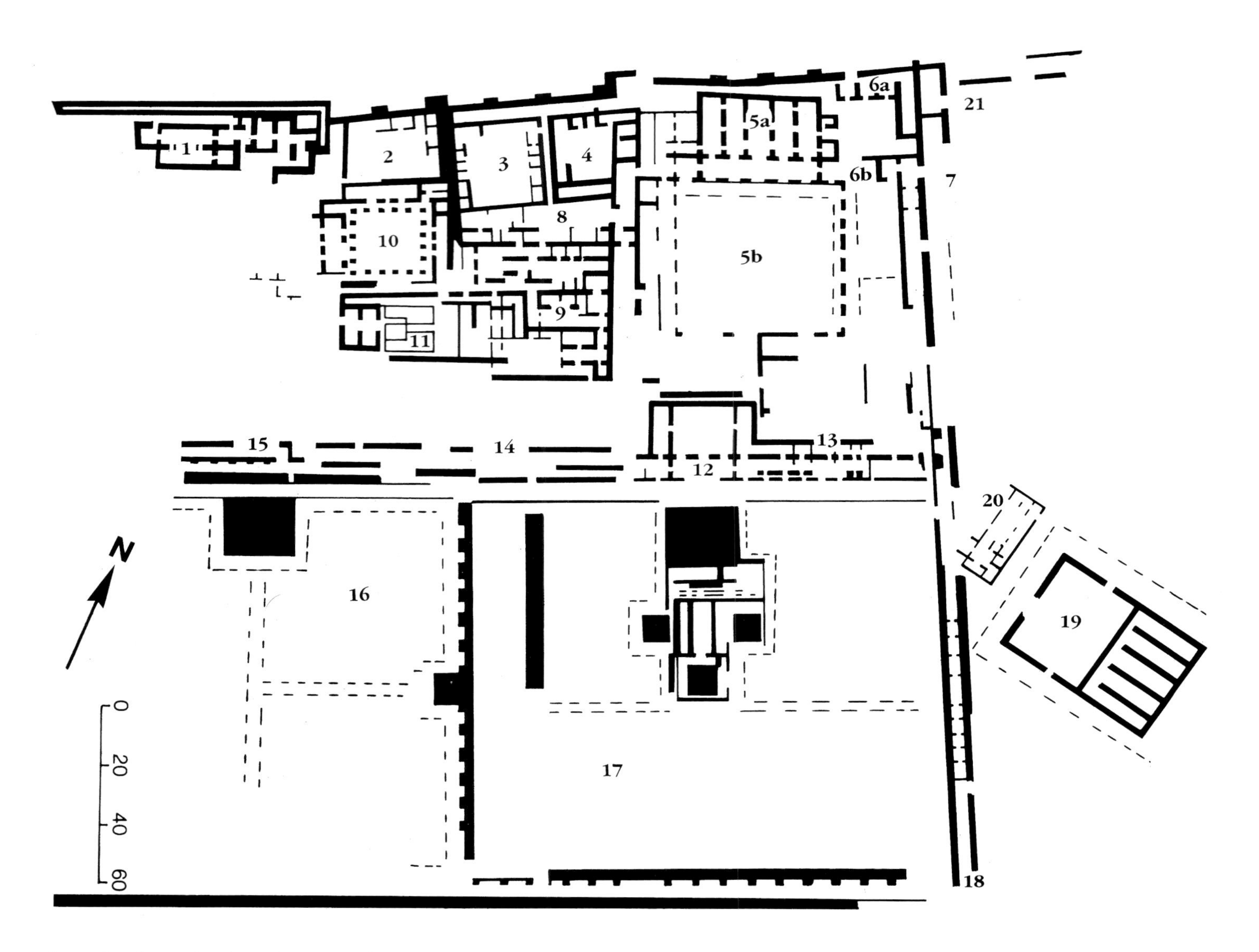

Madînat al-Zahrâ', plan de quelques complexes situés au Nord-Ouest de la ville (d'après López Cuervo)

«Jardin haut» est bordé par un couloir couvert (18) qui mène vers la mosquée (19), installée beaucoup plus bas; cette dernière appartient à la terrasse inférieure, mais elle la domine très nettement, étant donné son emplacement élevé. Près de la mosquée se trouve une petite habitation (20).

Une légère modification de l'axe du mur Nord-Sud, qui mord sur l'«Esplanade jumelle», au départ de la porte septentrionale de l'enceinte, et qui détermine l'axe de tous les édifices situés sur son côté oriental, suggère un changement de programme après l'achèvement de la résidence califale et de la mosquée; celles-ci semblent appartenir à une première phase des travaux. La résidence n'a pas encore été entièrement fouillée; il s'agit d'un complexe comprenant plusieurs cours, une salle à trois nefs, un bain et des latrines somptueusement carrelées de marbre rouge.

La mosquée était en quelque sorte la petite sœur de la Grande Mosquée de Cordoue: cinq nefs perpendiculaires au mur qibla, la nef centrale plus large que les deux nefs voisines, elles-mêmes plus larges que les nefs extérieures. Des dalles forment une bordure d'environ sept mètres de large, le long du mur qibla, tandis que le reste du sol de la salle de prière est en simple terre battue. Ce schéma en T est évidemment destiné à mettre en valeur la nef axiale et le mur qibla. Un passage couvert, derrière ce dernier, permettait au calife d'accéder à la salle de prière sans se mêler au groupe des fidèles. Le minaret se trouve directement à côté de la porte principale, située exactement dans l'axe du mihrâb. La mosquée appartient au même type basilical que les salles de réception.

La terrasse inférieure, à l'exception de la mosquée, n'a pas encore été explorée par les archéologues. Mais des photographies aériennes permettent de reconnaître son aménagement: la porte principale (26) se trouvait à peu près au centre du mur Sud (Bâb al-qubba, «Porte de la coupole»); il y avait une seconde porte (seuls subsistent des vestiges de ses montants) plus au Nord (c'est probablement la «Porte du seuil», Bâb al-Sudda, dont parlent les textes). A l'Est, à proximité de la mosquée, on trouvait le quartier du marché (24) et les quartiers de l'infanterie (25) et à l'Ouest, des parcs, un jardin zoologique (27) et les quartiers de la cavalerie (28).

L'eau était amenée à Madînat al-Zahrâ' de la Sierra située au Nord. La canalisation, souterraine ou portée par endroits par un aqueduc (page 69), rencontrait l'enceinte Nord à angle droit et y alimentait un château d'eau; de ce dernier, l'eau se déversait dans une cuve de marbre, puis coulait sur une rampe avant d'être recueillie dans des tuyaux de plomb qui la distribuaient dans la ville située en contrebas. De nombreux réservoirs collectaient les eaux de pluie, car l'eau de la Sierra ne suffisait évidemment pas aux besoins de la ville royale. Ceux-ci devaient être considérables, car toutes les habitations des classes supérieures qui ont été fouillées présentent de bonnes adductions d'eau, et même des latrines à eau courante. Par ailleurs, la ville possédait de multiples étangs. Plusieurs chroniqueurs rapportent un détail qui les a visiblement impressionnés: «Comme nourriture pour les poissons des étangs de la résidence on avait quotidiennement besoin de 12000 pains».[50] Les «étangs de la résidence» devaient donc être de dimensions remarquables, et ils n'étaient pas les seuls de la ville.

Celle-ci était bien fortifiée; son enceinte – construite en relativement petit appareil – appartient sans doute à la première phase des travaux (par la suite, on a utilisé des blocs plus importants); elle n'a été dégagée qu'au Nord. Le mur a une épaisseur de 2,50 m et possède à intervalles réguliers (13 à 14 mètres) des tours-contreforts de plan rectangulaire, adossées à l'extérieur du rempart; un chemin de ronde de plus de 4 mètres de large court du côté intérieur de l'enceinte. Sur les trois autres côtés de la ville, il semble y avoir eu un mur double, de part et d'autre du chemin de ronde, le tout faisant une largeur de plus de 15 m.[51]

On connaît au moins quatre portes: la porte principale au milieu du côté

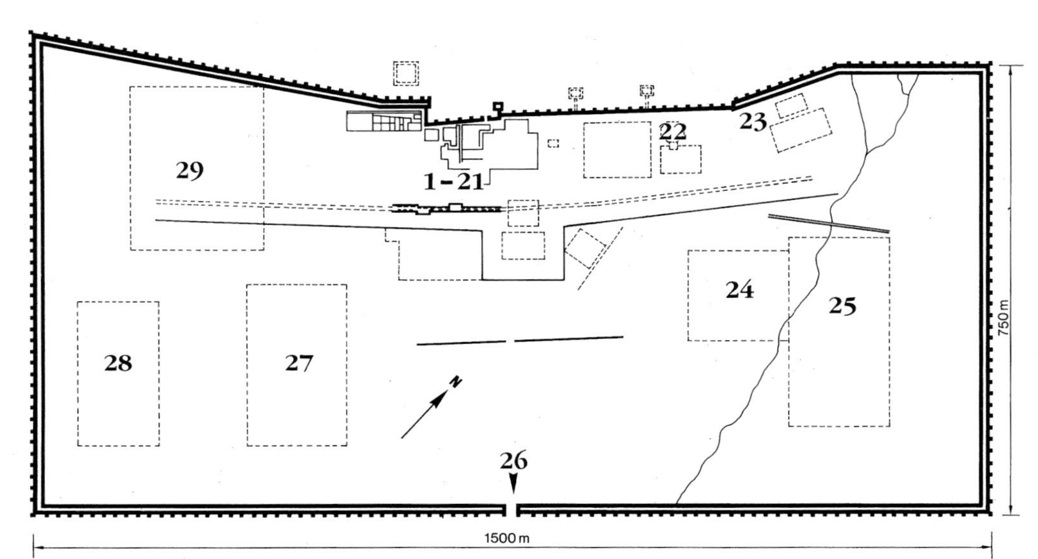

Madînat al-Zahrâ'
EN HAUT:
Vue sur le Grand Salon occidental
La série d'arcades à l'arrière-plan constitue la limite orientale de la terrasse intermédiaire.

EN BAS:
Plan schématique de l'ensemble (d'après R. Castejón y Martinez de Arizala)

Sud (Bâb al-Qubba), la «Porte du soleil» (Bâb al-Shams) à l'Est, la «Porte des montagnes» (Bâb al-Djibâl) sur le côté Nord, et enfin Bâb al-Sudda, ce qui signifie probablement «Porte interdite» ou «Porte du seuil». Cette dernière se trouvait à l'intérieur de l'espace urbain, au Nord de Bâb al-Qubba, et donnait accès à l'ensemble califal; les invités devaient abandonner là leur monture et continuer à pied pour parvenir aux bâtiments administratifs et officiels, situés plus haut sur la pente. Jusqu'à présent, seule la porte Nord a été dégagée. Elle est très proche de la résidence califale et a visiblement été modifiée à plusieurs reprises afin de renforcer son caractère défensif: on a ainsi rajouté après coup un vestibule et une muraille perpendiculaire ainsi qu'une tour, exactement en face de l'entrée.

Quelques inscriptions et des récits plus ou moins contemporains, conservés grâce à la compilation d'al-Maqqarî, fournissent des éléments de datation: les restes d'un bandeau épigraphique retrouvés dans la mosquée donnent la date de 941/42; les sources littéraires indiquent, elles, que cet édifice aurait été construit par 1000 ouvriers, en 48 jours, au cours de l'année 941. Trois dates ont été retrouvées parmi les vestiges du décor architectural du «Salón Rico», qui permettent de situer sa construction dans les années 953–957.

Les chroniqueurs arabes décrivent de nombreuses fêtes fastueuses, et des réceptions d'ambassadeurs étrangers. En 949, c'est encore à Cordoue que fut accueillie une ambassade byzantine, chargée de cadeaux somptueux (parmi lesquels la copie grecque du traité de botanique de Dioscoride), mais, par la suite, toutes les audiences grandioses eurent lieu à Madînat al-Zahrâ'. Il existe des récits détaillés de certaines de ces réceptions: celle de l'ambassade de Othon le Grand par exemple, qui dépêcha en 956 l'abbé Jean de Gorze en Andalousie[52]; ou en 958, l'accueil de Sancho el Craso, chassé de son trône et préoccupé d'obtenir le soutien du calife, son parent éloigné. C'est le même motif qui, en 962, amena à la cour Ordoño IV de León; puis en 971, l'ambassadeur de Borrell, comte de Barcelone et évêque de Gérone, fut reçu à Madînat al-Zahrâ'.[53] Suivirent des délégations de Castille, de León, de Salamanque et Pampelune, mais aussi de Provence et de Toscane; le «Sâhib Rûma» lui-même – le souverain de Rome – aurait, d'après Ibn Khaldûn, envoyé une déléga-

A DROITE:
Madînat al-Zahrâ', «Salón Rico», vue de l'Ouest dans la nef centrale
Le trône du calife était sans doute installé contre le mur de fond.

Madînat al-Zahrâ', panneau de marbre dans le «Salón Rico»
Ce panneau ressemble beaucoup à celui de Cordoue; de dix ans antérieur environ, il sort probablement du même atelier. Tous deux présentent le vieux motif oriental de l'arbre de vie à partir duquel se développe un décor végétal symétrique; on retrouve aussi la même bordure de rinceaux de lointaine origine antique. Les motifs se dégagent à la verticale du fond, ce qui confère au décor un caractère graphique et abstrait. Le traitement de surface du tronc de l'arbre, des feuilles, des pétales et des calices est typiquement hispano-umayyade.

tion.[54] En 972 une nouvelle ambassade byzantine se présenta à Madîna al-Zahrâ'. La présence de princes berbères ou d'autres délégations nord-africaines était plus fréquente. Et pour l'année 973, on cite même une ambassade venant d'Arabie.

Ibn Hayyân, dont le père avait été secrétaire d'al-Mansûr et qui occupa lui-même à Cordoue le poste de chef de chancellerie au XIe siècle, est considéré comme l'historien médiéval le plus fiable de Cordoue; il décrit la réception d'Ordoño IV, en l'an 962: le roi chrétien avait été installé avec sa suite dans un palais d'été umayyade près de Cordoue. Le jour de l'audience, il vint accompagné de dignitaires islamiques et chrétiens; la cavalcade passa entre une haie de soldats, puis entra dans Madînat al-Zahrâ' par le portail principal du Sud; elle traversa ensuite l'esplanade inférieure jusqu'à la Bâb al-Sudda, où elle fut accueillie par le Sâhib al-Madîna, un haut fonctionnaire de la cour; tous, à l'exception d'Ordoño, mirent alors pied à terre. Le groupe monta jusqu'aux salles de réception de la terrasse centrale, entre une haie d'honneur qui s'étirait tout au long du chemin. La délégation fit halte à la «Maison de l'armée», puis continua jusqu'au «Salon oriental» où l'attendait le calife. Le trône n'était sans doute qu'un simple siège bas placé au bout de la nef centrale, sur lequel le calife était assis «à l'orientale», jambes croisées, sobrement vêtu. Des dignitaires richement habillés entouraient le trône et formaient une double haie jusqu'à l'entrée de la salle. Après l'audience, Ordóno se fit accompagner jusqu'à la «Maison du vizir Dja'far», où lui fut servi un repas, et remise une robe d'honneur, cadeau royal traditionnel, ainsi que des joyaux et des tissus à ses suivants. En rentrant, il trouva à la «Maison de l'armée» un superbe cheval de race richement harnaché à la place de sa propre monture.

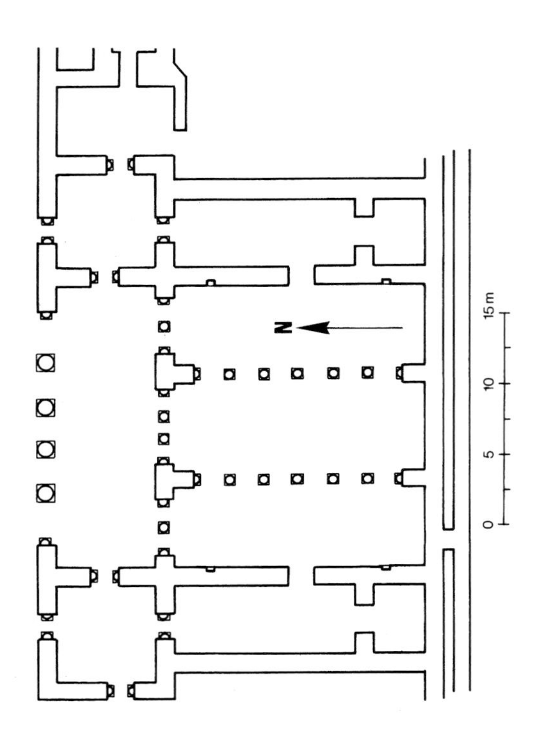

Madînat al-Zahrâ', «Salón Rico», plan (d'après R. Castejón y Martinez de Arizala)

Du point de vue de l'histoire de l'art, Madînat al-Zahrâ' a une importance capitale. En premier lieu, c'est un exemple de la forme spécifique prise en Andalousie par la ville royale islamique d'origine proche-orientale, qui fut également adoptée et adaptée à la même époque en Tunisie (Sabra al-Mansûriyya) et en Egypte (al-Qâhira, qui a donné son nom au Caire). Nombre de traits de Madînat al-Zahrâ' semblent directement inspirés par les villes royales abbassides: une architecture qui souligne clairement la hiérarchie des quartiers palatiaux et urbains; la superficie considérable de la ville et le subtil aménagement des jardins, avec leurs allées surélevées; l'étroite connexion des salles de réception officielles, des jeux d'eau et des jardins; le parc zoologique et la grande volière; le système complexe et souvent bien protégé des accès. En revanche, le recours constant au plan basilical à plusieurs nefs pour les pièces de réception («Maison de l'armée», «Salón Rico» ci-contre, «Salon oriental») est sans doute une caractéristique originale de l'architecture princière andalouse, alors qu'en Orient, on a adopté dès le VIIIe siècle des constructions à iwân et à coupole. Les sources mentionnent certes bien quelques salles à coupole à Madînat al-Zahrâ', mais l'archéologie confirme que leur rôle était bien moins important que celui des salles basilicales. On remarque que l'architecture aulique est ici beaucoup plus proche de l'architecture religieuse qu'au Proche-Orient.

A Madînat al-Zahrâ', les enfilades de chambres se développent autour d'une cour centrale, généralement carrée dans les demeures aisées, rectangulaire ou trapézoïdale dans les maisons plus modestes. Dans la «Maison du prince», cette cour est remplacée par un petit jardin agrémenté d'un bassin; des antichambres à triple arcade centrale s'ouvrent sur cet «hortus conclusus», divisé en longueur par une allée. On retrouve un aménagement comparable, mais beaucoup plus grandiose, devant le Salón Rico.

Le très riche décor architectural met en œuvre le marbre, le grès et la mosaïque de verre. Les motifs épigraphiques, géométriques et végétaux sont nettement séparés; l'ensemble de ce décor dense et couvrant évoque irrésistiblement l'art des tapis.

La Grande Mosquée de Cordoue

Madînat al-Zahrâ' étant presqu'entièrement détruite, c'est la Grande Mosquée de Cordoue qui offre aujourd'hui le plus beau témoignage de l'architecture du califat. Depuis l'agrandissement entrepris par 'Abd al-Rahmân II et achevé par son successeur Muhammad I (mentionné par le bandeau épigraphique de la Porte Saint-Etienne qui indique aussi l'année 855/56), la mosquée n'avait pas subi de changement spectaculaire. L'émir 'Abd Allâh s'était contenté de rajouter un passage couvert, reliant le palais à la porte de la salle de prière située en face (sans doute l'actuelle Porte Saint-Michel). Les modi-

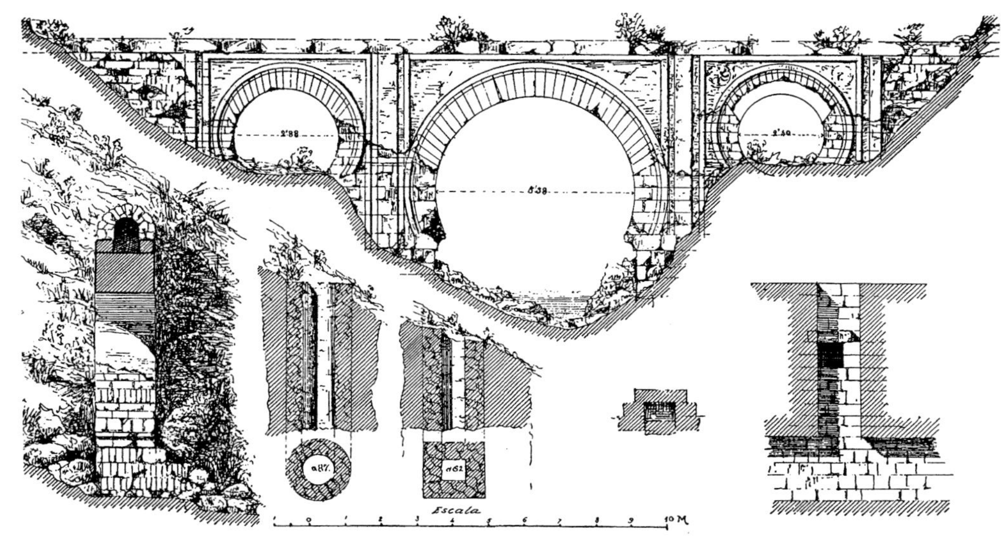

Madînat al-Zahrâ', aqueduc (dessin de M. Gómez Moreno)
Cet aqueduc était source de vie pour Madînat al-Zahrâ'; la région s'est complètement désertifiée depuis qu'il n'est plus entretenu. Autrefois, l'eau était amenée de la Sierra de Cordoue, au Nord, jusqu'aux remparts de la ville, soit par des conduites souterraines maçonnées, soit par des tuyaux enterrés ou portés par des aqueducs à arcs outrepassés; des fûts verticaux, installés dans les parties souterraines, équilibraient la pression de l'eau.

fications de 'Abd al-Rahmân II avaient entraîné une multiplication des arcades de chaque nef; du coup, leur poussée avait gauchi le mur Nord de la salle de prière; 'Abd al-Rahmân III y remédia en faisant tout bonnement construire une nouvelle façade devant l'ancienne, du côté de la cour. On a conservé une inscription qui donne les noms du souverain, de l'intendant et de l'architecte, et la date de 958.[55] Dès 951/52, d'après les sources littéraires, il avait fait ériger un minaret de cent coudées de haut[56] avec deux cages d'escalier parallèles, à proximité de l'entrée principale, sur le côté Nord de la mosquée. Cette tour sert de noyau au clocher actuel, construit au XVIe siècle, et dont le nom d'«Alminar» rappelle la fonction première; des sondages archéologiques contemporains (Félix Hernández Giménez) ont permis de découvrir la maçonnerie d'origine, avec ses grands blocs parallélépipédiques réguliers, ainsi

Cordoue, Grande Mosquée, détails d'une des douze portes de la salle de prière

Cordoue, Grande Mosquée, portail latéral (côté Est), datant de l'époque d'al-Mansûr

que les deux cages d'escalier voûtées, séparées par un mur Nord-Sud.[57] Le minaret présente un plan carré de 8,48 mètres de côté. On a une idée assez précise de son aspect primitif, car il est représenté, avec la porte Nord, sur deux blasons en stuc sculpté fixés aux écoinçons de la «Puerta Santa Catalina», qui remontent au milieu du XVIe siècle (page 56): au rez-de-chaussée, il y avait deux portes décalées vers les angles de la tour qui donnaient chacune accès à l'une des cages d'escalier; au-dessus, une succession d'étages avec des fenêtres géminées, puis une arcade aveugle marquant le sommet de cette section de la tour; la terrasse du muezzin était pourvue d'un parapet à merlons. Au-dessus s'élevait une seconde partie, plus étroite, couronnée par un pavillon à quatre baies. Le fronton triangulaire visible sur le blason est probablement une adjonction chrétienne. D'après la description d'al-Maqqarî, le sommet du minaret supportait une tige métallique garnie de deux pommes en or et d'une pomme en argent, terminée par une petite grenade en or. Il servait à l'appel à la prière, mais constituait aussi l'orgueilleux symbole des Umayyades et de leur capitale. C'est le principal minaret umayyade que nous connaissions, et son influence sur tous les minarets postérieurs de l'islam occidental est sensible. Il y a un autre minaret beaucoup plus modeste à Cordoue, construit en 930 et conservé dans le clocher de San Juan de los Caballeros. Or

Cordoue, Grande Mosquée, Capilla de la Villaviciosa
Cette partie de l'édifice, avec son impressionnant système d'arcs polylobés simples et entrecroisés, appartient à l'extension d'al-Hakam II. A l'arrière-plan, on aperçoit le mihrâb.

Cordoue, Grande Mosquée, Capilla de la Villavicosa, élévation du côté oriental des arcades occidentales (Ch. Ewert)

il présente déjà des arcades outrepassées géminées, avec un jeu de claveaux bicolores, et une arcature aveugle au sommet.

Avec les travaux de 'Abd al-Rahmân II, la cour était devenue trop étroite par rapport à la salle de prière; lors de la même campagne de construction que celle du minaret, 'Abd al-Rahmân III la fit donc élargir vers le Nord d'environ 60 mètres et ajouta sur trois des côtés une galerie d'environ 6 mètres de profondeur. Ce portique présente une alternance de piliers et de colonnes qui pourrait être inspirée de modèles byzantins.

Le chef d'œuvre d'Al-Hakam est l'agrandissement de la salle de prière, certes rendu nécessaire par l'accroissement de la population cordouane. Mais il faut noter que l'ordre de la construction a été signé au lendemain même du couronnement, le 4 ramadân 340 (le 17 octobre 961). Il s'agit donc de l'un des tout premiers actes de son règne, ce qui amène à supposer qu'il caressait ce projet depuis longtemps déjà, et qu'il lui accordait une importance considérable. Un haut dignitaire fut chargé de l'acquisition des matériaux de construction; les travaux démarrèrent en juillet 962 et se terminèrent, d'après Ibn 'Idhârî, à l'été 966. Le souverain projeta d'abord de modifier l'orientation du mur qibla, qui s'était révélée fausse, mais il finit par y renoncer, par respect pour l'œuvre de ses ancêtres.

Comme déjà 'Abd al-Rahmân II, al-Hakam II fit simplement détruire l'an-

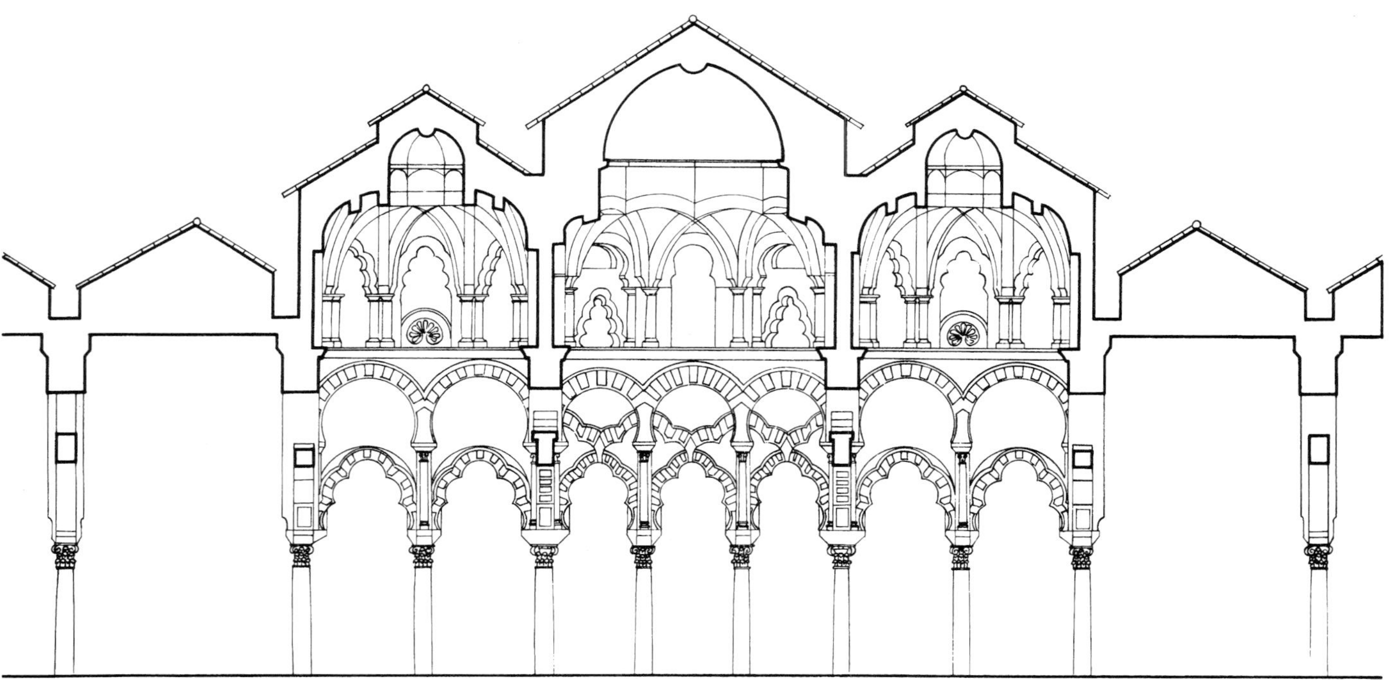

cien mur qibla pour le reconstruire douze travées plus loin vers le Sud, ce qui donnait une profondeur de presque 104 mètres à la salle de prière. Le mur qibla précédent fut remplacé par une série de piliers cruciformes reliés par une arcade transversale, qui constitue une manière de façade pour la nouvelle «mosquée dans la mosquée» (Félix Hernández Giménez). Le nouveau mihrâb est une profonde niche de plan heptagonal, surmontée d'une coupole en forme de coquille. Il est flanqué à l'Est comme à l'Ouest de cinq chambres carrées; les pièces orientales servaient de trésor, tandis que les pièces occidentales faisaient partie du passage couvert menant au palais (al-Hakam II avait déjà fait détruire le passage construit autrefois par l'émir 'Abd Allâh). Cette partie méridionale possède un premier étage avec onze chambres dont les fonctions sont inconnues. Cet aménagement du côté qibla est très inhabituel et s'explique sans doute surtout par des raisons techniques: il sert en effet à contrebuter la poussée des coupoles. La maqsûra comprenait probablement les deux travées méridionales des cinq nefs centrales.[58]

Les trois premières travées de la nef centrale ouvrent magnifiquement la salle de prière d'al-Hakam II: une quadruple combinaison d'arcs simples ou polylobés qui s'entrecroisent les séparent du reste de la salle; avec la puissante coupole sur nervures qu'ils soutiennent, ces arcs génèrent un volume spatial indépendant d'une grande beauté, qu'on appelle aujourd'hui la «Capilla de la Villaviciosa» (pages 73, 74). De là, de nouveaux entrelacements d'arcatures polylobées conduisent le regard vers le point culminant de la mosquée, le mihrâb (ci-contre). Les onze dernières travées doubles devant le mur qibla sont séparées de la salle de prière par une longue arcade transversale (elle est donc parallèle au mur qibla); les trois doubles travées centrales ont des supports intermédiaires supplémentaires, surmontés de piliers avec des colonnes engagées, et l'enchevêtrement particulièrement raffiné des arcades polylobées qui relient ces supports évoque une dentelle monumentale. Ces trois travées doubles ont les mêmes coupoles à nervures que la Capilla de la Villaviciosa, mais elles sont établies ici sur plan carré.

Les quatre coupoles[59] ressortent assez peu à l'extérieur; elles sont surmon-

Cordoue, Grande Mosquée, vue vers le mihrâb
Dès le bâtiment d'origine, la nef conduisant vers le mihrâb (qui était la nef centrale jusqu'à l'extension d'al-Mansûr) était plus large que les nefs communes. Al-Hakam II ne modifia donc pas en cela le parti de ses prédécesseurs. Depuis toujours, la salle de prière était plongée dans la pénombre, illuminée seulement par le scintillement des mosaïques à fond d'or.

Cordoue, Grande Mosquée, Capilla de la Villaviciosa, élévation du côté oriental des arcades occidentales (Ch. Ewert)

A GAUCHE:
Cordoue, Grande Mosquée, zone de la maqsûra, plan d'origine (Ch. Ewert)

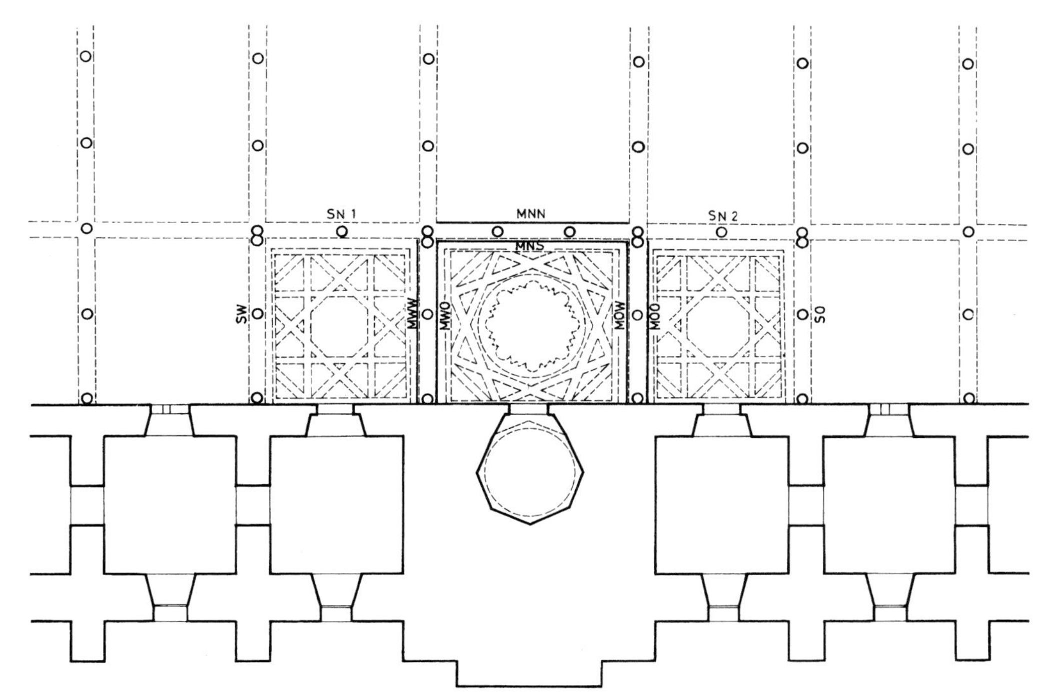

tées d'un toit de tuiles à quatre pentes, au-dessus d'un tambour percé de quelques petites fenêtres. Elles sont montées sur une armature de quatre paires de nervures, constituées de claveaux allongés posés de chant (page 78). Ces nervures sont tendues à la manière d'un cintre sur le vide, qu'elles subdivisent en tout petits compartiments faciles à voûter; les nervures ne se croisent jamais au zénith. Les architectes de Cordoue étaient très loin de posséder le savoir-faire des maîtres d'œuvres des voûtes gothiques, dont les nervures reçoivent la poussée et permettent d'alléger les murs. Ils n'ont pas exploité les possibilités de cette technique et les espaces compris entre les nervures sont comblés par un lourd blocage de moellons, alors qu'un appareil plus léger eût été bien préférable. En dépit de leur beauté, les nervures de Cordoue ne peuvent donc pas être considérées comme le modèle des nervures gothiques.

On discute de l'origine des coupoles à nervures de Cordoue. On vient de voir qu'elles sont différentes des voûtes gothiques, et de toute manière, elles sont beaucoup plus anciennes. Les voûtes romaines à caissons pourraient avoir été une source d'inspiration, mais il y a néanmoins loin entre elles et le système cordouan. On a souvent aussi évoqué les coupoles à nervures de l'architecture arménienne, mais celles qui sont antérieures à Cordoue – dans la mesure où l'on parvient à les dater – sont en fait des coupoles soutenues par des nervures radiales; les coupoles arméniennes qui présentent des systèmes de nervures comparables à celles de Cordoue sont toutes plus tardives.[60] On cite également les coupoles sur nervures iraniennes; elles présentent effectivement un système de nervures comparable, du point de vue formel, à celui de Cordoue; mais en Iran, les nervures sont de délicats arceaux de plâtre, éventuellement rayonnants, tendus comme des cintres au-dessus de l'espace à voûter. Les compartiments ainsi constitués sont obturés par un appareil en briques cuites noyées dans un mortier de chaux à prise rapide d'excellente qualité. Les nervures iraniennes ne servent donc pas d'armature aux voûtes, mais seulement de gabarit pour la construction.[61] En revanche, les nervures de Cordoue ont également une fonction portante. Par ailleurs, les techniques de construction sont très différentes: les matériaux de construction utilisés en Iran sont légers – briques cuites et plâtre de chaux – tandis qu'à Cordoue ce sont des moellons et des pierres de taille. En outre, celles des voûtes iraniennes sur nervures qui sont comparables par la forme aux voûtes de Cordoue ne sont pas antérieures à la fin du XIe siècle – aussi, s'il y avait eu influence, elle se serait tout au plus exercée en sens inverse, de Cordoue vers l'Orient. Mais l'hypothèse en est de toute façon absurde, car les voûtes sur nervures iraniennes de l'époque saldjoukide se situent dans une tradition orientale cohérente beaucoup plus ancienne, dont on connaît au demeurant fort mal l'origine. Comme il n'y a pas de liens directs entre les coupoles umayyades de Cordoue et les monuments ibériques antérieurs, il n'est pas exclu qu'on découvre un jour que coupoles iraniennes et cordouanes ont une commune origine proche-orientale.[62] Mais quoi qu'il en soit, l'architecte d'al-Hakam II est un créateur de grande envergure et le digne émule du premier architecte de la mosquée, son aîné de près de deux siècles.

Les arcades qui supportent les coupoles sont construites en pierres soigneusement taillées et stuquées, qui devaient être peintes. Elles ont deux niveaux, comme celles du premier édifice (pages 74 et ci-contre); une colonne inférieure supporte un pilier supérieur de section rectangulaire orné d'une demi-colonne engagée. Les arcs supérieurs sont en fer à cheval, les arcs de consolidation

Cordoue, Grande Mosquée, espace devant le mihrâb, vue de l'Est vers l'Ouest
Les différentes possibilités de lecture des arcs entrecroisés révèlent la conception décorative du répertoire formel de l'architecture. Celle-ci témoigne d'une sensibilité esthétique plus raffinée que celle du bâtiment d'origine.

PAGE 78:
Cordoue, Grande Mosquée, coupole de la travée devant le mihrâb
Les quatre coupoles de l'édifice umayyade ne se signalent à l'extérieur que par de petits toits en pavillon. Les quatre coupoles sont montées sur une armature de quatre paires de nervures groupées parallèlement deux à deux, constituées de claveaux rectangulaires sur chant. Ces nervures forment une sorte de gabarit qui divise l'espace à voûter en tout petits compartiments.

PAGE 79:
Cordoue, Grande Mosquée, façade du mihrâb
Le mihrâb, point focal de l'édifice, reprend les thèmes principaux de la Porte Saint-Etienne, magnifiés par la richesse des matériaux, le foisonnement des motifs décoratifs et la qualité de l'exécution. L'inscription, en mosaïque d'or sur fond bleu, cite des versets du Coran et mentionne le nom d'al-Hakam II.

Cordoue, Grande Mosquée, détails des mosaïques de la façade du mihrâb et de la coupole de la travée qui le précède

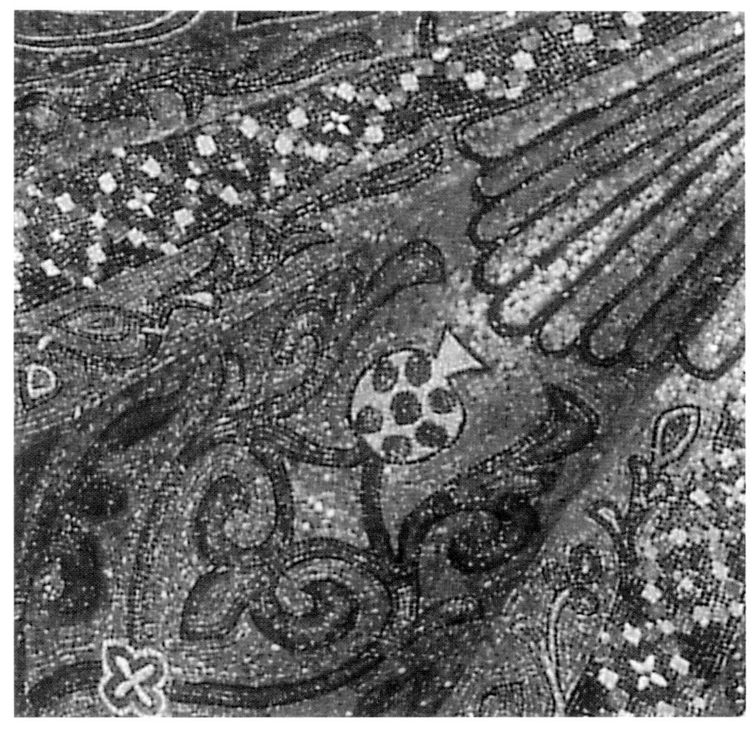

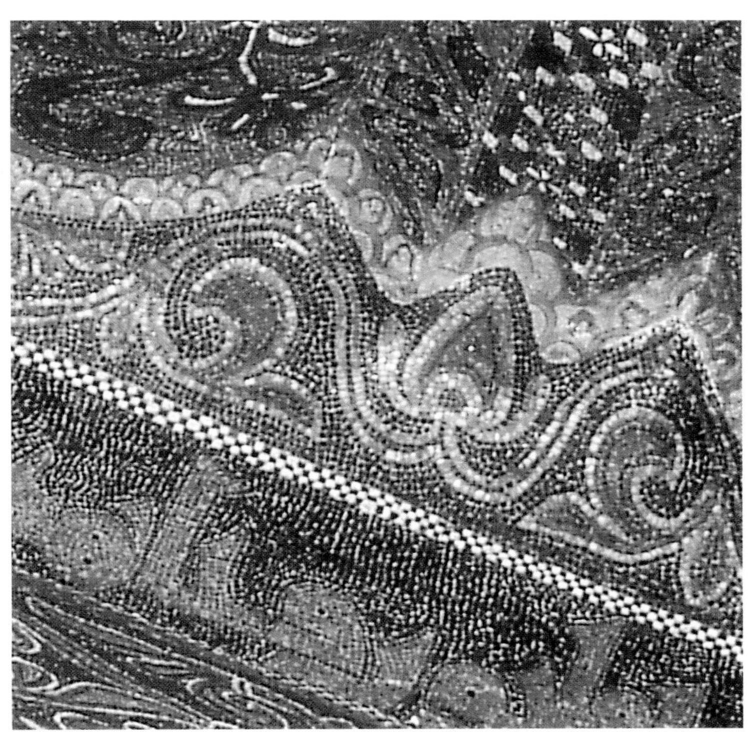

inférieurs ont cinq lobes; des éléments arqués supplémentaires viennent relier ces deux systèmes. Les voussoirs sont alternativement lisses et sculptés (ou en retrait et en saillie): le thème de la bichromie de l'édifice premier est donc repris ici, mais traduit dans une autre technique. On s'éloigne délibérément des traditions architecturales antiques: les supports sont dépourvus de base, les structures portantes s'alourdissent vers le haut et les arcs intermédiaires s'appuyent sur le sommet de l'extrados des arcs inférieurs, sans aucun des éléments habituels de support.[63] Mais il y a encore une autre nouveauté remarquable ici: c'est la multiplicité des jeux optiques offerte par la combinaison des arcs polylobés. Du côté Nord de l'arcade septentrionale de la travée du mihrâb (page 74), on distingue nettement trois arcs inférieurs à cinq lobes, trois arcs supérieurs en fer à cheval, et un étage intermédiaire composé de deux arcs entiers et de deux demi-arcs trilobés; en revanche la face occidentale de l'arcade Ouest, à première vue assez comparable, se présente plutôt comme un entrelacement d'arcs à onze lobes, le traitement décoratif particulier de la clef des arcs effaçant l'impression d'une composition à trois registres. Cette conception ambivalente et décorative des éléments architectoniques correspond à une esthétique propre à l'art islamique et marque une évolution décisive par rapport à l'édifice de fondation.

L'édifice s'articule tout entier autour du mihrâb situé au point d'arrivée de l'axe principal et précédé, annoncé par le jeu savant des arcades transversales polylobées (page 77). La niche en forme de fer à cheval est inscrite dans une véritable façade qui reprend en les variant les thèmes décoratifs de la Porte Saint-Etienne, sur un mode toutefois beaucoup plus somptueux. De même que pour le portail, il y a ici une distinction en registres: d'abord la zone du socle, ensuite celle du grand arc avec son alfiz, et enfin l'arcade aveugle. La zone du socle est revêtue d'un placage de marbre blanc; la baie de la niche est flanquée de deux paires de colonnes foncées qui proviennent du mihrâb de 'Abd al-Rahmân II. Les claveaux de l'arc en fer à cheval sont décorés de mosaïques en pâte de verre à dominante d'or, avec des rinceaux qui se détachent sur des fonds or ou bleus et rouges. Les écoinçons dorés présentent un motif circulaire qu'on retrouvera souvent, sous une forme un peu différente, dans l'art hispano-maghrébin postérieur. L'arc du mihrâb est encadré par une large frise épigraphique rectangulaire, dont les caractères coufiques en mosaïque bleue et or ressortent vigoureusement entre des bandeaux de marbre blanc sculpté. Au-dessus, les sept arcs trilobés supportés par des colonnettes polychromes jouent encore sur le contraste entre marbres blancs et colorés, et sur le chatoiement des mosaïques à fond d'or. L'intérieur du mihrâb est lui aussi richement décoré: un placage de marbre blanc lisse masque la maçonnerie du socle; au-dessus court un bandeau épigraphique sous une frise à décor végétal sculpté; vient ensuite la zone principale, avec une arcade trilobée flanquée de colonnettes sombres, noires ou rouges, inscrite dans chacun des pans de la niche; les colonnettes tranchent sur les claveaux blancs, alternativement lisses ou sculptés, des arcs qu'elles soutiennent. Un large bandeau inscrit clôt l'espace polygonal, sous une double frise décorée de feuilles de vigne et de perles et pirouettes qui marque le départ de la petite coupole en forme de coquille. L'inscription mentionne le nom du souverain (al-Hakam), le nom et le titre du maître d'œuvre (le hâdjib Dja'far), la date d'achèvement (novembre-décembre de l'année 965) et quatre noms que l'on retrouve dans le Salón Rico de Madînat al-Zahrâ' (Muhammad ibn Tamlîkh, Ahmad ibn Nasr,

Cordoue, Grande Mosquée, Capilla de la Villaviciosa, voûte à nervures

Khald ibn Hâshim, responsables de police, et Mutarrif ibn 'Abd al-Rahmân, secrétaire).

On remarquera le caractère nettement byzantin des rutilantes mosaïques d'or de la façade du mihrâb et des deux ouvertures outrepassées latérales, ainsi que de celles de la coupole de la travée précédant le mihrâb (page 71). Les sources confirment cette impression: Ibn 'Idhârî rapporte que la coupole aurait été achevée en juin 965 et qu'on aurait commencé alors à poser les mosaïques; al-Hakam aurait auparavant prié l'empereur byzantin Nicéphore II Phokas de lui envoyer un artiste capable d'imiter les mosaïques de la Grande Mosquée des Umayyades à Damas. Les ambassadeurs du calife auraient ramené le mosaïste demandé, avec en outre plusieurs sacs (environ 1600 kilogrammes) de cubes de pâte de verre offerts par l'empereur. Le calife aurait adjoint au mosaïste plusieurs serfs comme apprentis et aides, qui auraient fini par surpasser leur maître, poursuivant seuls le travail après le départ du Byzantin. Le récit de cette ambassade byzantine se retrouve chez d'autres auteurs anciens, et les recherches de Henri Stern et de Dorothea Duda[64] ont effectivement confirmé un apport byzantin.

Les mosaïques semblent avoir été achevées seulement vers la fin de l'année 970 ou le début de 971, c'est-à-dire cinq ans plus tard. Ce temps paraît bien long pour une surface totale de 200 mètres carrés au plus. Mais il est vrai que la formation de la main d'œuvre locale, puis la reprise des travaux par celle-ci peuvent avoir retardé le projet. Henri Stern a constaté que la technique utilisée à Cordoue est comparable, quoique de moindre qualité, à celle des mosaïques sensiblement contemporaines de Sainte-Sophie de Constantinople. Tandis que les tesselles de Cordoue sont toujours posées à plat, celles de Constantinople, elles, sont parfois disposées en biais, afin d'accentuer les effets lumineux;[65] à Constantinople, le fond de la mosaïque de la Vierge de la porte Sud du narthex est bombé par endroits (par exemple au niveau du nimbe); ailleurs, la vibration lumineuse est renforcée par l'inclusion de cubes d'argent. D'autre part, les dessins préparatoires de Constantinople présentent déjà l'image complète, alors qu'à Cordoue, on se contente d'un simple schéma. En revanche, la polychromie est plus riche à Cordoue.[66] Les mosaïques de la porte occidentale ont vraisemblablement été exécutées par des artisans locaux. Si les matériaux et la technique sont encore incontestablement d'origine byzantine, le vocabulaire formel possède des traits de l'ornementation proprement hispano-islamique qui a commencé à développer son langage spécifique depuis Madînat al-Zahrâ'.

En dépit de tout ce déploiement de richesses, al-Hakam II était resté fidèle, avec sa «mosquée dans la mosquée», aux principes de base de l'édifice d'origine. Ce respect vis-à-vis de la mosquée première fut également le leitmotiv de la dernière grande période de construction des temps islamiques. En 978/79,[67] al-Mansûr, le tout-puissant ministre qui régnait à la place de Hishâm II, fit à nouveau agrandir considérablement la mosquée, car à la population de Cordoue étaient venus s'ajouter les mercenaires berbères et leurs familles, originaires du Maghreb. On ne pouvait étendre la salle de prière ni vers le Sud à cause de la rive du Guadalquivir, ni vers l'Ouest où se trouvait le palais (à l'emplacement de l'actuel palais épiscopal); vers le Nord il aurait fallu détruire d'abord la cour; seul demeurait le côté Est (page 41). On construisit donc huit nouvelles nefs sur toute la longueur de la salle de prière; la cour fut également agrandie. Du coup, la large nef du mihrâb ne constituait plus l'axe central de

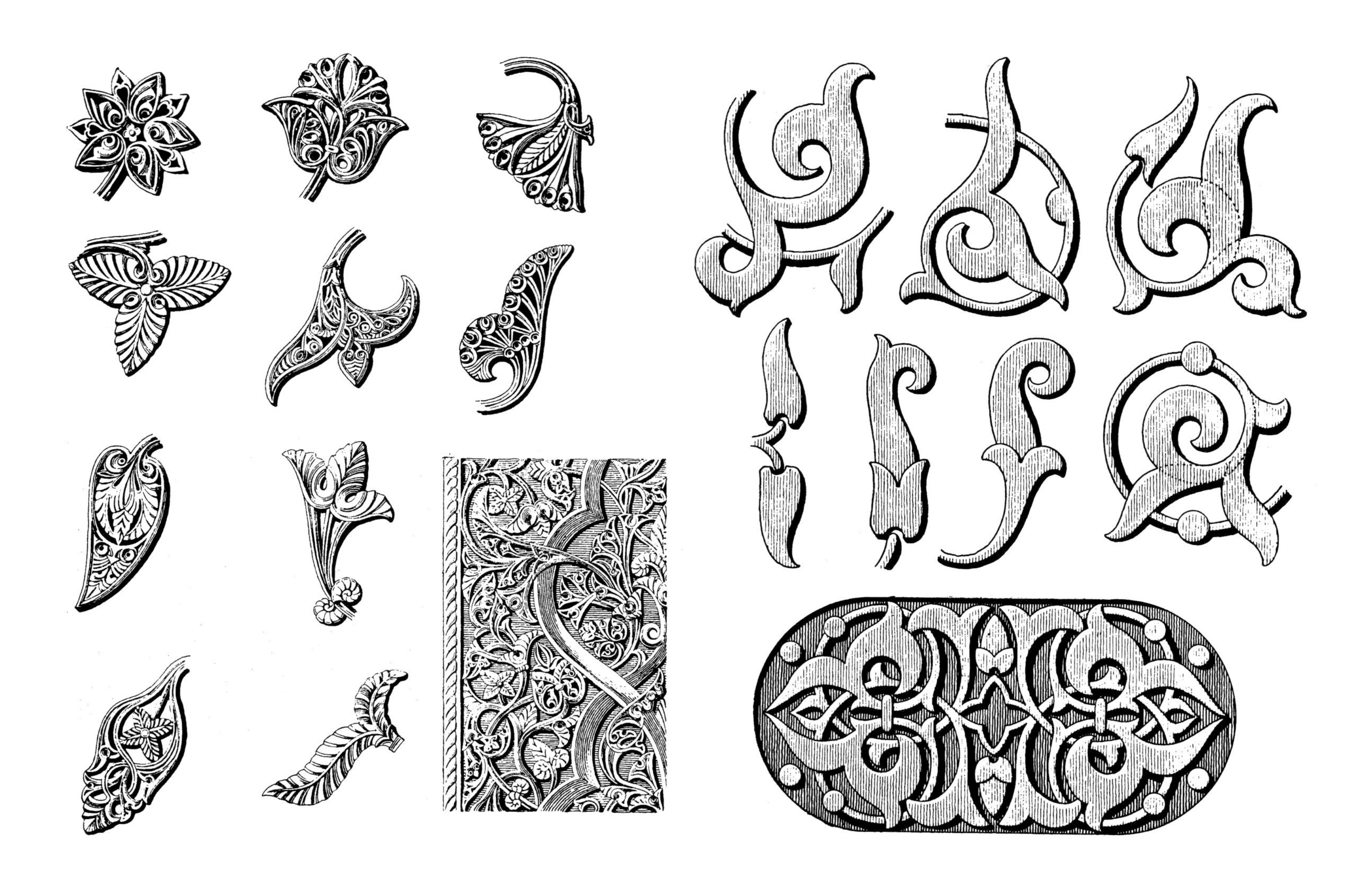

Détails de décors végétaux; à gauche et en haut à gauche: Cordoue, Grande Mosquée; en haut à droite: Grenade, Alhambra (C. Uhde)

La très riche flore décorative hispano-umayyade comprend des calices et des feuilles, des rosettes, des demi-palmettes, des feuilles de trêfle, des pommes de pin et des grappes de raisin; le traitement des surfaces est toujours très dense, les bords sont digités ou guillochés. Le schéma géométrique de base est déterminé par le souple mouvement des tiges. En dépit de la stylisation, feuilles et pétales se distinguent encore nettement des branches et des tiges. Au XIIe siècle, des formes lisses remplacent les formes découpées de l'époque antérieure, le vocabulaire décoratif est plus stylisé et plus répétitif. Il n'y a plus de séparation nette entre les tiges et les calices allongés, les demi-palmettes et les trilobes qui les prolongent et souvent se transforment à nouveau en tiges. On assiste ici à la métamorphose du rinceau antique en arabesque, et dorénavant, le décor végétal n'obéit plus qu'à un principe de croissance géométrique.

l'édifice; elle garda cependant toute sa valeur symbolique et esthétique, car ces modifications demeurent quelque peu secondaires, et ne cherchent pas à concurrencer l'éclat et le prestige de la partie d'al-Hakam. Ainsi conserva-t-on de grands pans de la paroi orientale pour marquer la limite entre salle principale et salle annexe. L'aménagement des arcades transversales de l'aile Sud de l'édifice précédent ne fut pas poursuivi, non plus que celui des chambres jouxtant le mur qibla. La salle de prière d'al-Mansûr était donc plus simple que celle d'al-Hakam II, et de deux travées plus profonde. La mosquée atteignit alors les dimensions respectables d'environ 178 mètres sur 128: par la taille, elle est donc la troisième du monde islamique d'alors, surpassée seulement par les deux grandes mosquées abbassides de Sâmarrâ.

Les trois figures dominantes de l'époque califale marquèrent ainsi chacune indélébilement la Mosquée du Vendredi de Cordoue: le minaret pour la phase de construction de 'Abd al-Rahmân III, les coupoles, les entrelacements d'arcs polylobés et les mosaïques byzantines pour celle d'al-Hakam II, et la rationalité et l'ampleur nouvelle du bâtiment pour celle d'al-Mansûr. On peut reconnaître dans la contribution de chacun comme une manière d'emblème de sa personnalité et de sa conception du pouvoir. La tour est d'abord signe et symbole de prestige, et ensuite seulement le lieu de l'appel à la prière;[68] elle est l'affirmation orgueilleuse, visible de loin, du pouvoir légitime du nouveau calife. Beaucoup plus discrètes de l'extérieur, mais incomparablement plus subtiles, plus novatrices et plus profondément élaborées sont les adjonctions d'al-Hakam II, dont on sait qu'il possédait une bibliothèque riche de quatre cent mille volumes,[69] et qu'il avait rassemblé à Madînat al-Zahrâ' une célèbre collection d'art antique, dont subsistent encore quelques éléments. Les travaux d'al-Mansûr témoignent de son efficacité pragmatique, et révèlent en même temps ce mélange si caractéristique d'ambitions étendues, de prudence et d'intelligence politiques, qui l'ont toujours retenu de concurrencer ostensiblement le calife.

La mosquée n'offre pas un volume spatial unique et homogène; l'espace est cloisonné par les nombreuses arcades formant des nefs démesurément étirées, et les deux étages d'arc accentuent les effes d'indépendance et de fragmentation. Chaque nef forme à elle toute seule une unité spatiale, qui pourtant naît et s'achève dans le lointain, se fond et meurt dans l'espace voisin. En comparaison, la large spatialité des grandes basiliques umayyades du Proche-Orient paraît énergique et d'une simplicité rationnelle, dotée d'une puissance bien particulière héritée des basiliques paléochrétiennes. Or, à Cordoue, le volume basilical disparaît entièrement du fait de la multiplication et de l'allongement des nefs latérales – véritable forêt de colonnes. La salle de prière est plongée dans un clair-obscur crépusculaire auquel le scintillement des mosaïques confère une tonalité mystique et qui rappelle les effets d'ombre et de lumière de certaines églises byzantines. Mais la dissolution du volume spatial est cependant propre à Cordoue et ne vient pas de Byzance. Les fonctions architectoniques des différents éléments n'apparaissent plus clairement, car les structures porteuses s'épaississent vers le haut, les supports deviennent décor, tandis que le décor semble devenir lui-même élément porteur. L'organisation architecturale d'un ensemble gigantesque en petites unités régulières très nettement séparées les unes des autres, la confusion des éléments fonctionnels et décoratifs, la dissolution optique du volume spatial sont trois caractéristiques propres à la Grande Mosquée de Cordoue. Toute l'architecture hispano-maghrébine postérieure sera confrontée à cet héritage, qu'elle assumera en le modifiant, mais sans jamais pourtant le renier.

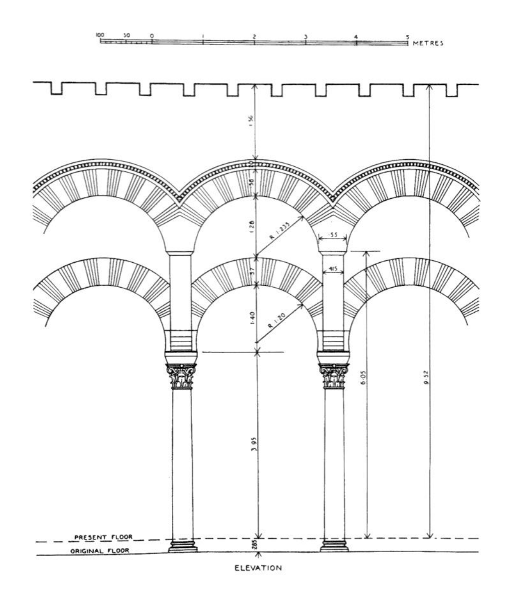

Cordoue, Grande Mosquée, relevé (K. A. C. Creswell) et vue de la salle de prière
L'architecte de 'Abd al-Rahmân Ier parvint, grâce à la superposition des arcs, à construire une salle de prière très élevée en dépit de la hauteur limitée des supports. L'innovation géniale consiste à monter au-dessus des colonnes d'importantes impostes qui élargissent la surface porteuse et reçoivent les retombées des arcades inférieures en fer à cheval (qui servent de tirants) et supportent également les piliers supérieurs reliés par les arcades semi-circulaires qui soutiennent les charpentes. Arcades inférieures et supérieures font alterner des claveaux de calcaire clair et de brique rouge.

Tolède, Mosquée San Cristo de la Luz, façade Nord-Ouest
La petite mosquée privée, construite aux alentours de l'an mil, a été transformée en église. Les arcs en fer à cheval et trilobés du rez-de-chaussée, les arcades aveugles entrecroisées au-dessus et les consoles sous la toiture débordante sont une variation de certains motifs cordouans.

Tolède, Mosquée San Cristo de la Luz, détails, élévation, relevé graphique des neuf coupoles à nervures (C. Uhde).

Mosquées secondaires

C'est à Cordoue et dans ses environs que furent construits les édifices les plus somptueux du Califat. Mais dans toute l'Andalousie, de nouveaux chantiers s'ouvrirent à cette époque de prospérité et de paix intérieure. Peu de vestiges de cette architecture religieuse ont été conservés, mais quelques monuments impressionnants ont cependant survécu, comme San Cristo de la Luz à Tolède, San Juan à Almeria ou la belle mosquée d'Almonaster la Real (province de Huelva) dans son paysage pittoresque de montagne. La Rábita de Guardamar del Segura, sorte d'établissement monastique en bordure de mer, allie fonctions religieuses et fonctions d'habitation.

L'église San Cristo de la Luz, à Tolède, était à l'origine une mosquée, à laquelle une abside fut ajoutée vers 1187.[70] On ignore son nom arabe; elle est généralement appelée Mosquée du Bâb al-Mardûm, en référence à la porte de ville située à proximité. L'inscription de fondation indique l'année 999/1000 et nomme le fondateur et le maître d'œuvre; il en ressort clairement qu'il s'agit d'une fondation privée. C'est un petit édifice de plan carré, d'environ huit mètres de côté. Le subtil traitement décoratif de l'appareil de briques (ci-contre) a fait supposer une influence mésopotamienne. Mais à y regarder plus attentivement, on reconnaît en fait une version très réduite de l'œuvre d'al-Hakam dans la Grande Mosquée de Cordoue (page 89). La façade et les arcades intérieures à double étage, les arcs polylobés, l'entrelacement des arcs en fer à cheval aveugles de la façade Sud-Ouest, et surtout les neuf petites coupoles sur nervures de l'intérieur sont des citations directes de l'édifice d'al-Hakam II. La salle de prière est divisée en neuf compartiments approxi-

Capitel de un parteluz del 2.° cuerpo
Arcada lateral del 2.° cuerpo
Seccion de la boveda n.° 1
Seccion por la linea A B
Seccion de la boveda n.° 2
Planta y proyecciones de las bovedas
Seccion de la boveda n.° 9
Capiteles del cuerpo inferior
Capiteles del cuerpo inferior

mativement carrés par quatre colonnes massives sans base. En raison du plan carré, c'est un espace centré sans direction, et la coupole surélevée de la travée centrale correspond à ce parti architectural; l'édifice s'insère ainsi dans les traditions proche-orientales, byzantines et umayyades. En revanche, son élévation et l'agencement des coupoles permettent de reconnaître un schéma directionnel. La séquence des types d'arcs, à l'étage intermédiaire, est conditionnée par l'axe du mihrâb; la mise en valeur des trois travées précédant le mihrâb suggère aussi le plan en T déjà déterminant à Cordoue et à Madînat al-Zahrâ'. Ce modeste édifice reflète donc le climat esthétique d'al-Andalus à la fin du Califat, en pleine possession de ses traditions artistiques, mais en même temps au seuil d'une époque maniériste, celle des «Reyes de Taifas» du XIe siècle (Ch. Ewert).

La petite salle de prière au premier étage de la «Casa de las Tornerías», toujours à Tolède et qui date sans doute également de la fin du Califat, présente elle aussi un plan à neuf travées, qui sont ici rectangulaires. Cette salle de prière copie celle de la mosquée du Bâb al-Mardûm,[71] mais ici, il n'y a de coupoles à nervures que sur le compartiment médian, «édifice en miniature» à neuf minuscules coupoles, entouré de travées à voûtement simple. Cette «mosquée à neuf coupoles» va plus loin encore que San Cristo de la Luz dans la réduction à un décor miniaturisé du thème architectural monumental qu'est

Tolède, vue du Sud avec le Tage au premier plan
Tite-Live mentionne déjà le municipe romain de Tolède; à partir de 579, la ville est capitale du royaume wisigothique; sous la domination umayyade, elle est la ville principale de la Marche Moyenne; au XIe siècle, c'est le centre d'un important royaume des Taifas.

Tolède, Puerta Antigua de la Bisagra
Cette porte était située sur l'une des principales voies commerciales de la ville, qui passait près du grand cimetière au Nord de Tolède. Le plan et la forme des arcs donnent à penser qu'elle a été construite au Xe siècle.

la coupole à nervures, ou – plus exactement – qu'est l'association de plusieurs travées à coupoles à nervures. On n'est plus très loin de la dissolution entière du thème et de l'introduction des mouqarnas.[72]

A l'origine, Almeria n'était que la banlieue portuaire (al-Maríya, en arabe tour de guet, autour de laquelle l'agglomération d'Almeria s'est formée) de Pechina, prospère république maritime largement indépendante au IXe siècle, qui ne se soumit à l'autorité umayyade qu'en 922. En 955, 'Abd al-Rahmân III fit entourer Almeria d'un rempart, la banlieue se transforma ainsi en une ville qui relégua progressivement Pechina à un rôle tout à fait secondaire. La mosquée principale, l'actuelle église San Juan, date certainement de cette époque (page 93). L'édifice de fondation avait probablement trois nefs[73] et fut agrandi par deux fois au XIe siècle. Le parement du mur qibla, monté en blocage et encore visible aujourd'hui derrière les arcatures construites au XVIIe siècle, est formé d'une alternance de carreaux et de boutisses simples ou groupées. A l'époque almohade, le mihrâb fut décoré d'un revêtement de stuc (ci-contre), actuellement en fort mauvais état et sous lequel ressortent les vestiges du temps califal: la zone lisse du socle est surmontée d'arcatures aveugles, et une calotte à divisions rayonnantes forme la coupole. C'est seulement en 1987 qu'on a découvert, à 1,15 mètres environ au-dessus de l'alfiz du mihrâb, les restes d'une arcature aveugle à sept arcs qui prouvent à l'évidence que l'ensemble de la façade du mihrâb se situe dans la filiation immédiate de Cordoue.[74] Dans le décor en stuc du fond de ces arcs – quatre panneaux seulement ont été conservés – les formes végétales dominent, renvoyant directement à l'art califal de Cordoue et de Madînat al-Zahrâ'; ce sont même des citations exactes de certains motifs de la coupole de la Villaviciosa et de la coupole du mihrâb de Cordoue. Le mihrâb d'Almeria est le seul témoignage contemporain qui puisse être comparé au mihrâb de Cordoue; il en est directement inspiré, mais n'a sans doute pas été exécuté par le même atelier, car il s'en écarte dans les détails. Cette mosquée révèle combien l'art d'Almeria dépend de celui de Cordoue, dépendance qui avait été précédée par la soumission politique. Le maître d'œuvre d'Almeria s'inscrit délibérément dans la tradition de la capitale, qu'il semble avoir bien connue. Il ne disposait certainement pas de moyens matériels comparables à ceux de la cour califale, mais ils lui permirent néanmoins d'élever un monument de belle apparence qui n'a rien de provincial.

Almeria, ancienne Grande Mosquée, mihrâb, plan et élévation (Ch. Ewert)
Le mihrâb, édifié à l'époque califale, a reçu au début de l'époque almohade ce revêtement de stuc, qui fait actuellement son principal attrait. La maçonnerie et la coupole à baldaquin appartiennent à l'édifice d'origine.

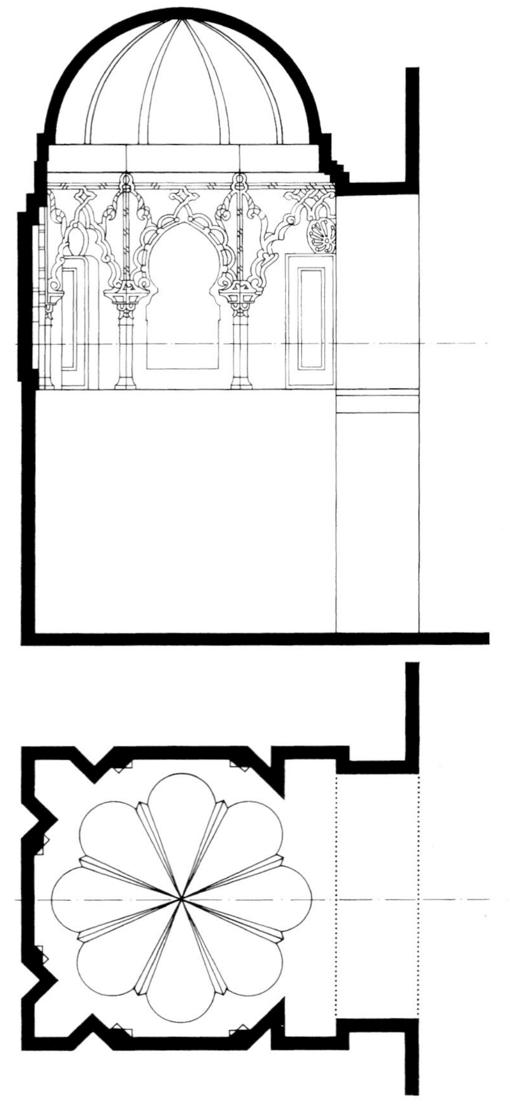

Almonaster la Real (al-Munastîr en arabe) est aujourd'hui une petite ville isolée dans les montagnes du Sud-Ouest de la Sierre Morena; al-Bakrî[75] indique déjà qu'elle appartient à la kûra de Séville. Son nom (une arabisation de «monasterium») indique une installation plus ancienne – hypothèse confirmée par les remplois romains et wisigothiques de la mosquée. On peut donc supposer que des édifices romains puis wisigothiques ont précédé la citadelle de montagne islamique avec son enceinte et sa mosquée (pages 94, 95). Celle-ci date probablement du Xe siècle; c'est un bâtiment irrégulier, construit en briques et en moellons; le plan trapézoïdal s'explique par la pente du terrain. La salle de prière a cinq nefs, dont les arcades sont perpendiculaires au mur qibla, comme dans la Grande Mosquée de Cordoue (page 96). La nef centrale est plus large que les nefs adjacentes, elles-mêmes plus larges que les deux nefs extérieures. Les trois travées centrales au Sud sont plus spacieuses que les autres: on retrouve donc nettement le schéma en T. Le mihrâb a perdu son revêtement; c'est une niche profonde d'allure archaïque, également construite

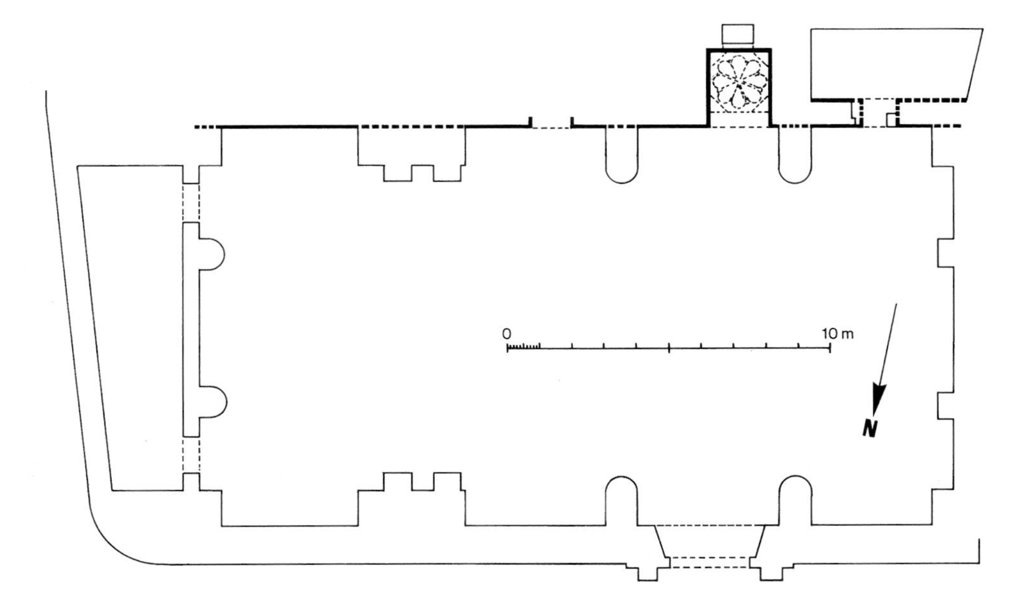

EN HAUT:
Almeria, ancienne Grande Mosquée, façade du mihrâb
L'actuelle église San Juan présente des panneaux de stuc à décor végétal au-dessus de l'arc en fer à cheval et de l'alfiz, qui révèlent clairement l'influence de la Grande Mosquée de Cordoue.

EN BAS:
Almeria, actuelle église San Juan, plan (Ch. Ewert)

PAGES 94, 95:
Almonaster la Real
La présence de la niche saillante du mihrâb sur le flanc Sud de l'église actuelle prouve qu'il s'agissait à l'origine d'une mosquée. L'adjonction d'une abside sur le mur oriental et d'un portique du côté opposé modifièrent l'orientation de l'édifice en fonction de sa nouvelle affectation au culte chrétien; on transforma également le minaret en clocher. La citadelle islamique avec son mur d'enceinte et sa mosquée succèdent à des établissements romain et wisigothique.

Almonaster la Real, intérieur de la salle de prière
Ce petit édifice rustique reprend sous des formes très simplifiées des thèmes de la Grande Mosquée de Cordoue. A droite, on aperçoit le mihrâb.

en briques et en moellons.[76] Une minuscule courette pratiquement taillée dans la roche prolonge les deux nefs orientales. Son angle Nord-Ouest est occupé par un bassin d'ablution démesuré. Un minaret rectangulaire se dresse au Nord de la salle de prière, décalé vers l'Ouest par rapport à l'axe du mihrâb. La mosquée n'avait probablement qu'une seule entrée, dans la première travée au Nord de la nef orientale. L'éclairage de l'édifice est parcimonieux, la lumière n'y pénètre que par deux arcades donnant sur la cour, la porte et trois fenêtres étroites – presque des meurtrières – deux à droite et une à gauche du mihrâb. Seize tombes non datées (antérieures à la fin du XVe siècle mais probablement postérieures à la reconquête chrétienne) ont été découvertes dans la salle de prière.[77] A l'époque chrétienne on ajouta une abside et une sacristie à l'Est, et un porche à l'opposé, de manière à orienter le bâtiment conformément aux exigences de sa nouvelle affectation. L'ancien portail et le côté Nord furent également modifiés à cette époque. Un charme rustique émane de cet édifice, dont la simplicité pourrait être un signe d'ancienneté; on a donc proposé de le dater du début du IXe siècle. Mais son archaïsme est sans doute dû plutôt à l'adaptation provinciale d'un programme architectural élaboré dans la capitale du Califat, et la hiérarchisation des différentes parties de la salle de prière confirme nettement la première hypothèse de datation.

Chaque ville possédait une Mosquée du Vendredi avec son mihrâb, mais il en est demeuré très peu qui appartiennent à l'époque umayyade hormis les exemples précédemment cités. Il faut cependant mentionner la niche en marbre de 1,26 mètres de haut qui se trouve dans la cathédrale de Tarragone; son inscription nomme 'Abd al-Rahmân III et indique l'année 960;[78] elle présente un très bel encadrement sculpté de tresses et de rinceaux qui sont de pur style califal. Cette niche est certainement le mihrâb de la Grande Mosquée de Tarragone, dont on sait par ailleurs qu'elle fut remaniée à cette époque.

La Rábita de Guardamar

La Rábita de Guardamar del Segura se trouve à 26 kilomètres au Sud d'Alicante, au milieu d'une pinède, dans les dunes (pages 98, 99). Ce très intéressant complexe architectural a été découvert fin 1984 et fouillé depuis.[79] Une inscription provenant de la région de Guardamar, mais dont on ignorait l'origine exacte, avait été publiée dès 1897; elle se rapporte à l'achèvement d'une mosquée en l'an 944.[80] Cette mosquée appartenait à un ribât, c'est-à-dire à l'une de ces fondations pieuses et fortifiées que l'on a souvent comparées aux couvents chrétiens; fréquentes dans les zones frontalières du monde islamique, elles servaient de camps de base pour les expéditions de la guerre sainte, ou encore de lieux de retraite religieuse. Le ribât de Guardamar fut fondé à la fin du IXe siècle et abandonné au début du XIe siècle; c'est donc le plus ancien établissement de ce genre que nous connaissions dans la péninsule ibérique.

Les sources historiques confirment l'existence de telles fondations dans l'Andalousie du IXe siècle; mais le ribât de Guardamar réserve une surprise, car il se distingue nettement du type normalement attesté dans le monde de l'islam occidental. On s'attendrait à trouver une fortification de plan carré ou rectangulaire, comme par exemple celles de Sousse ou de Monastir (Tunisie), comparables aux châteaux umayyades de la steppe syrienne. Or, c'est ici un

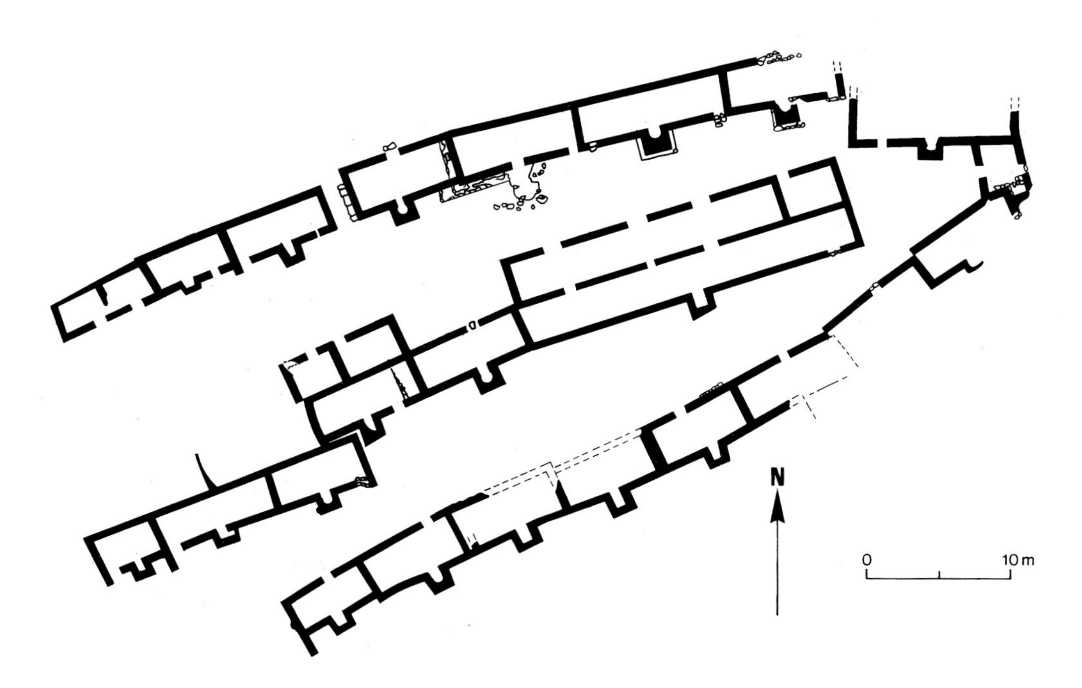

Almonaster la Real, plan (R. Aznar Ruiz)

Rabita de Guardamar del Segura
Ce ribât, fouillé depuis 1984, est organisé en série de cellules réparties le long de plusieurs ruelles, encloses dans un mur d'enceinte.

CI-CONTRE:
Détails de la citadelle

réseau de ruelles au tracé presque en ellipse qui séparent des rangées de cellules, exiguës pour la plupart, et pourvues chacune d'un mihrâb; un vaste mur cernait l'ensemble. Dans la mosquée principale, on a trouvé des vestiges de murs du IXe siècle; elle occupe une position à peu près centrale, et présente deux nefs, ou plutôt deux salles. A l'origine, l'inscription de fondation de 944 était placée à l'extérieur du mihrâb de l'une des cellules. Les constructions basses sont en pisé au-dessus d'un socle de pierre; quelques traces de décor peint sont encore visibles. Les fouilles ont mis au jour du matériel céramique et de nombreux fragments d'inscription. L'alimentation en eau devait être pauvre, car on n'a pas découvert de conduites. Ces cellules, à la fois lieu d'habitation et de prière, sont une exception, de même d'ailleurs que l'ensemble de l'établissement. La Rábita de Guardamar de Segura apporte donc un élément nouveau à la typologie des ribât.

Forteresses et ponts

Au Xe siècle, les régions frontalières de l'Andalousie étaient hérissées de forteresses. Mais l'intérieur du pays était également parsemé de garnisons fortifiées destinées à le contrôler de tours de guet, d'auberges fortifiées et de châteaux qui pouvaient abriter la population en cas de menace. On ne connaît pas toujours la fonction exacte de ces citadelles. Certaines furent édifiées sur ordre du souverain; d'autres au contraire étaient la manifestation des velléités d'autonomie de la population locale; quelques unes étaient des résidences de familles régnantes plus ou moins indépendantes. Nombre de tours de guet intégrées à un système défensif centralisé devaient pouvoir accueillir aussi les petites communautés rurales en cas de menaces. On ne peut pas toujours déduire une fonction précise de la structure des bâtiments.[81]

Il demeure aujourd'hui encore des vestiges impressionnants de certaines de ces forteresses:[82] Gormaz (daté de 965) près de Soria, qui faisait partie de l'ensemble des fortifications de la frontière Nord (page 17); Almiserat, en Andalousie orientale, est bien moins spectaculaire et peu connu;[83] en revanche, Ta-

Baños de la Encina, au pied de la Sierra Morena
Baños de la Encina est l'une des fortifications les plus célèbres et les mieux conservées de l'époque califale; elle est datée de 986 par l'inscription de fondation. Il y a là l'un des plus anciens exemples de pièces aménagées dans une tour d'enceinte.

rifa, élément-clef du système de défense côtier méridional, est célèbre et souvent décrit. Baños de la Encina, au Nord de Jaén, est installé sur les premiers contreforts de la Sierra Morena: c'est un exemple particulièrement beau et imposant du système défensif intérieur (page 100); de même, la forteresse d'Alcaraz, au pied de la Sierra de Alcaraz, qui surveillait les plaines de la Mancha. Des restes de petits fortins régulièrement espacés ont subsisté dans la vallée du Guadalimar. L'enceinte rectangulaire d'El Vacar, au Nord de Cordoue, devait servir de premier gîte d'étape aux voyageurs et aux soldats qui allaient de la capitale vers l'Estremadure.[84]

La plupart des ouvrages défensifs de l'ancienne Espagne islamique ne sont pas datés avec précision, mais il est probable que nombre de ces constructions sont des fondations du Xe siècle. Elles occupent souvent des sites grandioses, mais leurs qualités techniques défensives réelles ne correspondent pas à cette impression de force. Quelques-unes sont construites en pierre, d'autres, surtout dans le Sud du pays, en pisé. Elles n'ont ni mâchicoulis ni avant-mur; leur entrée est droite. Les tours sont accolées à l'extérieur de l'enceinte, généralement en faible saillie, massives jusqu'à hauteur du chemin de ronde, qui est à ciel ouvert; ces tours ne possèdent que très exceptionnellement des pièces aménagées, accessibles par des escaliers intérieurs. Un tracé bastionné remplace parfois les tours de flanquement (par exemple à Uclès, dont les fondations remontent probablement à cette époque).[85] En plaine, le plan d'ensemble est souvent un quadrilatère régulier, mais dans les zones montagneuses, il s'adapte au terrain. Ce n'est qu'au cours des siècles suivants que s'est développée une véritable technique de fortification andalouse.

Les grands ponts romains ont été maintenus en état pendant les époques wisigothiques et umayyades: celui du Guadalquivir à Cordoue, ou du Guadiana à Mérida, celui du Genil à Ecija, du Henares à Guadalajara, ou encore le célèbre pont Alcantara de Tolède.[86] Les interventions umayyades ne sont pas toujours faciles à déceler, parmi les différentes réfections. Au Xe siècle, on construisit de nouveaux ponts mais peu d'entre eux ont gardé leur aspect original. Même s'il est aujourd'hui en triste état, le pont en pierre de taille de Puente de Pinos, près de Grenade, sur la route de Cordoue, reste un bel exemple de ce type de technique de construction à l'époque califale tardive, avec ses trois arcs en fer à cheval et ses becs arrondis.

Villes: l'exemple de Vascos

De nombreuses enceintes urbaines présentent encore des vestiges du Xe siècle. A Tolède (page 91), la partie du rempart oriental de la ville qui comporte des remplois romains et wisigothiques semble remonter à l'époque du Califat umayyade; les restes d'une porte avec un couloir droit entre deux tours, qui datent de cette même époque, sont encore en place près du pont Alcantara.[87] A Cordoue, certaines portions de l'enceinte remontent au Xe siècle – c'est sans doute le cas de la Porte de Séville (page 59). Le rempart de Cáceres, en grande partie d'époque almohade, conserve cependant peut-être des parties umayyades, à côté de ses restes romains.

Un champ de ruines, connu aujourd'hui sous le nom de Vascos,[88] s'étend dans une boucle profondément encaissée du Rio Hiso, à l'Ouest de la province de Tolède (district de Navalmoralejo) (ci-contre). Ce sont les vestiges d'une ville abandonnée dont le nom ancien demeure inconnu. Etait-ce cette ville de Nafza, mentionnée par des sources écrites, qui avait été fondée par des Berbères appartenant à la tribu berbère Nafza? Ou bien la ville reconstruite en 964 dans la province de Tolède par le calife al-Hakam II, dont les travaux

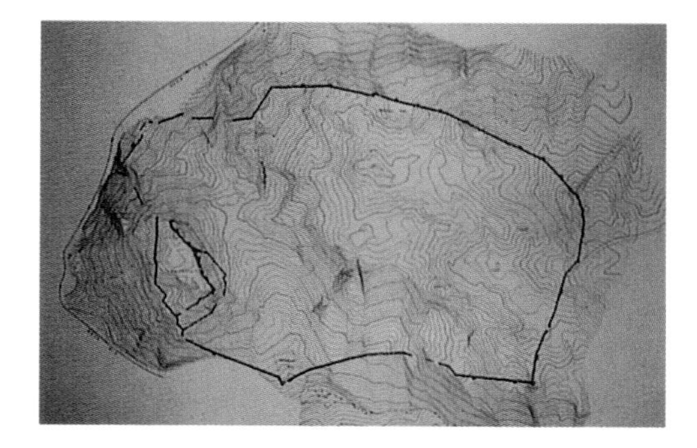

EN HAUT:
Vascos, plan de l'enceinte urbaine et de la citadelle (R. Izquierdo Benito)

EN BAS:
Vascos, enceinte avec vue sur l'une des poternes

Tolède, Pont Alcantara
Le pont romain a été constamment restauré. C'était autrefois le principal accès à la ville.

Jaén, Hammâm
«Le bain turc» est un héritier direct des thermes romains et un élément essentiel de la culture urbaine islamique. La salle de déshabillage et de repos occupe généralement un emplacement central et est souvent, comme ici, voûtée et entourée de galeries. L'eau chaude et la vapeur d'eau jouent un rôle bien plus important dans les hammâms que dans les thermes antiques, mais en revanche, il n'y a pas de frigidarium. On retrouve néanmoins le même système de chauffage par hypocaustes. En guise de fenêtres, les bains du monde islamique présentent des ouvertures circulaires ou en forme d'étoile comme ici, pratiquées dans les voûtes et habillées de céramique, qui diffusent une chiche lumière.

avaient été confiés à un certain Ahmad ibn Nasr ibn Khâlid, qui paraît avoir été bien payé? Les fouilles archéologiques menées depuis 1975 ont permis de préciser les structures de base de cette installation urbaine, et de découvrir une grande quantité de tessons de céramique des Xe et XIe siècles. Il s'agit d'une fondation umayyade fortifiée destinée à protéger la vallée moyenne du Tajo; sa prospérité provenait probablement en grande part des mines d'argent exploitées dans la région. Des vestiges wisigothiques et romains témoignent d'une installation antérieure. La reconquête chrétienne eut pour conséquence le dépeuplement progressif de la ville à partir du XIIe siècle.

Le rempart, construit en pierres de taille noyées dans du mortier et conservé par endroits sur une hauteur de trois mètres, a deux mètres d'épaisseur en moyenne et présente des tours régulièrement espacées. Il enclôt un quadrilatère irrégulier d'environ huit hectares; l'alcazaba se trouve au Nord; on reconnaît encore la porte occidentale avec un linteau droit sous un arc en fer à cheval et son passage droit entre deux tours; il y a une porte similaire au Sud. Plusieurs poternes permettaient d'accéder à la rivière. A l'Ouest, en dehors de l'enceinte, les archéologues ont dégagé un bain public et une maison privée. On a également retrouvé deux cimetières hors les murs, l'un à l'Ouest, de dimensions importantes, l'autre au Sud de la ville. Les fouilles ne sont pas achevées et apporteront certainement d'autres résultats.

Quelques hammâms du Xe siècle ont été conservés, du moins en partie, comme celui du palais califal de Cordoue. Le hammâm de Jaén depuis le début du XIe siècle a subi des modifications (pages 102, 103).[89] Les pièces chaudes de ces bains, de même que celles de tous les hammâms postérieurs d'al-Andalus, ont un chauffage à hypocaustes, comme les thermes antiques. Mais ces bains arabes sont beaucoup plus exigus, et n'ont ni frigidarium, ni palestre.

Décor architectural et artisanat

Le décor architectural de l'époque califale affectionne les matériaux nobles comme la mosaïque en pâte de verre et le marbre. Le stuc est également utilisé,[90] mais beaucoup moins que par la suite. Des formes héritées de l'antiquité classique survivent dans les frises de perles et pirouettes ou de raies d'oves, dans certaines moulurations, dans les motifs toujours renouvelés d'acanthe, de vigne et de laurier, dans les rinceaux et dans certaines compositions géométriques.[91] Mais d'autres motifs évoquent plutôt le Proche-Orient sassanide: ce sont les riches palmettes composites formées de calices, de cornes d'abondance et de demi-palmettes affrontées et adossées; ce sont ces feuilles de vigne stylisées jusqu'à être méconnaissables, et ces panneaux strictement symétriques décorés d'un arbre de vie central (pages 66, 67). Le bord des demi-palmettes présente presque toujours des digitations ou des séries d'œillets. La grappe de raisin, qui s'émancipe de la feuille de vigne, se durcit en pomme de pin. Les tiges de ces feuillages luxuriants sont en général traitées comme des bandeaux décoratifs, avec une ou plusieurs rainures ou des chaînettes de losanges; elles jouent un rôle essentiel, car ce sont elles qui engendrent le rythme abstrait des compositions. La tendance au remplissage des surfaces ainsi que la plupart des motifs existent déjà dans l'art umayyade du Proche-Orient, mais avec une marque sassanide plus accentuée qu'en Andalousie. Le rythme des compositions et le découpage systématique des surfaces végétales par des motifs intérieurs sont propres au décor architectural du Califat andalou. Les

EN HAUT:
Jaén, hammâm, bassin d'ablution

EN BAS:
Jaén, hammâm, cabinet latéral

Cordoue, Grande Mosquée, chapiteaux de l'entrée du mihrâb
Al-Hakam II détruisit le mur qibla de la mosquée de 'Abd al-Rahmân II en 965, mais il réutilisa les chapiteaux de l'ancien mihrâb dans celui qu'il fit reconstruire. Ils sont d'une facture si classique que l'on a cru parfois qu'il s'agissait de remplois romains.

Chapiteau d'époque califale (Paris, Musée du Louvre)
Ce chapiteau est décoré de motifs couvrants d'origine végétale, très découpés et soumis à un traitement fortement géométrique, mais les volutes et la fleur de l'abaque rappellent encore son origine corinthienne.

motifs de remplissage sont sèchement tracés à la verticale, comme un dessin abstrait, et non pas modelés dans le volume. Dans l'ensemble, le vocabulaire formel s'est plutôt appauvri par rapport au IXe siècle, mais, à partir d'un répertoire plus restreint, se développent cependant des compositions d'une grande variété et d'un effet décoratif saisissant.[92] Le trépan est très largement utilisé, ce qui donne une allure byzantine à nombre de ces panneaux et de ces chapiteaux.

A partir du IXe siècle, les chapiteaux s'éloignent davantage des modèles antiques; on distingue encore plusieurs types, mais, dans l'ensemble, la production s'est uniformisée. La forme de base dérive toujours des chapiteaux corinthiens ou composites; mais tandis que les formes antiques sont déterminées par l'idée d'une croissance végétale et par le passage progressif du cylindre de la colonne vers le quadrilatère du tailloir, les chapiteaux du Califat andalou juxtaposent, sans la transition de la corbeille, une partie inférieure presque cylindrique et une partie supérieure quasiment parallélépipédique. Cette franche coupure stéréométrique, qui distingue clairement entre support et charge, tend à s'effacer derrière un luxuriant décor de surface, surtout pendant la première moitié du Califat (ci-contre). A cet égard, ces chapiteaux dérivent du chapiteau byzantin à feuilles d'acanthe dentelées où l'abstraction fait oublier l'origine végétale des motifs, et dont les formes empruntées à la nature sont remplacées par des décors géométriques. Par la suite, les chapiteaux califaux vont devenir de plus en plus simples; l'épannelage ne change pas, mais le décor est inspiré par les chapiteaux à feuilles lisses du Bas-Empire, avec un traitement de surface réduit à un strict minimum. Dans la partie de la Grande Mosquée de Cordoue construite par al-Mansûr, on ne trouve plus que ce dernier type de chapiteau (page 87), mais il apparaît déjà dès le règne d'al-Hakam II (page 87), et c'est lui qui va influencer toute l'évolution ultérieure des chapiteaux hispano-maghrébins.

Le décor épigraphique est exclusivement constitué par l'écriture coufique.

Les inscriptions encadrent mihrâbs, portes et fenêtres, soulignent les plafonds, les tailloirs et les bases de colonnes; elles sont sobres – leur fond est à peine décoré – et les lettres se suffisent à elles-mêmes. Elles fournissent assez souvent des dates, des noms, des titres, ce qui donne à penser que commanditaires et artistes étaient conscients de la valeur de ces créations. Comme pour le décor végétal, il y a plus d'affinité entre l'épigraphie syro-umayyade du VIIIe siècle et l'épigraphie andalouse du Xe, qu'entre cette dernière et les œuvres abbassides contemporaines (pages 78, 79).

Les grands musées du monde entier conservent des objets précieux provenant de l'Andalousie califale. De Madînat al-Zahrâ' proviennent des joyaux en or d'une grande finesse, d'une allure très byzantine, dont certains sont émaillés.[93] Les pyxides et les coffrets en ivoire[94] au décor richement sculpté – inscriptions, personnages dans des médaillons, plantes plus ou moins stylisées – sont spécifiquement andalous, malgré leur iconographie d'allure proche-orientale et plus précisément fatimide (ci-contre). Les ornements de fontaine animaliers en bronze[95] sont également caractéristiques de l'art du Califat tout comme ces ravissantes céramiques à glaçure dont le décor peint sur un engobe blanc présente souvent des motifs animaliers d'une fraîcheur et d'une vivacité étonnantes.[96] Quelques rares textiles témoignent encore de la célèbre activité des manufactures andalouses: au Xe siècle, la seule ville d'Almeria, réputée pour son élevage de vers à soie, aurait possédé, selon al-Idrîsî, huit cents métiers à tisser. Les tissus conservés sont asssez proches de ceux des Fatimides; des fils de soie et d'or sont tissés dans les étoffes de lin, le décor comporte des bandeaux épigraphiques, des frises de motifs végétaux ainsi que des compositions de médaillons chargés d'animaux et le personnages.[97]

Personnages et animaux sont absents du décor architectural. Mais on conserve plusieurs grands bassins de marbre de la fin du Xe et du début du XIe siècles ornés de bandeaux végétaux, d'inscriptions, de frises avec des chasses, mais aussi de grands panneaux décorés de combats d'animaux, dont le hiératisme rappelle singulièrement l'art du blason (par exemple des aigles ou des lions abattant des bouquetins).[98] On retrouve aussi dans la sculpture sur ivoire ces figures héraldiques, à côté des animaux «vivants».[99]

Presqu'aucun témoignage n'a malheureusement subsisté de l'art du livre; de l'immense bibliothèque d'al-Hakam II, on n'a retrouvé jusqu'ici qu'un seul manuscrit.[100]

Malgré tout ce qui a disparu de l'art umayyade, on parvient à imaginer l'extraordinaire richesse créatrice de cette époque. Après les essais et les tâtonnements du IXe siècle, s'épanouit au Xe un art parfaitement maîtrisé, sachant exploiter toutes les ressources de son savoir-faire technique et de la qualité des matériaux employés. Certes, nous connaissons surtout l'art de la cour dont partaient sans doute toutes les impulsions artistiques. Mais les quelques objets assez modestes en céramique et en métal qui ont été conservés, ainsi que la mosquée d'Almonaster la Real, suggèrent que la population partageait aussi cette vitalité créatrice qui ne semble pas avoir été réservée au seul entourage du souverain. Cela confirmerait le tableau d'une prospérité économique générale qui ressort des récits des chroniqueurs.

EN HAUT:
Pyxide d'ivoire d'al-Mughîra (Paris, Musée du Louvre)
Comme l'indique l'inscription, cette petite boîte cylindrique à couvercle, remarquablement conservée, fut sculptée en 968 pour al-Mughîra, frère d'al-Hakam II et prétendant malheureux au trône. Ces quatre médaillons polylobés renferment des scènes qui appartiennent à l'iconographie princière de l'Espagne umayyade.

EN BAS:
Coffret d'ivoire, daté de 966 (Paris, Musée du Louvre)

1031–1091

L'époque des Roitelets

Au fond, l'histoire de l'Andalousie est celle d'une tension permanente entre le pouvoir central et d'innombrables forces périphériques et centrifuges qui se libèrent dès que le premier montre des signes de faiblesse. La période des années 1031 à 1091 est appelée période des «Reyes de Taifas» (de l'arabe muluk al-tawâ'if, «rois de partis»); elle fait suite au temps de la fitna (discorde) – des guerres civiles pour la succession au Califat (1009–1031) – mais en vérité ce n'est ni la première, ni la dernière fois que régnèrent de tels «rois de partis».

Trois «partis» ethniques (tâ'ifa, pluriel tawâ'if) – les berbères, les saqâliba et les Andalous – s'opposèrent dès le début du XIe siècle, mais aucun d'eux n'était lui-même uni. Le «parti des Andalous» était composé d'arabes et de muwalladûn, répartis en groupes innombrables dont le seul but commun était de confisquer le pouvoir. Vers le milieu du Xe siècle, de nouveaux contingents berbères avaient quitté leurs différentes confédérations tribales en Afrique du Nord pour venir guerroyer en Andalousie. Ils ne se mêlèrent pas aux «anciens» berbères immigrés entre le début du VIIIe et le début du Xe siècle, qui s'étaient plus ou moins assimilés; ils ne se sentaient liés ni à l'Andalousie ni aux Andalous, mais seulement à leurs propres chefs.[101] Pour la population urbaine, ces berbères restèrent la plupart du temps des étrangers craints et détestés. Curieusement, ils ne reçurent pas de renforts d'Afrique du Nord. Pas plus que les saqâliba, ils n'avaient de racines dans le pays. Les deux «partis» avaient d'ailleurs en commun d'être coupés du pays d'origine, et de manquer de réserves humaines. A la différence de ce qu'il advint en Egypte, où les Mamlouks détinrent le pouvoir du XIIIe au début du XVIe siècle, les esclaves andalous, même après qu'ils se furent affranchis de leur condition servile, ne parvinrent jamais à constituer un groupe homogène, et ne cherchèrent pas à le consolider en faisant venir de jeunes compatriotes. C'est pourquoi ils ne réussirent à peu près jamais à fonder une dynastie. Vers la fin du XIe siècle, ils s'étaient fondus dans la population andalouse.

En fait, ce n'est pas une période de luttes armées entre trois «partis» ethniques, c'est une période d'anarchie, où alliances et oppositions évoluèrent au gré des circonstances. «Lorsque la souveraineté 'amiride prit fin, et que les gens demeurèrent sans imâm, chaque chef se souleva dans sa ville et se retrancha dans sa forteresse après s'être arrogé le pouvoir, s'être procuré des soldats et avoir emmagasiné des biens. Ils se diputèrent les richesses et chacun d'eux de convoiter le bien d'autrui»: c'est ainsi que l'émir 'Abd Allâh al-Zîrî, un de ces roitelets du XIe siècle, décrit la situation.[102]

Il ressort clairement de ce texte qu'après l'assassinat du troisième 'Amiride, des potentats locaux prirent le pouvoir un peu partout en Andalousie. Dans certains cas, ce furent, tout du moins au début, les autorités locales qui avaient été installées – ou souvent simplement reconnues – auparavant par les 'Amirides, comme par exemple à Sarragosse (Mundhir I al-Tudjîbî) et à Tolède (Abû Bakr ibn Ya'îsh al-Qâdî). Parfois ce furent des berbères: ainsi à Algeciras (al-Qâsim ibn Hammûd), à Ceuta et à Malaga ('Alî ibn Hammûd), à Grenade (Zâwî ibn Zîrî al-Sinhâdjî) ou à Tolède (Abû Muhammad Ismâ'îl ibn Dhî al-Nûn). Les Hûdides qui s'emparèrent du pouvoir à Saragosse vers 1040 étaient des berbères. Des «Slaves» imposèrent leur autorité sur la côte orientale, à Valence (Mubârak et Muzaffar), à Denia et dans les Baléares (Mudjâhid al-'Amirî), à Murcie et à Almeria (Khayrân) ainsi qu'à Badajoz (Sâbûr). A Cordoue et à Séville, ce furent de puissantes familles de notables (les Djauharides et les 'Abbâdides). Ailleurs ce furent en revanche de véritables chefs de bande.[103] Il s'agissait toujours de cités-Etats, parfois minuscules, sans unité culturelle ou ethnique. Certains de ces états, surtout à la périphérie d'al-Andalus, profitaient d'un arrière-pays à l'agriculture riche et occupaient des zones relativement vastes: c'est le cas de Saragosse, de Tolède et de Badajoz. Sur la côte, en revanche, ce n'étaient en général que de petites villes qui disposaient d'une base économique suffisante grâce à leur commerce maritime et à leur artisanat de haut niveau.

Rares étaient les régimes démocratiques ou même oligarchiques; la plupart de ces états étaient monarchiques. Mais le manque d'unité politique d'al-Andalus conduisait nécessairement les notables locaux et même la population à participer beaucoup plus activement à la politique que cela n'avait été le cas auparavant.[104] Les communautés juives prenaient part à la vie culturelle et économique, surtout à Grenade, où elles jouaient un rôle particulièrement important. Un vizir juif, Samuel ben Naghrîla, parvint même à commander l'armée pendant presque vingt ans.[105] Les minorités chrétiennes semblent n'avoir plus guère grand poids, mais il est sûr que la menace de la Reconquista

Sarragosse, Aljafería, côté oriental
Ce château, qui date de la seconde moitié du XIe siècle, tient son nom actuel de son constructeur, Abû Ja'far Ahmad ibn Sulaymân, l'un des principaux Reyes de Taifas, issu de la famille des Banû Hûd. A l'origine, le palais s'appelait Dâr al-surûr, «Demeure de la joie». C'était en effet une résidence de plaisance, en dépit de son allure défensive.

Malaga, Alcazaba
La forteresse s'étire sur le flanc d'une colline qui monte vers l'Est. Elle est reliée par des murs au petit château fort Gibralfaro, qui en occupe le sommet. L'ensemble constitue l'un des principaux complexes défensifs de l'Espagne islamique. La double enceinte de l'Alcazaba a sans doute été construite par un souverain berbère sur l'emplacement d'une fortification arabe antérieure. Certaines des tours ont été restaurées aux XIIIe et XIVe siècles.

chrétienne ne conduisit jamais les musulmans, à l'époque des Reyes de Taifas, à persécuter les chrétiens. L'importance politique de Cordoue s'efface à cette époque, mais la ville conservait sans doute son charme, puisque nombre de princes détrônés s'y installèrent. L'influence de la famille des 'Abbâdides crût à Séville tout au cours de la seconde moitié du XIe siècle; son fondateur, le Qâdî Muhammad ibn 'Abbâd (1013–42), était un citoyen éminent de la ville, auquel succédèrent, dans l'exercice du pouvoir, son fils al-Mu'tadid et son petit-fils al-Mu'tamid. Séville réussit alors à annexer une bonne douzaine d'Etats voisins, de Mertola à l'Ouest jusqu'à Murcie à l'Est, et pendant un temps, elle régna même sur Cordoue. Les villes-Etats de Séville, de Tolède et de Sarragosse eurent une importance de premier plan, et exercèrent une domination plus durable que les autres.

La plupart des grandes cours connurent une vie intellectuelle active. En dépit de toutes les guerres et intrigues, les princes, qui s'attribuaient des titres grandiloquents, concluaient des mariages, s'invitaient à des fêtes et à des concours littéraires. Le style des chancelleries andalouses du XIe siècle est célèbre pour son raffinement; instruction et culture étaient hautement prisées, et ce que nous connaissons des œuvres d'art de cette époque est généralement d'une extrême délicatesse. Les villes andalouses semblent avoir conservé jus-

Grenade, le Bañuelo de l'Albaicín (XIe siècle)

qu'au XIe siècle leur bilinguisme – arabe et roman – qui a engendré des formes poétiques spécifiques.[106] Le rôle du mécénat fut important, car tous ces roitelets aspiraient à égaler la splendeur de l'ancien Califat. Grâce à la proverbiale générosité arabe, les panégyristes de cour se multiplièrent et l'on construisit des édifices somptueux et raffinés; elle favorisa aussi les inventions techniques, telle par exemple la clepsydre de Tolède fabriquée par al-Zarqâl pour le seigneur de la ville. Poètes, artistes et savants semblent avoir voyagé sans hésitation de cour en cour pour y offrir leur savoir-faire, attirés par les promesses les plus lucratives. La cour des 'Abbâdides à Séville fut de loin la plus brillante de toutes.

Ce système eut pour corollaire une pression fiscale écrasante – illégale selon le Coran – et déstabilisante. Au cours des combats dévastateurs que se livrèrent les prétendants au trône, à la suite de la première déposition de Hishâm, bien des villes andalouses se soumirent d'abord de bon gré à l'autorité de chefs locaux; l'impasse à laquelle ces nouveaux rapports de force allaient conduire n'apparut ensuite que progressivement.[107]

Les souverains chrétiens au Nord de l'Espagne comprirent vite la situation; non seulement ils refusèrent dorénavant de payer tribut, mais ils en vinrent même à en réclamer un aux Reyes de Taifas. Badajoz, Tolède et même Séville tombèrent ainsi sous la dépendance d'Alphonse VI de Léon et Castille (1065–

1109). En outre, les princes islamiques d'al-Andalus vinrent sans aucun scrupule religieux demander aide aux souverains chrétiens contre leurs propres coreligionnaires. Les impôts nécessaires à ces entreprises furent évidemment particulièrement impopulaires. L'exemple de Rodrigo Díaz de Vivar – le «Cid» – illustre bien l'indifférence de certains de ces condottiere à l'égard du christianisme comme de l'islam: appartenant à la cour d'Alphonse VI, il se brouilla avec ce dernier; il prit alors la tête d'une troupe de mercenaires à la solde de divers princes, chrétiens ou musulmans, dont celui de Saragosse. Il termina sa carrière comme chef indépendant chrétien de la ville islamique de Valence qu'il avait soumise avec brutalité. «Cid» est la forme hispanisée du titre arabe «Sayyid», «Sîd» (Seigneur) dans sa forme dialectale. Cet aventurier fut abondamment célébré par les historiens chrétiens, mais on ne pourrait vraiment prétendre qu'il reconquit des terres musulmanes au bénéfice du monde chrétien.[108]

La Reconquista avança à grands pas, car, au XIe siècle, l'Espagne chrétienne parvint à sortir de son isolement par rapport à l'Europe. Le pape avait réussi à imposer le rite romain à l'Eglise hispanique; en échange il montra un vif intérêt pour la Reconquista. Par ailleurs, la péninsule ibérique entra dans la dynamique du mouvement clunisien. On peut cependant se demander si Alphonse VI voulait véritablement rendre la péninsule au christianisme, ou bien s'il n'aspirait pas plutôt simplement à agrandir et à consolider son royaume. La croisade ne paraît finalement pas avoir été une motivation forte dans l'Espagne du XIe siècle. Le titre de «Imperator constitutus super omnes Hispaniae nationes» ou «Imbaratûr dhû al-millatayn» («souverain sur les deux nations»), attesté pour Alphonse VI,[109] prouve que pour lui les Espagnols pouvaient aussi être musulmans.

Grenade, Bañuelo de l'Albaicín, chapiteau

En Andalousie, l'anarchie avait dépassé les limites de l'imaginable et du supportable. Bien qu'ils fussent les plus puissants de tous ces roitelets, les 'Abbâdides ne réussirent pourtant pas à imposer absolument leur autorité, et la population, appauvrie et pressurée par les percepteurs d'impôts, manifesta de plus en plus ouvertement son mécontentement et refusa de payer les redevances. En 1085, Tolède, déchirée par des dissensions internes, tomba quasiment d'elle-même, comme un fruit trop mûr, entre les mains d'Alphonse VI. Cette défaite entraîna une démarche qui allait avoir des conséquences déterminantes pour l'avenir: sans doute avec l'accord des princes berbères zirides d'Espagne, al-Mu'tamid de Séville appella à la rescousse la nouvelle et puissante dynastie berbère du Maroc.[110] Les Almoravides africains et leur chef, Yûsuf ibn Tâshufîn, n'avaient probablement pas l'intention au départ de s'installer en Andalousie. Après une victoire spectaculaire remportée en 1086 sur Alphonse VI à Zallâqa, près de Badajoz, ils regagnèrent le Maroc. A peine eurent-ils tourné le dos à l'Espagne, que la zizanie y reprit de plus belle. Yûsuf reçut un nouvel appel au secours; il débarqua au printemps 1090 et dut alors livrer des batailles plus difficiles que la fois précédente; en outre, il se heurta aussi à certains princes musulmans qui pactisèrent secrètement contre lui avec les chrétiens. Ceux-ci se comportèrent alors, comme le dira un peu plus tard l'un d'eux (le prince ziride 'Abd Allâh, déjà cité) «comme des naufragés qui s'entrenoyent.»[111] Après y avoir rétabli pour la seconde fois l'ordre après bien des difficultés, Yûsuf décida d'intégrer l'Andalousie dans l'empire almoravide.

Les sources insistent sur le fait que Yûsuf aurait décidé cette annexion sur

Grenade, Albaicín, église San Juan de los Reyes, minaret du XIIIe siècle.

Archez, minaret d'époque nasride
Ce minaret a été transformé en clocher.
Les réseaux de losanges sont un héritage almohade, la double arcature aveugle entrelacée est une réminiscence de l'architecture umayyade de Cordoue.

le conseil des juristes andalous, et non pas simplement par soif personnelle du pouvoir. Il est effectivement certain que les théologiens et les juristes andalous voyaient d'un fort mauvais œil l'indifférence religieuse des Reyes de Taifas et des chefs de guerre, à laquelle ils devaient préférer le puritanisme almoravide. Il est également sûr que la population Andalousie, matériellement et moralement épuisée, aspirait à la fin de cette situation chaotique; la prise du pouvoir par les Almoravides devait lui paraître salutaire, ne serait-ce qu'en raison de la promesse de ne plus lever dorénavant que les seuls impôts coraniques, et de supprimer les redevances non-canoniques. Les rois des Taifas furent pris en étau entre leurs deux puissants voisins, Alphonse et Yûsuf: au cours de la conquête du pouvoir almoravide qui se poursuivit jusqu'à la chute de Saragosse en 1110 (1090 Grenade, 1091 Cordoue et Séville, 1094 Badajoz, 1102 Valence; Tolède ne put être reprise), Yûsuf n'hésita pas à faire arrêter plusieurs de ces princes pour les déporter à Aghmât, l'ancienne capitale au pied du Haut Atlas, ou à Marrakech, la nouvelle capitale.[112] Le dernier prince ziride de Grenade, 'Abd Allâh, trouva à Aghmât le temps et le loisir d'écrire ses mémoires, un document précieux pour l'histoire de cette époque. Al-Mu'tamid, le prince de Séville, prodigue, brillant et cultivé, tolérant en matière religieuse – le véritable responsable de la venue en al-Andalus des Almoravides – termina lui-aussi ses jours en résidence surveillée dans la forteresse montagnarde d'Aghmât; il tenta de surmonter cette inactivité forcée, dans des conditions matérielles difficiles, en rédigeant des chefs-d'œuvres d'une poésie intemporelle, telle sa propre inscription funéraire:

«Que la pluie du soir et celle du matin t'abreuvent,
ô tombe de l'étranger; à toi appartient dorénavant ce qui reste
de Mu'tamid, le combattant à l'arc, à la lance et à l'épée,
la source du désert qui désaltère les assoiffés.
Oui, il en va ainsi. Un décret du ciel m'a
assigné cette place et fixé ce but.
J'ignorais, avant de venir reposer ici,
que les montagnes puissent trembler sur leurs bases.
Que Dieu répande sur ses morts sa bénédiction,
sans limites et sans fin.»[113]

L'architecture de l'époque des Reyes de Taifas

Forteresses et châteaux

Les problèmes politiques, économiques et sociaux qui marquèrent le XIe siècle n'entamèrent pas l'énergie créatrice de l'Andalousie. Certes, le temps des grandes commandes califales était définitivement révolu, mais les commanditaires princiers s'étaient multipliés. Morcelé, le legs de Cordoue pénétra néanmoins profondément dans tout le pays. Au cours de cette évolution, des formes stylistiques locales et spécifiques émergèrent, dont nous ne saisissons souvent pas encore la genèse dans toute sa finesse. L'expression «art des Taifas» est certes une notion courante et évoque des images assez précises, mais il est souvent difficile, voire impossible, de distinguer les différents ateliers de construction, de décor architectural et d'artisanat.

Pendant cette époque de troubles, de nombreuses forteresses furent édifiées ou restaurées, surtout dans l'intérieur du pays.[114] On construisit de nouvelles enceintes urbaines ou les anciennes furent remises en état: il n'y eut plus de «villes ouvertes». La haute muraille en pisé pourvue de tours massives, rondes ou carrées, qui s'étire sur l'Albaicín à Grenade, date du règne des Zirides (XIe siècle). Niebla, une fondation romaine, fut alors dotée d'une enceinte fortifiée similaire, qui est encore presqu'intacte aujourd'hui. C'est aussi à cette époque que la ville de Játiva, sise dans la plaine, fut reliée par un rempart à la forteresse érigée à proximité sur un éperon rocheux. A Almeria, Denia, Orihuela, à Balaguer et dans beaucoup d'autres villes encore, on édifia des murailles de liaison du même genre, dont certaines subsistent encore en partie. Les remparts sont en général en pisé; cette technique était déjà utilisée à l'époque califale, mais apparaissent dorénavant des chaînages d'angle en pierre (attestés seulement à Baños de la Encina pour l'époque califale). Certains remparts sont en pierres à peine dégrossies, et il n'est pas impossible que le rempart Nord de Tolède remonte en partie à cette époque. Ni l'emploi du pisé, ni celui des moellons ne conduisent nécessairement à supposer une influence nord-africaine. Certes, ces deux techniques de construction sont fréquentes au Maghreb, mais elles étaient courantes aussi en Espagne avant l'arrivée des Umayyades. Nombre de ces forteresses couronnent des sommets, et leur plan s'adapte alors au terrain; on utilisa souvent des éperons rocheux en guise de tour d'angle naturelle, comme par exemple à Rueda ou à Játiva.

Niebla était un important centre commercial lourdement fortifié, situé sur la route vers le Sud du Portugal (page 157); il a conservé jusqu'aujourd'hui son enceinte presque complète, hérissée de tours nombreuses et pourvue de quatre

Saragosse, Aljafería, partie Nord du palais, accès à la salle de prière

Saragosse, Aljafería, partie Sud du palais
Le motif des arcs entrecroisés est traité ici avec une fantaisie débridée qui engendre à l'infini de nouvelles formes.

portes qui illustrent l'évolution subie par ces éléments de fortification du Xe au XIe siècle (page 159). Alors qu'auparavant, les portes se composaient de deux arcades construites sur le même axe, séparées par une chambre, on commença, à partir du XIe siècle, à placer les portes dans la base des tours et à briser le passage par un angle droit; l'ouverture vers l'extérieur est donc parallèle à la muraille, protégée par la tour. La porte de ville, en principe le point le plus fragile de l'enceinte, acquiert ainsi une véritable valeur défensive. A Niebla, la muraille est principalement en pisé, mais les portes sont en pierres de taille; leurs arcs en fer à cheval ainsi parfois que la maçonnerie rappellent les édifices du califat, dont les traditions n'ont visiblement pas été oubliées ici.[115]

L'Aljafería à Saragosse

Peu de palais de l'époque des Reyes de Taifas ont été conservés; l'Aljafería de Saragosse est l'un des plus beaux et des mieux connus. Du palais tolédan des Dhî al-Nûnides ne subsistent que les fragments déposés au musée;[116] il en va de même pour le palais hûdide de Balaguer. Des nombreux palais et résidences d'été de Valence, on ne connaît plus guère qu'un seul chapiteau, au demeurant assez abîmé.[117] Le palais des 'Abbâdides à Séville était sans doute particulièrement somptueux; les vestiges de l'un de ses jardins, avec des canalisations en céramique, ont été découverts récemment sous un autre jardin, d'époque al-

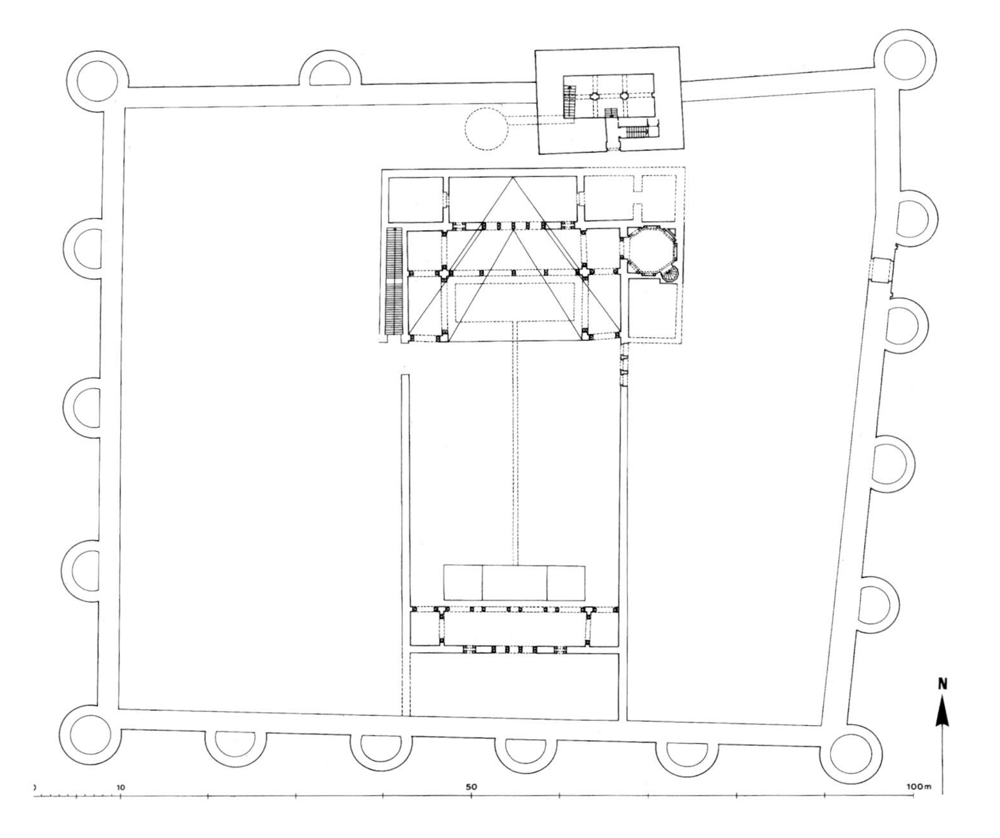

Saragosse, Aljafería, partie Nord du palais, séries d'arcades devant l'entrée de la salle de prière

Saragosse, Aljafería, plan restitué du palais islamique (Ch. Ewert)

Saragosse, Aljafería, partie Nord du palais, angle Nord-Ouest du portique, relevé d'une arcade (Ch. Ewert)

mohade. Les parties du XIe siècle du palais de Khayrân, dans la citadelle d'Almeria, ne sont plus identifiables aujourd'hui. En revanche, la citadelle de Malaga abrite encore des constructions de l'époque hammudide.

«Dâr al-surûr», «Demeure de la joie», fut probablement le premier nom du palais estival des Banû Hûd, construit par Abû Dja'far Ahmad ibn Sulaymân al-Muqtadir billâh (1046/47–1081/82) sur la rive droite de l'Ebre, à l'Ouest de sa capitale Saragosse (pages 108, 116 à 121); il est actuellement connu sous le nom d'Aljafería.[118] Ahmad ibn Sulaymân, le prince le plus puissant de la Marche Supérieure, fut aussi l'un des principaux Reyes de Taifas. Il se distingua comme poète, astronome et mathématicien, recevant à sa cour des artistes et des hommes de science. Le célèbre poète Ibn 'Ammâr, tombé en disgrâce à Séville, s'arrêta à Saragosse avant de poursuivre sa route vers Lérida, auprès du frère d'Ahmad ibn Sulaymân. Peu avant sa mort, Ahmad répartit son royaume entre ses fils, qui ne parvinrent pas à résister aux Almoravides. En 1118, Saragosse redevint chrétien. Les nouveaux maîtres s'installèrent dans le palais islamique en le modifiant assez peu. Les restaurations du XXe siècle[119] ont permis de retrouver l'essentiel de l'Aljafería hûdide.

D'épaisses murailles en pierre de taille dessinent un plan trapézoïdal (page 117). La tour rectangulaire au Nord est antérieure au palais hûdide; la tour du Sud-Ouest a reçu sa chape carrée à une époque plus tardive. L'entrée se trouve au Nord-Est entre deux tours rondes rapprochées. La partie destinée aux habitations et aux réceptions se situe sur un axe Nord-Sud, au milieu du quadrilatère; ce sont deux blocs de constructions compacts situés sur les petits côtés d'une grande cour rectangulaire; ces mêmes petits côtés sont garnis, juste en

Saragosse, Aljafería, partie Nord du palais, salle de prière, mihrâb

Le grand mihrâb de cette pièce octogonale à deux étages suit de près le modèle cordouan. Mais le tracé recti-curviligne des arcades qui flanquent la niche est une innovation; elles combinent des lobes et des angles droits – motifs qu'on retrouve souvent dans l'architecture hispano-islamique ultérieure.

Saragosse, Aljafería, salle de prière, coupole (restaurée au XIXe siècle)

avant des pièces, de bassins et de portiques dont les arcades se reflètent à la surface de l'eau; les deux bassins sont reliés par un canal qui traverse la cour. Les arcades des longs côtés sont une adjonction postérieure, venue remplacer les pièces utilitaires qui s'y trouvaient auparavant. L'aile Nord abrite les salles de réception: la salle de trône, rectangulaire et allongée, est flanquée de deux pièces approximativement carrées qui ne sont accessibles que par la salle principale, et non par le portique. Cette salle donne sur le portique par une quadruple arcade à deux niveaux superposés, reposant sur trois colonnes doubles et deux paires de colonnes engagées; deux petites portes encadrent cette arcade centrale. L'arrangement tripartite (la salle principale et ses deux pièces annexes) est repris dans le plan du portique, qui est agrandi par deux travées perpendiculaires à l'axe de la pièce centrale: ces deux ailes latérales en avancée encadrent le bassin. L'aile Sud répète le même dispositif en le simplifiant quelque peu.

La petite pièce à l'Est du portique Nord donne accès à la mosquée (pages 114 et 117); elle présente un plan centré, avec un octogone inscrit dans un carré; la salle a deux niveaux. La porte est surmontée d'un arc en fer à cheval avec un alfiz sous une arcade, comme la façade du mihrâb (page 119). Dans les deux cas, la voussure qui forme l'extrados et l'arc de la baie n'ont ni le même centre, ni le même rayon – c'est un parti esthétique hérité du califat. Le mihrâb suit de près le modèle de la Grande Mosquée de Cordoue. La pièce est divisée en deux niveaux par une corniche; les parois de l'octogone sont décorées de niches et d'arcades aveugles. Au niveau supérieur, huit doubles arcades polylobées, séparées par des pieds-droits, sont supportées par des colonnes. L'entrelacement de ces arcs polylobés est le motif décoratif dominant à ce niveau. La voûte et la toiture d'origine de cet oratoire ne sont pas conservées.

Les références umayyades sautent aux yeux: contrairement à Madînat al-Zahrâ', la situation du palais sur un terrain plat et dégagé permettait d'adopter un plan d'ensemble presque carré, qui rappelle celui des «châteaux du désert» umayyades au Proche-Orient, et qui se retrouve aussi dans le Maghreb. Cette similitude est renforcée par les tours rondes et par le système de l'entrée unique entre deux tours rapprochées, également rondes. C'est le château de Mshatta qui a fourni le modèle de la division tripartite si rigoureuse du plan. La salle à plan centré couverte d'une coupole, pour la mosquée, est sans doute une citation de la Coupole du Rocher. Il n'y a pas de traits abbassides. La façade du mihrâb et sa niche polygonale de dimensions importantes renvoient au mihrâb d'al-Hakam II à Cordoue. Le motif architectural de la large salle flanquée d'alcôves et précédée d'un portique a un modèle immédiat à Madînat al-Zahrâ', où le Salón Rico fournit un exemple réussi de ce dispositif (page 68). Dans l'Aljafería, les côtés perpendiculaires sont cependant fortement mis en valeur. Il est possible que ses constructeurs se soient référés à des modèles préumayyades; la mosquée de l'Aljafería est plus proche des édifices à plan centré avec tribunes et coupole propres à l'Antiquité tardive et à Byzance, que de la Coupole du Rocher – laquelle s'inspire d'ailleurs au demeurant aussi de ces derniers. La tradition aurait pu s'en transmettre jusqu'à Sarragosse par l'intermédiaire de l'architecture carolingienne et postcarolingienne.

La caractéristique la plus remarquable de l'Aljafería est l'entrelacement des arcs qui atteint une extraordinaire complexité (pages 116, 118, 121). Ces arcs semblent libérés de toute contrainte statique et se transforment en bandes d'entrelacs infiniment variés, des larges arcades jusqu'aux décors miniaturisés des chapiteaux. Les formes d'arcs sont d'une variété quasiment inépuisable. Arcs en demi-cercle, en fer à cheval, polylobés, et, pour la première fois, des arcs outrepassés brisés et des arcs recti-curvilignes, tous s'entrecoupent et s'enchevêtrent en des réseaux qui se développent sans limite en hauteur et en largeur. Sur les petits côtés de la cour, l'échelonnement en profondeur des arcs compense l'absence de profondeur du plan, suggérant une architecture de coulisse un peu illusionniste. La partie centrale de l'Aljafería évoque ainsi un décor de théâtre, comme si elle exprimait à sa manière la situation des Reyes de Taifas, dont les aspirations démesurées au pouvoir ne reposaient pas sur une puissance et une sécurité politiques réelles.

Le palais de Balaguer, la Sudda, était probablement un proche parent de l'Aljafería.[120] Au XIe siècle, ce bourg pittoresque fut une importante ville frontalière de la Marche Supérieure qui appartenait aux Banû Hûd; un frère d'Ahmad al-Muqtadir, Yûsuf al-Muzaffar, y régna jusqu'à ce qu'Ahmad l'évinçât (vers 1080). Après des années de combats indécis, la ville fut définitivement prise par les chrétiens en 1103.

Balaguer

Balaguer possède une citadelle islamique ancienne qui date probablement du IXe siècle; une partie de la muraille avec ses tours est encore debout (page 123). L'appareil en pierres de taille, avec l'alternance de carreaux et de boutisses (simples, doubles et même triples) qui n'obéit pas à un rythme régulier, est

Saragosse, Aljafería, partie Nord du palais, arcade

A GAUCHE:
Balaguer, détail du décor stuqué, harpie

EN BAS:
Balaguer, détail du décor stuqué, motif végétal (Ch. Ewert)

comparable à celui de la forteresse de Mérida. Peu après son accession au trône, en 1046/47, Yûsuf al-Muzaffar se fit construire un palais à l'intérieur de cette ancienne enceinte. Il n'en subsiste que quelques vestiges du décor architectural, qui donnent une petite idée de l'activité artistique de cette cour. Les stucs, autrefois peints, utilisent pour les bordures et les champs des motifs d'entrelacs géométriques purs ou en composition avec des éléments végétaux. Ces belles palmettes composites en stuc, avec le remplissage dense des surfaces, leurs volutes tendues et leurs jeux de courbes concaves et convexes évoquent parfois le premier style de Sâmarrâ. Les digitations des feuilles sont en revanche spécifiquement andalouses, et les rainures, à Balaguer, sont concaves; on ne trouve jamais de taille oblique, si caractéristique de Sâmarrâ. Un fragment d'arbre de vie avec des oiseaux et des harpies vaut d'être mentionné (page 122), car ce motif d'origine orientale est à peu près unique à ce jour dans le décor architectural andalou de l'époque; on ne le connaissait que par des ivoires médiévaux. Les rares vestiges de Balaguer témoignent de l'activité d'un atelier de stucateurs dont la technique était simple, mais dont le

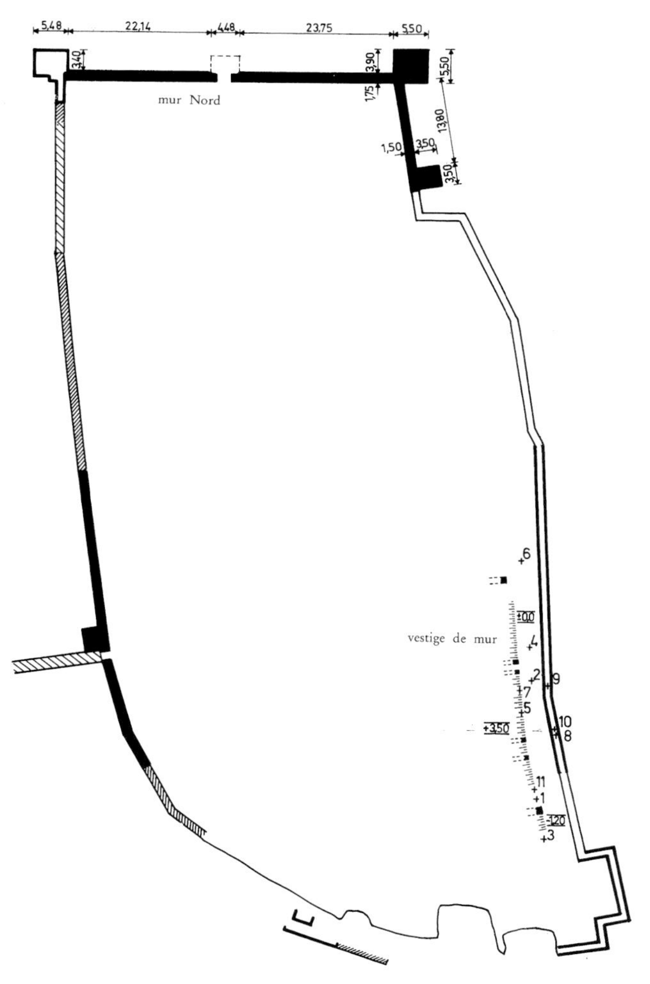

Balaguer, citadelle, vue du Sud-Est
Balaguer était une importante ville frontalière de l'Espagne islamique; son enceinte date vraisemblablement du IXe siècle. A l'époque des Taifas, on y construisit un palais, dont ne sont conservés que quelques éléments de stuc de très grande qualité, provenant peut-être du même atelier que ceux de Saragosse; quoi qu'il en soit, il y a une évidente parenté entre eux.

EN BAS:
Balaguer, citadelle, plan de l'enceinte (Ch. Ewert)

vocabulaire formel était d'une richesse étonnante. La parenté avec les stucs de l'Aljafería est si étroite qu'on peut supposer que c'est le même atelier qui a décoré les deux résidences. L'échange intellectuel et artistique entre les cours des frères ennemis semble avoir été vivant, comme le prouve aussi la biographie du célèbre vizir et poète de Silves, Ibn 'Ammâr.

Autres palais et œuvres d'art

D'après les sources historiques, Almeria connut au XIe siècle une période de prospérité;[121] de «la porte de l'Orient, aux multiples splendeurs, [de] la ville du pays d'argent, au sable d'or, aux plages d'émeraude,»[122] Khayrân, l'ancien esclave 'âmiride et seigneur de Murcie fit la capitale de son petit Etat. Il agrandit considérablement la ville vers l'Est et vers le Nord et fit construire de nombreux édifices de prestige. A l'époque, les chantiers navals étaient en pleine activité, et le port devint une plaque tournante importante pour le commerce maritime de la Méditerranée occidentale. L'approvisionnement en eau de la ville, qui reste aujourd'hui encore problématique, fut amélioré. Khayrân semble avoir également fortifié la citadelle. Après plusieurs combats, l'Arabe Abû Yahyâ Muhammad ibn Ma'n ibn Sumâdih al-Mu'tasim prit le pouvoir à Almeria. Il fortifia l'Alcazaba et y fit ériger un palais au milieu de frondaisons et de jeux d'eaux, al-Sumâdihiyya, que l'on ne connaît que par des descriptions. L'enceinte en pisé qui relie l'Alcazaba à la ville, en partie conservée, semble remonter pour l'essentiel au XIe siècle (sans doute au règne de Khayrân).

L'Alcazaba de Malaga (pages 109, 124 à 127), transformée à l'époque nasride, conserve aujourd'hui encore un ensemble de pièces qu'on pense pouvoir attribuer au palais du XIe siècle:[123] c'est un pavillon ouvert tourné vers la mer avec des arcades entrelacées; le portique a une triple arcade, dont les frêles colonnes supportent d'amples arcs en fer à cheval, à claveaux alternativement lisses et sculptés (page 126). Ce décor, réservé ici à la partie supérieure des arcs, est un rappel des partis esthétiques califaux, tout comme le tracé excentré de

Malaga, Alcazaba, pavillon d'époque nasride dans les quartiers d'habitation

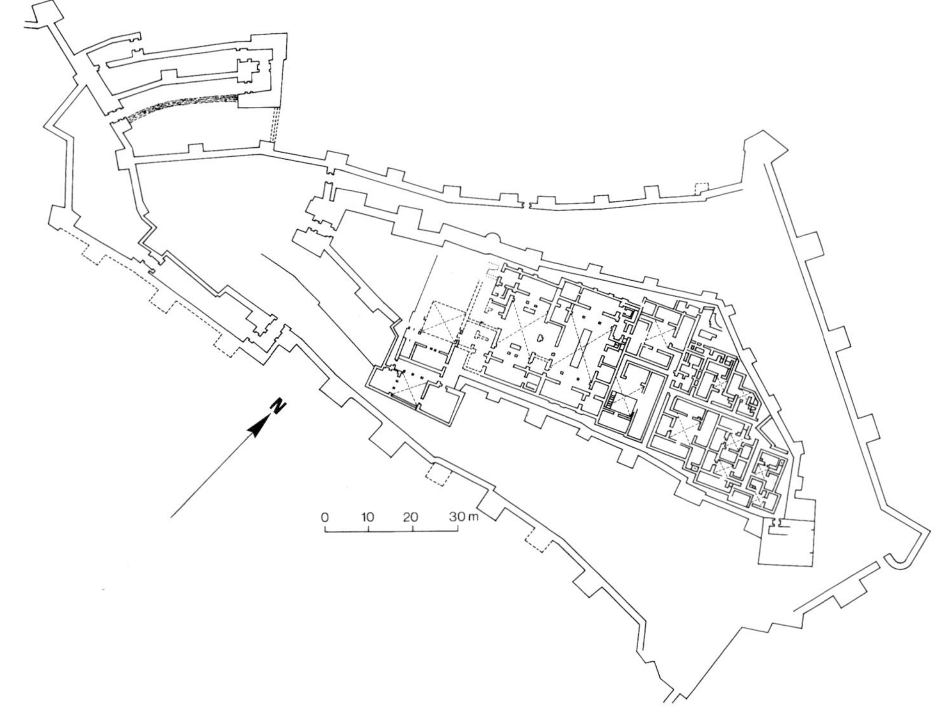

EN HAUT:
Malaga, Alcazaba, tour fortifiée de la citadelle

EN BAS:
Malaga, Alcazaba, plan de la citadelle (M. Gómez-Moreno)

EN HAUT ET EN BAS:
Malaga, Alcazaba, partie Sud de la cour occidentale du palais (XIe siècle)

l'extrados de l'archivolte par rapport au tracé des baies, et les panneaux sculptés de la partie inférieure des arcs. La facture de la sculpture est néanmoins plus monotone que dans les monuments califaux de Cordoue.

Le palais ziride de Grenade, al-Qasaba al-qadîma, était niché sur la pente de l'Albaicín qui descend vers le Darro. Il n'en subsiste qu'une citerne voûtée à quatre travées et quelques vestiges de murailles.[124] On discute des constructions qui ont pu précéder au XIe siècle l'Alhambra, sur la colline de la Sabîka; on a supposé que s'y trouvait le palais du célèbre vizir juif des Zirides, Yehoseph ibn Naghrîla, mais il n'est connu que par des sources littéraires, et aucun vestige archéologique probant n'est venu confirmer cette hypothèse.[125] L'Alcazaba nasride occupe certainement l'emplacement d'une forteresse dont la Torre de la Vela ainsi peut-être que les Torres Bermejas (qui datent cependant largement du XIIe siècle) conservent des restes; mais pour le moment, on ne sait rien de plus. Jusqu'au XIe siècle, Grenade avait été une ville secondaire, à l'ombre d'Elvire (au pied de la Sierra Elvira); un minaret, l'actuel clocher de San José, et un pont sur le Genil remontent peut-être au Xe siècle. A l'époque des Reyes de Taifas, Grenade devint un centre administratif et fut alors dotée d'une enceinte plus vaste et plus haute qui descendait de l'Albaicín au Darro et remontait de l'autre côté vers la citadelle déjà mentionnée. Un beau hammâm, le Bañuelo sur l'Albaicín (pages 110, 111, 129), date de cette époque et rappelle beaucoup celui de Baza.[126] Tout à côté, on reconnaît encore les vestiges d'un pont, le Pont du Qadi, jeté au milieu du XIe siècle sur le Darro. La Grande Mosquée ziride de Grenade a été remplacée par la cathédrale. Son plan est connu par un dessin de 1704: c'était une mosquée hypostyle avec six nefs parallèles au mur qibla et une cour entourée de portiques profonds.

C'est à Séville que se trouve al-Qasr al-mubârak, le célèbre palais du souverain 'abbâdide al-Mu'tamid, proche de la rive du Guadalquivir.[127] C'était sans doute le plus important des palais 'abbâdides; les sources mentionnent encore deux résidences d'été, ainsi qu'un palais urbain plus ancien.[128] Al-Qasr al-mubârak fut élevé à proximité immédiate du palais gouvernemental des Umayyades, l'ancienne Dâr al-Imâra, sans doute en plus ou moins bon état à l'époque, mais certainement pas tout à fait ruiné; le nouveau palais devait surpasser en splendeur l'ancien, afin d'affirmer hautement le pouvoir de la jeune dynastie des 'Abbâdides. On connaît des poèmes dithyrambiques à la gloire de cette résidence; quelques vers d'Ibn Hamdîs font supposer que la salle à coupole principale était décorée de représentations figurées.[129] Il n'est pas impossible que l'actuelle «Salle des Ambassadeurs» de Pierre le Cruel ait remplacé cette première salle à coupole de Mu'tamid. Les Almoravides ne se sont probablement guère souciés d'entretenir le palais; il fut encore partiellement occupé sous les Almohades, même si certains de ses matériaux furent alors pillés et réutilisés pour les fondations de la Grande Mosquée almohade de Séville.

Les vestiges matériels que l'on peut attribuer avec certitude à l'époque 'abbâdide sont rares. Un jardin avec des parterres en contrebas, des fragments de conduites d'eau, des bassins ainsi sans doute que les restes d'un portique sur l'un des petits côtés ont été découvert par Rafael Manzano Martos.[130] Ce portique se trouvait dans la partie septentrionale de l'ancien palais; il appartient actuellement à un édifice administratif situé au Sud de l'Alcázar, à l'extérieur. A l'époque almohade, un nouveau jardin a été installé au-dessus de l'ancien; et il n'est pas facile, dans la disposition de l'actuel «Crucero», de déterminer ce qui revient aux 'Abbâdides et ce qui est dû aux Almohades (page 131). Les

Malaga, Alcazaba, élément de bassin en forme de poisson

principes de base de cette architecture de jardin se maintiendront pendant les siècles à venir, notamment au Maroc: deux allées surélevées se coupent à angle droit et forment ainsi une croix axiale dont les quartiers sont occupés par des bassins et des parterres en contrebas; au centre il y a un bassin circulaire surélevé. Dans le jardin de Séville, l'allée du grand axe est agrémentée de canaux, et des bassins perpendiculaires sont installés sur les petits côtés de l'ensemble.[131] Un autre jardin 'abbâdide, également rectangulaire, aux parterres encore plus profondément encaissés, a pu être dégagé à l'intérieur de l'Alcázar; les parois des allées surélevées sont également décorées d'arcades aveugles; les conduites d'eau sont encastrées dans la maçonnerie. Ces jardins atteignent des dimensions considérables.

Játiva, célèbre centre de fabrication de papier, possédait une enceinte et une citadelle qui en firent une remarquable ville-forte; certains de ses maîtres, et parmi eux surtout l'ancien esclave 'âmiride Khayrât et son successeur immédiat, réussirent à s'imposer vis-à-vis de leur voisins plus puissants, notamment les seigneurs de Valence. Les murailles ont disparu en grande part, et la citadelle a été transformée tant de fois qu'il est difficile d'y reconnaître les éléments de l'époque des Reyes de Taifas. Mais il reste au Musée de Játiva une arcade riche-

EN HAUT:
Grenade, Bañuelo de l'Albaicín
Cette pièce chaude dans le hammâm de l'époque des Taifas est voûtée en berceau et isolée par une double arcade.

A DROITE:
Grenade, Bañuelo de l'Albaicín
La salle principale, avec son bassin central, sert de pièce de déshabillage et de repos, ainsi que de *frigidarium*; elle donne directement sur l'étuve. On remarquera les très nombreux remplois de chapiteaux romains, wisigoths et umayyades.

ment sculptée en stuc qui ne date cependant peut-être que de l'époque almoravide, et un bassin rectangulaire en marbre qui, lui, semble pouvoir appartenir à l'époque des princes-saqâliba.[132] L'iconographie des frises qui décorent ses quatre parois extérieures est surprenante: à côté du vieux motif oriental des réjouissances princières – festin champêtre, musiciens, chasseurs, duel – on trouve des scènes de lutte à main nue, de danseurs munis de bâtons accompagnés par un flûtiste, et, tout à fait inattendue, une image de femme allaitant un nourrisson. Les animaux héraldiques qui apparaissent ici, tel l'aigle qui fond sur une gazelle, le lion abattant un quadrupède, les deux paons aux cols entrelacés, les deux bouquetins affrontés, sont hérités du califat andalou. Le traitement des surfaces de ces bas-reliefs sur fond plat est sommaire; les drapés se réduisent à des compositions linéaires abstraites qui rappellent les reliefs de Palmyre, ou certains drapés syro- umayyades qui en dérivent. Plus proches géographiquement et chronologiquement, bien que postérieurs, ces mêmes jeux de drapés linéaires se retrouvent aussi dans l'enluminure hispano-maghrébine.[133] Le bassin de Játiva, avec son caractère presque rustique, témoigne d'une belle vitalité créatrice; il se distingue du style habituellement associé à l'art des Taifas, qui se caractérise par son raffinement et sa délicatesse.

Devant ce bassin, on peut se demander si cet art était vraiment aussi homogène qu'il y paraît aujourd'hui. Dans toute l'Andalousie, on continuait sans doute à rêver de la splendeur du califat disparu, mais cela n'empêchait point les différents centres de créer des œuvres originales selon les possibilités offertes par les ressources et les ateliers locaux.

En tout cas, l'époque des Taifas réussit à intégrer à l'héritage califal des éléments nouveaux et riches d'avenir, comme par exemple l'arc brisé outrepassé et l'arc recti-curviligne qui, tous deux, allaient générer ces infinis réseaux de mailles losangées qui vont dorénavant se multiplier. A Cordoue déjà, notamment pour les arcs entrelacés verticaux, fonctions statiques et fonctions décoratives n'étaient pas clairement distinctes; cette tendance s'accentua et s'étendit à d'autres éléments non verticaux. Le passage des coupoles cordouanes à nervures de pierre aux coupoles à nervures de stuc du XIIe siècle, puis enfin aux coupoles à mouqarnas de stuc eût été impensable sans les expériences de l'époque des Taifas, au XIe siècle.

Játiva, bassin en marbre, détail
Les parois extérieures de ce bassin d'environ 1,50 mètres de long sont décorées de bas-reliefs figurés.

Séville, «Crucero»
Le «Crucero» est un jardin du XIIe siècle, qui remplace l'un des jardins du XIe siècle appartenant au célèbre palais d'al-Mu'tamid, le Qasr al-Mubârak. Avec ses allées surélevées dessinant une croix axiale, ses massifs encaissés, ses bassins, ses portiques sur les petits côtés, ce jardin présente déjà les traits caractéristiques de l'architecture des jardins hispano-islamique tardive, qu'on retrouvera pendant des siècles au Maroc.

Les murailles du XIe siècle sont plus simples et plus frustes; pisé et moellons remplacent alors la pierre de taille de l'époque califale et les faisceaux décoratifs de boutisses; les palais sont plus exigus, et partant, le décor se concentre sur des surfaces plus réduites.

Dans l'ornementation végétale (pages 119, 122, 130), la demi-palmette digitée et asymétrique, et toutes les variantes possibles de bourgeons et de pommes de pin dominent de plus en plus; les tiges se font grêles et sont motif à des enchevêtrements décoratifs. La grenade devient rare, les feuilles d'acanthe et de vigne ne sont plus guère reconnaissables. Les éléments du décor deviennent plus petits, plus fins et plus abstraits; on observe une géométrisation progressive des éléments végétaux. L'ornement s'éloigne de plus en plus des formes antiques enracinées, elles, dans la nature; à la place se développe une végétation de rinceaux à digitations multiples, de conception toute mathématique, une nouvelle forme artistique, l'arabesque.

L'art des Taifas présente certes des traits maniérés, sinon même décadents. Mais il est beaucoup plus qu'un simple art de transition entre le califat et les dynasties berbères, et il ne faut pas mésestimer son apport créateur à l'art hispano-maghrébin. Non seulement il marqua de son empreinte l'art andalou et maghrébin des siècles postérieurs, mais il survécut pendant longtemps encore dans les divers centres d'art mudéjar au Nord et à l'Est de l'Espagne.

1091–1248

La domination berbère

Les Almoravides: tribus berbères du Sahara

Le nom des Almoravides est dérivé d'al-murâbitûn («les gens du ribât»), une notion associée à celle de guerre sainte. Vers le milieu du XIe siècle, la tribu nomade de Lamtûna, qui appartenait au groupe Sanhâdja, quitta ses pâturages du bassin du Sénégal à l'Ouest du Sahara pour mener des conquêtes dans le Nord dans le but d'une rénovation religieuse.[134] Des aspirations mystiques décuplèrent les qualités guerrières de cette première armée tribale, qui prit rapidement la tête d'une grande coalition de tribus; en peu de temps celle-ci parvint à conquérir le Maroc tout entier ainsi que l'Algérie occidentale. La force de persuasion d'un réformateur religieux, 'Abd Allâh ibn Yâsîn al-Djazlî, et l'énergie et la persévérance d'un prince berbère qu'il convertit, Yahyâ ibn 'Umar, conduisirent à une nouvelle composition des forces, où rivalités entre clans et tribus, et intrigues d'amour – ou tout du moins matrimoniales[135] (la société almoravide avait peut-être certaines structures matriarcales) – jouèrent un rôle déterminant; c'est une étape qui précède la fondation de l'empire almoravide sous Yûsuf ibn Tâshufîn.[136] Les conquêtes almoravides en Andalousie ont déjà été mentionnées à propos de la fin du règne des Taifas.

Ces berbères analphabètes au teint basané apparurent d'abord aux Andalous comme des barbares fanatiques. Toutefois l'éclat de la culture andalouse les séduisit vite et durablement, et la rudesse de leur énergie se poliça rapidement.

Les sources andalouses font de l'époque almoravide une période de régression culturelle, durant laquelle les souverains se seraient désintéressés des sciences profanes et des arts, tandis que juristes et théologiens bigots imposaient leur loi. Cette vision est sans doute partiale, car maints chefs-d'œuvre prouvent que si la vague berbère avait sans doute déferlé sur la culture andalouse, elle ne l'avait cependant pas étouffée. Avec les Almoravides s'ouvre une période marquée par un sentiment religieux nouveau et intense; cette évolution, qui eut d'ailleurs son parallèle dans l'Espagne chrétienne, conduisit à des explosions d'intolérance vis-à-vis des minorités chrétiennes et juives. A cette époque, de nombreux chrétiens furent déportés en Afrique du Nord.[137]

Alphonse I d'Aragon reprit Saragosse en 1118; puis Alphonse VII de Castille pénétra profondément dans le Sud de l'Andalousie et, dans les années 1144/45, des insurrections de la population islamique, dans le Sud-Ouest du pays, rejettèrent le joug de la suzeraineté almoravide. Cette dynastie se heurtait depuis quelques années déjà à des oppositions au Maroc, et à partir de ce moment, ses jours furent comptés. Jusqu'à ce que la nouvelle dynastie maghrébine des Almohades s'emparât du pouvoir en Andalousie, l'Espagne islamique connut donc un interrègne, appelé souvent la période des Taifas almoravides ou la «seconde fitna», pendant laquelle certains commandants et seigneurs reconnurent l'autorité almohade, tandis que d'autres, comme Ibn Qasî et Ibn al-Mundir dans le Sud-Ouest et Ibn Mardanîsh dans le Levant, défendaient leur indépendance.

Les Almohades: Berbères du Haut-Atlas

L'empire almohade est également issu d'un mouvement de rénovation religieuse né au Nord-Ouest de l'Afrique parmi des tribus berbères. Les Almoravides étaient des nomades sahariens, et ce furent leurs ennemis traditionnels, les Masmûda, Berbères sédentaires du Haut-Atlas, qui diffusèrent la doctrine almohade. Au début du XIIe siècle, le nouveau réformateur religieux, Ibn Tûmart, avait rencontré, au cours d'un voyage en Orient, des idées philosophiques et religieuses nouvelles qui l'influencèrent.[138] Sa doctrine est d'une plus grande originalité que celle des Almoravides, qui n'est en fait qu'un malikisme rigoureux.[139] Le nom «Almohades» est dérivé d'al-muwahhidûn (les «confesseurs de l'unicité de Dieu»), et les Almohades combattaient les «anthropomorphistes» et les «polythéistes», c'est-à-dire ceux – nombreux – qui tendaient à rapporter à Dieu des attributs humains. Pour les Almohades, Dieu est pur esprit, éternel et infini et d'une transcendance si absolue que des attributs comme «bonté» et «miséricorde», pris au sens littéral, sont déjà une offense à la divinité; ces mots, quand ils apparaissent dans les textes sacrés, doivent être compris au sens figuré. Mais Ibn Tûmart fut moins un philosophe qu'un prédicateur moral et un révolutionnaire, qui s'adressait aux foules, éventuellement en langue berbère. Sous les Almohades, le Coran fut traduit de l'arabe en berbère, ce qui n'était pas sans poser des problèmes à l'époque.

Avec l'aide d'un fidèle compagnon et disciple, 'Abd al- Mu'min, Ibn Tûmart réussit à soulever la population de plusieurs régions du Maroc contre le régime moribond des Almoravides. Assez rapidement, il installa sa capitale à Tinmal, petit bourg dans le Haut-Atlas, à environ 90 kilomètres au Sud de Marrakech; Ibn Tûmart, le Mahdî, y mourut en 1130. Sa mort fut d'abord tenue secrète; en 1133 'Abd al-Mu'min put se faire proclamer «Commandeur des croyants»; Marrakech tomba en 1147 dans les mains des Almohades. Ceux-ci s'intéressèrent d'abord davantage à la conquête de l'Afrique du Nord (Tunisie incluse) qu'à la soumission de l'Andalousie, qui ne fut vraiment acquise qu'après la campagne de 1161. Abû Ya'qûb Yûsuf (1163–84), fils et successeur de 'Abd al-Mu'min, fit de l'Andalousie une province de l'empire almohade. Séville ne put cependant être occupée qu'en 1172, après la mort d'Ibn Mardanish, qui avait pu s'imposer auparavant dans la ville. Abû Ya'qûb Yûsuf renoua avec la tradition des campagnes d'été contre les régions frontalières chrétiennes. Il avait été gouverneur de Cordoue avant d'accéder au califat, et semble avoir été profondément marqué par l'exemple d'al-Hakam II. A l'instar de son prédécesseur umayyade, il collectionna les livres et s'entoura de savants, de médecins et de philosophes, comme Abû Bakr Ibn Zuhr, Ibn Tufail et Ibn Rushd (Averroës). A côté de Marrakech, la capitale de l'empire, Séville fut sa résidence préférée, qu'il embellit en y construisant plusieurs monuments. Le règne de son fils Abû Yûsuf Ya'qûb «al-Mansûr» (1184–99) fut l'un des plus

Séville, remparts
Les parties almohades de l'enceinte urbaine, avec ses murs crénelés, ses tours et son avant-mur, sont en pisé, dont l'état de conservation est étonnant.

Séville, vue ancienne de la ville
On apercoit la Torre del Oro almohade, et à l'arrière-plan la cathédrale, construite au-dessus de la Mosquée du Vendredi almohade. Le Guadalquivir (le nom vient de l'arabe al-Wâdî al-kabir, le «grand fleuve») est d'une importance capitale pour la ville.

PAGES 138–139:
Cordoue, Calahorra
C'est sans doute sous les Almohades que fut construite cette tête de pont fortifiée sur la rive gauche du Guadalquivir, exactement en face de la Mosquée du Vendredi. Sa complexité prouve les progrès accomplis par l'architecture défensive depuis l'époque umayyade, aux IXe et Xe siècles.

prestigieux de toute la dynastie. Comme ses prédécesseurs, ce fut un grand constructeur. Il connut de nombreux succès militaires spectaculaires, aussi bien en Afrique du Nord qu'en Andalousie. La bataille d'Alárcos (entre Cordoue et Tolède), remportée en 1195 sur Alphonse VIII de Castille, fut l'une des dernières grandes victoires islamiques en Espagne; elle contribua sans aucun doute au prestige des Almohades, mais elle ne suffit cependant pas à renforcer véritablement leur pouvoir sur les chrétiens. Bien au contraire: en juillet 1212, elle suscita une contre-offensive victorieuse qui réunit pour un temps limité les troupes de Léon, de Castille, de Navarre et d'Aragon près de Las Navas de Tolosa.

A Abû Yûsuf Ya'qûb «al-Mansûr» succédèrent en 1199, son fils Muhammad «al-Nâsir» («le victorieux», malgré Las Navas de Tolosa!), et, en 1213, son petit-fils de quinze ans, Abû Ya'qûb Yûsuf II, qui se révéla incapable de rétablir la cohésion d'un empire en voie de désagrégation. Il mourut en 1224; des querelles familiales accélérèrent la fin de la dynastie et plongèrent l'Andalousie dans une nouvelle guerre civile, où s'affrontèrent potentats locaux et chefs mercenaires. La Reconquista, dorénavant explicitement conçue comme croisade, fit de rapides progrès. Jacques I d'Aragon et surtout Ferdinand III de Castille (à partir de 1217) et de Léon (à partir de 1230) pénétrèrent jusqu'au cœur de l'Andalousie sans rencontrer grande résistance. Les étapes marquantes de ces campagnes militaires sont la chute de Cordoue en 1236, celle de Valence en 1238 puis de Séville en 1248; Jérez de la Frontera ne fut définitivement soumise qu'en 1261, Niebla en 1262, Murcie en 1266. Seul le sultanat de Grenade survécut encore jusqu'en 1492.

Parmi les princes locaux qui se soulevèrent contre les Almohades et qui se maintinrent relativement longtemps contre les chrétiens, les Banû Hûd de Murcie et les Banû Mardanîsh de Valence méritent une mention particulière. Entre 1228 et 1230, Muhammad ibn Yûsuf ibn Hûd, chef mercenaire établi à Murcie, qui prétendait descendre de l'ancienne dynastie des Hûdides de Saragosse, parvint à imposer aussi son autorité à Denia, Játiva, Grenade, Almeria et Malaga jusqu'à Cordoue et Séville, et même jusqu'à Ceuta. Seule Valence resta alors autonome sous les ordres de Zayyân ibn Sa'd ibn Mardanîsh. Mais le pouvoir hûdide s'écroula presque aussi vite qu'il s'était constitué; Ibn Hûd lui-même fut assassiné en 1237 à Séville par l'un de ses partisans.[140]

La fin brutale du pouvoir almohade en Andalousie s'explique par l'impopularité aussi bien du dogme almohade que du caractère résolument berbère de la famille régnante. Les Almohades ont néanmoins laissé des monuments d'une beauté remarquable, surtout à Séville et dans le Sud-Ouest de l'Espagne.

L'architecture almoravide et almohade

Témoignages almoravides au Maghreb et en Andalousie

Les Almoravides laissèrent des monuments importants au Maroc et en Algérie occidentale, mais pas en Andalousie. Leurs armées berbères commencèrent sans doute par détruire, et la plupart des palais des Reyes de Taifas subirent certainement le même sort que ceux d'al-Mu'tamid à Séville.

Au Maghreb, les Almoravides furent d'abord des bâtisseurs de forteresses et des fondateurs de villes, puis se mirent peu après à édifier aussi des mosquées et des palais. Les citadelles marocaines de Beni Touada, Amergo et Tashgimout sont des exemples caractéristiques: les deux premières – les plus anciennes – sont construites surtout en moellons et paraisssent dans l'ensemble plutôt archaïques. Amergo a des tours rondes, une barbacane et une sorte de donjon; ces trois éléments révèlent des influences chrétiennes venues par l'Espagne; l'arc d'entrée rappelle la Puerta de la Bisagra à Tolède. Tashgimout a été édifié vers 1125; ses murailles en pisé sur des fondations en moellons et ses tours avec des salles voûtées superposées accusent clairement l'héritage andalou,[141] mais le modèle direct des hautes niches semi-cylindriques couronnées de demi-coupoles à nervures qui décorent l'entrée se trouve dans le Maghreb central, à la Qal'a des Banû Hammâd. La fondation la plus célèbre des Almoravides fut leur nouvelle capitale, Marrakech, qui donnera son nom à l'ensemble du pays (Marrûkush, en espagnol Marruecos) dont les fondations furent jetées en 1070.[142] Marrakech fut doté d'un palais, la «Maison de pierre» («Dâr al-hajar»), dont trois cours ont été dégagées par des fouilles. De cet ensemble palatial subsiste encore aujourd'hui un petit pavillon ouvert, édifié pour 'Alî ibn Yûsuf (1106–1142), fils d'une femme andalouse. Il possède une coupole rappelant celle de la travée précédant le mihrâb de la Grande Mosquée de Cordoue. Les nervures formées par un entrelacement d'arcs recti-curvilignes à décrochements multiples reprennent, sous une forme miniaturisée et maniérée, les nervures de Cordoue; les écoinçons ont un parement en stuc délicatement sculpté. L'ensemble de ce petit édifice s'insère parfaitement dans les traditions de l'architecture des Taifas.

On a trouvé à Chichaoua (à l'Ouest de Marrakech) des vestiges de plantations de canne à sucre, ainsi que des habitations soignées, dont certaines ornées de décors stuqués et de peintures pariétales qui s'inscrivent également dans la tradition des décors architecturaux des Taifas. Quelques emprunts au Maghreb central sont indéniables et certains détails semblent préfigurer l'esthétique des Almohades.[143] A Nedroma, un hammâm bien conservé, donne

Jérez de la Frontera, Alcázar, Santa María la Real
La salle de prière, de plan octogonal inscrit dans un carré, est couverte d'une vaste coupole à huit pans. Cette mosquée almohade, construite pour l'essentiel en briques cuites, est d'une beauté sévère et impressionnante.

EN HAUT:
Kairouan (Tunisie), Mosquée Sidi 'Uqba, salle de prière, vue de l'Ouest vers l'Est
La fondation de cet édifice religieux, l'un des plus anciens et des plus marquants du Maghreb, date de l'époque de la conquête islamique. Son aspect actuel est dû pour l'essentiel aux transformations du IXe siècle; c'est la première fois qu'apparaît aussi clairement le plan en T dans l'architecture religieuse islamique. Au fond à droite, on aperçoit la niche du mihrâb.

EN BAS:
Kairouan (Tunisie), Mosquée Sidi 'Uqba, cour et façade de la salle de prière

une idée de ce qu'était un bain public de ville almoravide.[144] Sa salle principale, destinée au déshabillage et au repos, possède une coupole impressionnante; la salle chaude, plus modeste, est chauffée comme dans l'Antiquité par des hypocaustes et des conduites d'air chaud dans les parois. La salle à coupole centrale est un exploit architectural sans précédent dans le Maghreb islamique. Le Bain des Teinturiers, à Tlemcen, est à peu près contemporain.

Les palais almoravides de Fès et de Tlemcen ont presque totalement disparu. En revanche, quelques Grandes Mosquées du Maghreb occidental témoignent encore du zèle religieux de leurs fondateurs ainsi que du savoir-faire de leurs maîtres d'œuvres. Les Grandes mosquées d'Alger, de Nedroma et de Tlemcen sont des fondations almoravides, et l'essentiel de la mosquée al-Qarawiyyîn à Fès revient à cette dynastie. Les Mosquées du Vendredi almoravides ne présentent pas toutes le même type de plan. Tandis que celles d'Alger, de Nedroma et de Tlemcen ont des nefs longitudinales, avec une ou plusieurs séries d'arcades perpendiculaires – donc le schéma de Cordoue et aussi de Kairouan – la mosquée al-Qarawiyyîn adopte, quant à elle, le plan à nefs parallèles au mur qibla, c'est-à-dire le plan de la mosquée umayyade de Damas. Mais il est vrai qu'il s'agit là du remaniement d'un édifice du IXe siècle, et non pas d'une construction almoravide nouvelle, ce qui pourrait expliquer le plan plutôt archaïque. Aux arcs andalous viennent s'ajouter de nouvelles formes: les arcs à ressauts, qui font alterner des lobes en segments de cercle et des angles droits (comme au pavillon de 'Alî ibn Yûsuf à Marrakech) ou qui composent des regroupements de plusieurs lobes en festons terminés par un crochet («à lambrequins»). Comme à Cordoue, l'axe du mihrâb est mis en valeur par des coupoles. A Tlemcen, la coupole de la travée qui précède le mihrâb (vers 1136) est une enveloppe ajourée en stuc sculpté posée sur douze nervures de brique; elle possède des trompes et un lanternon sommital à mouqarnas, qui apparaissent ici pour la première fois au Nord-Ouest de l'Afrique. Mais on trouve déjà des mouqarnas, bien que sous des formes différentes, au XIe siècle à la Qal'a

Tlemcen (Algérie), cour de la Grande Mosquée
Construite au XIe siècle, la mosquée almoravide a été agrandie au XIIIe siècle.

des Banû Hammad, dans le Hodna. Les légères nervures de briques et les mouqarnas pourraient être des apports techniques et formels iraniens, adoptés et adaptés dans l'architecture du Maghreb al-aqsâ'. Dans la zone supérieure de la façade du mihrâb, une fenêtre à claustra éclaire la coupole; des jeux de lumière animent les aériennes arabesques de stuc. La mosquée al-Qarawiyyîn fut reconstruite entre 1135 et 1142; son abondant décor de stuc à motifs végétaux, géométriques et épigraphiques, paraît directement emprunté au répertoire des Taifas andalous, mais le plan d'ensemble, certaines formes d'arc toujours plus compliquées, et les coupoles à mouqarnas trahissent des influences étrangères à al-Andalus. L'absence de minaret s'explique sans doute par des raisons dogmatiques; le premier appel à la prière se faisait du haut des toits, et le second de l'une des portes de la mosquée.

Etant donné la densité de la population et l'ancienneté des traditions culturelles, la question de la domination du pays se posait en des termes totalement différents en Andalousie et en Afrique du Nord. Les Almoravides n'y fondèrent pas de ville, n'y bâtirent pas de forteresses. Il ne faut certes pas sous-estimer les destructions postérieures des Almohades puis des chrétiens; mais il n'y a jamais eu sans doute de véritable et spécifique architecture hispano-almoravide en Andalousie, car la dynastie n'eut ni le temps, ni la possibilité matérielle de mener à bien de grandes réalisations architecturales. Yûsuf ibn Tâshufîn vint en Espagne pour trois campagnes militaires, 'Alî ibn Yûsuf y conduisit quatre expéditions; Tâshufîn ibn 'Alî n'y posa jamais le pied: aucun ne s'y installa vraiment. En revanche, quelques seigneurs locaux, mieux armés ou plus adroits dans leurs relations avec Yûsuf ibn Tâshufîn que ne l'avait été al-Mu'tamid, purent exercer encore un certain mécénat culturel: ce fut le cas d'al-Musta'in, le Hûdide de Saragosse, ou encore des souverains de Valence et Murcie; à Niebla, à Mertola et à Silves (Portugal), le mouvement mystique d'Abû l-Qâsim ibn Qasî, résolument hostile aux Almoravides, réussit à s'emparer du pouvoir pour plusieurs années. Aussi s'attend-on d'emblée à trouver

A GAUCHE:
Salé (Maroc), Grande Mosquée
La mosquée est une fondation almohade de la fin du XIIe siècle.

A DROITE:
Alcalá de Guadaira
Le plan de la fortification est déterminé par la configuration du terrain. Les tours de l'enceinte, d'importance variable, sont pour la plupart quadrangulaires. Le rempart possède un chemin de ronde protégé par des merlons; l'absence de mâchicoulis est systématique dans l'Espagne islamique. Il ne reste pas grand-chose de l'avant-mur qui était également pourvu de tours.

non pas une architecture almoravide à proprement parler, mais plutôt une architecture de Taifas almoravides. Mais de celle-là même, presque rien n'est conservé. Au temps du déclin des Almoravides, la ville aujourd'hui portugaise de Mertola joua un rôle important comme centre de l'insurrection politico-religieuse d'Ibn al-Qasî, mais la phase de construction du XIIe siècle de sa mosquée n'est probablement pas antérieure au début du règne almohade (après 1157).[145] Le mihrâb de l'ancienne Grande Mosquée d'Almeria possède des restes de décor stuqué qui datent approximativement de cette époque.

Murcie et Monteagudo

Le Castillejo de Monteagudo près de Murcie à été daté de l'époque almoravide,[146] mais des recherches récentes ont montré qu'il s'agit d'une fondation de Muhammad ibn Mardanîsh (1147–72).[147] Ce souverain, le «Roi Lope» des chrétiens, issu d'une famille de muwalladûn, «terrible de tempérament, de constitution robuste, ferme dans son courage et son sens de combat»,[148] réussit, à la faveur des luttes entre les Reyes de Taifas et les Almoravides (ils n'avaient jamais pu vraiment s'imposer en Andalousie orientale) à se rendre maître de Valence et de Murcie. Son territoire s'étendit temporairement jusqu'à Almeria, Grenade, Jaén et Cadix. Sous son règne, sa capitale Murcie connut une époque de prospérité.

La ville est située dans une région extrêmement fertile, avec une irrigation en grande part artificielle et une agriculture intensive. Les vestiges de châteaux sont en nombre impressionnant, ce qui suggère à première vue un réseau particulièrement dense de forteresses,[149] car Aledo, Mula, Orihuela ou le Castillar de Monteagudo sont de toute évidence des aménagements militaires. Mais dans beaucoup d'autres cas il semble s'agir plutôt de munyas – résidences

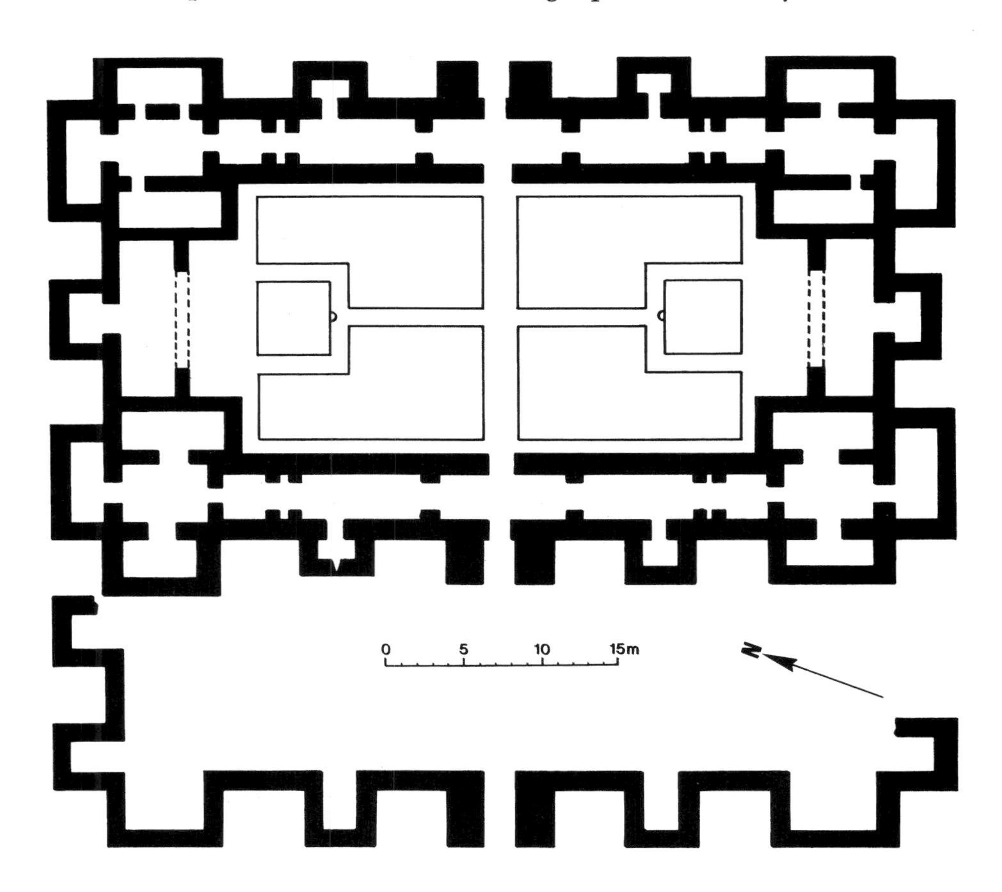

EN HAUT:
Monteagudo, Castillar (fondation romaine)

AU MILIEU:
Monteagudo, Castillejo (résidence de campagne arabe)

EN BAS:
Monteagudo, Castillejo, plan (M. Gómez Moreno)

Tabernas
Cette forteresse a une grande importance stratégique, car elle contrôle la route d'Almeria à Murcie, ainsi que le passage vers la Sierra de los Filabres.

secondaires des riches citadins de Murcie – et les nombreux vestiges d'enceinte conservés avaient sans doute des fonctions délimitatives plutôt que défensives. Le Castillejo de Monteagudo, à 400 mètres environ au Nord-Est du piémont de Monteagudo, était peut-être une munya de ce genre (page 146). L'édifice rectangulaire, de 61 sur 38 mètres de côté, possède une enceinte de pisé avec trois tours rectangulaires sur les petits côtés et cinq sur les longs côtés; la seule entrée conservée se trouve au milieu du long côté Nord-Est; du côté opposé, symétriquement, il y avait probablement une autre entrée ou peut-être un balcon. Il y a des restes d'un avant-mur à environ 14 mètres du mur Sud-Ouest. L'intérieur du palais est aménagé autour d'un jardin central, divisé en quatre compartiments égaux par des allées surélevées se coupant à angle droit; deux pavillons en saillie vers l'intérieur du patio se font face sur ses petits côtés; ce thème se retrouvera plus tard à l'Alhambra nasride, d'où il rayonnera jusque dans l'architecture marocaine des siècles postérieurs. Sur les petits côtés, il y a une petite salle d'apparat installée dans la base de la tour, précédée d'un portique. A l'exception de celles qui flanquent l'entrée, les tours sont aménagées en pièces d'habitation. Dans les décombres, on a retrouvé des restes de stuc et de peintures. Les feuilles à digitations, les demi-palmettes asymétriques et les tiges qui se combinent en arcades entrelacées, dans les stucs, se situent dans la tradition ornementale des Taifas; dans le décor géométrique peint, les éléments d'origine maghrébine sont plus importants. Ce palais soulève plusieurs questions: ni ses fonctions, ni ses dates de construction et d'abandon ne sont connues avec certitude; en tout cas, il s'agit d'un exemple extrêmement rare et intéressant des réalisations architecturales d'un prince local indépendant de la suzeraineté berbère; il constitue par ailleurs, comme l'Aljafería, un maillon dans la chaîne qui relie Madînat al-Zahrâ' aux palais de l'Alhambra.

L'artisanat

De cette époque, on a conservé quelques beaux tissus de soie décorés de médaillons avec des animaux héraldiques (page 152); ils proviennent peut-être de Murcie, dont les manufactures de soierie étaient célèbres. La tradition des coffrets et pyxides en ivoire surchargés de sculptures semble s'être perdue après 1050. Les boîtes de la fin du XIe et du XIIe siècles sont rares; la plupart proviennent de Cuenca, où travaillait un atelier probablement originaire de Cordoue. Les formes et la technique de ces objets témoignent d'un certain épuisement artistique.[150] Un mortier en bronze conservé au Musée Villanueva y Geltru à Barcelone, un coffret en argent du trésor de Saint-Isidore à León, divers panneaux en bois sculpté avec des inscriptions et des tresses (ceux du Musée Frederico Marés à Barcelone, par exemple) datent peut-être de cette époque troublée.[151] Le Musée archéologique de Malaga possède une belle pierre tombale de 1103, au nom de Badr, une princesse sanhâdja.

Le minbar en bois de la Mosquée al-Kutubiyya à Marrakech est une œuvre magnifique; il a été commandé à Cordoue entre 1125 et 1130 par les Almoravides pour la Grande Mosquée de leur capitale. Les Almohades, successeurs et ennemis des Almoravides, détruisirent la mosquée mais épargnèrent le minbar afin de l'installer dans leur propre Grande Mosquée. Cette chaire de près

EN HAUT:
Marrakech (Maroc), Madrasa Ben Yûsuf
Ce collège où l'on enseignait les sciences religieuses et juridiques est une fondation mérinide du XIVe siècle. La porte d'entrée a été restaurée au XXe siècle.

EN BAS:
Marrakech (Maroc), Madrasa Ben Yûsuf, décor mural
Ce décor de faïence, qui utilise deux techniques différentes – mosaïque et décor champlevé – reste fidèle, au XVIIIe siècle, aux modèles anciens.

de 4 mètres de haut est sculptée et décorée d'incrustations d'ivoire et de bois précieux. Ses côtés sont recouverts d'un réseau d'entrelacs polygonal dont les registres correspondent aux niveaux des marches. Les petits panneaux polygonaux entre les baguettes de l'entrelacs sont «ciselés comme des bijoux» (H. Terrasse) d'un décor d'arabesques, qui combine des demi-palmettes asymétriques à digitations avec des pommes de pin, des palmettes et des bourgeons multiples. La richesse des motifs et la variété de la sculpture – les différentes «mains» de sculpteurs – font supposer un atelier de grande envergure, auquel on doit peut-être attribuer aussi le minbar de la mosquée al-Qarawiyyîn à Fès. Ce dernier est un peu plus petit; il date de 1144 et ressemble beaucoup à celui de la Kutubiyya. Tous deux renvoient à un modèle perdu, le minbar d'al-Hakam II, et prouvent que l'art de la sculpture sur bois et des incrustations n'était pas oublié dans l'Espagne almoravide.[152]

Dans les grandes villes, les ateliers de poterie ont probablement maintenu sans interruption la production courante, en dépit des agitations politiques.[153] On a commencé à fabriquer de la faïence lustrée à partir du Xe siècle; mais les commandes et les ventes de cette marchandise de luxe étant soumises aux aléas de la vie économique, sa fabrication se ralentit sans doute pendant les guerres sans fin de l'époque almoravide; on a toutefois trouvé à Murcie des céramiques lustrées de l'époque d'Ibn Mardanîsh.[154] La technique orientale de la céramique bleue et blanche à l'oxyde de cobalt, introduite en Andalousie sous les

Lion de bronze, vers 1200 (Paris, Musée du Louvre)
Ce lion a été trouvé dans la province de Palencia, mais on ignore comme il y est arrivé. L'inscription se limite à une formule de bénédiction. C'était vraisemblablement un ornement de fontaine, l'eau rentrant par l'orifice sous le ventre et rejaillissant par la gueule.

PAGES 150, 151:
Vaisselle en céramique.
Centre de recherches archéologiques de Murcie
Trouvès dans le puits de la «maison arabe» dans le quartier San Nicolàs à Murcie: brasero, ustensiles de cuisine, assiettes et coupes, cruches à deux anses et lampe à huile de la premiere moitié du XIIIe siècle.

Tissu de soie décoré de paons, XIIe siècle (Paris, Musée de Cluny)
La destination de cette étoffe produite en Espagne est inconnue. Elle apporte une belle confirmation de la réputation des tisserands andalous des XIe st XIIe siècles, attestée par les textes.

Fragment du «Manteau de Don Felipe» (Paris, Musée de Cluny)
Cette soierie du XIIe siècle provient sans doute d'Almeria.

Almoravides, n'atteignit son apogée que plus tard, sous les Almohades.[155] Si l'époque almoravide n'est donc certes pas une zone d'ombre dans l'histoire si riche de l'art andalou, il est néanmoins sûr que l'on n'en possède pas encore d'image complète et homogène. L'architecture almoravide au Maghreb est profondément marquée par celle de l'époque des Reyes de Taifas andalous: le courant culturel, en tout cas pour l'architecture et les arts mineurs, alla sans aucun doute du Nord vers le Sud de l'espace méditerranéen occidental; lorsque l'architecture almoravide atteignit son apogée au Maghreb et devint à son tour source de rayonnement, le déclin de la dynastie était déjà irréversible, et ce furent les successeurs qui engrangèrent la récolte.

Une nouvelle confession – une esthétique nouvelle

Avec leurs nouvelles conceptions religieuses, les Almohades apportèrent aussi une nouvelle esthétique. Au départ, ces Berbères du Haut-Atlas furent tout aussi ascétiques et hostiles à l'art que leurs prédécesseurs; la propagande anti-almoravide avançait surtout des arguments moraux, stigmatisant un mode de vie luxueux et alangui. Dans un premier temps, les Almohades prônèrent le retour à une simplicité toute coranique. Mais plus rapidement et plus profondément encore que les Almoravides, ils modifièrent leurs goûts et leurs habitudes. Cette époque allait devenir, du point de vue de l'histoire de l'art, et notamment de l'architecture, l'une des plus importantes et des plus créatrices de tout l'occident islamique, bien plus féconde que celles des Almoravides et des Reyes de Taifas.

Marrakech devint la capitale politique de l'empire almohade, Tinmal restant un sanctuaire commémoratif vénéré. Le centre du pouvoir almohade se constitua et se maintint au Maroc; de même que l'architecture almoravide ne peut se comprendre sans quitter l'Espagne, de même l'histoire de l'architecture almohade ne peut se faire à partir des seuls monuments hispaniques.

Comme pour la dynastie précédente, on connaît surtout les mosquées des Almohades. La plus ancienne se trouve dans la ville de Taza, fondée en 1135 par les nouveaux maîtres. La première Grande Mosquée almohade de Marrakech, la Kutubiyya, date probablement des années 1147, la mosquée commémorative de Tinmal des alentours de 1153, la seconde Kutubiyya a été édifiée vers 1158 (ci-contre),[156] la Grande Mosquée almohade de Séville peu après 1172, celle de Salé (page 144) à peu près à la même époque, celle de Rabat vers 1196/97, celle de la Qasaba de Marrakech presque en même temps; la Mosquée des Andalous à Fès fut agrandie entre 1203 et 1207. A côté de ces Mosquées du Vendredi, on construisit évidemment partout dans l'immense empire de nombreuses salles de prière secondaires.

Les Almohades créèrent un type bien précis de Grande Mosquée. Il est caractérisé par des nefs perpendiculaires au mur qibla, avec une nef axiale plus large, qui butent sur un vaisseau transversal longeant le mur qibla, un «transept»: le dispositif en T, qui a ses origines dans la mosquée umayyade de Médine et qui a été véhiculé ensuite par Cordoue, Kairouan et Sâmarrâ, trouve ici une forme architecturale d'une clarté limpide. A Tinmal et à Marrakech, des coupoles à mouqarnas accentuent les travées de pénétration de la nef axiale et des deux nefs extérieures avec la nef parallèle au mur qibla, le «transept»; la seconde Kutubiyya en possède même cinq. La multiplication des coupoles du «transept» est peut-être inspirée de la mosquée fatimide d'al-Hakim au Caire;

Marrakech (Maroc), Kutubiyya, minaret
Le plus ancien des minarets almohades – ancêtre direct de la Giralda de Séville – est construit en pierres et en briques et utilise pour la première fois, dans le Maghreb al-aqsâ', la céramique de faïence dans le décor architectural extérieur.

l'utilisation de ce motif apparaît plus rigoureuse dans le programme architectural almohade, où chacune des coupoles relie une nef transversale à une nef longitudinale, toutes deux toujours particulièrement mises en valeur. Les nefs extérieures de la salle de prière se prolongent en galeries autour de la cour, qui se trouve ainsi intégrée dans l'économie de l'ensemble comme élément spatial à ciel ouvert. Cette tendance à fondre cour et salle de prière en une même unité est encore plus nette dans la Mosquée de la Qasaba de Marrakech et dans la Mosquée de Hassan à Rabat. Dès ses premières réalisations, l'architecture religieuse almohade conçoit des plans élaborés et vigoureux. Ces Grandes Mosquées sont d'emblée des chefs-d'œuvres, car il y a un accord parfait entre le plan, l'élévation, les décors et les modules géométriques déterminant les proportions. Un premier atelier paraît s'être établi à Marrakech, d'où fut dirigée la construction de la mosquée de Tinmal;[157] de là, l'impact des conceptions architecturales almohades se répercuta jusqu'en Tunisie et en Andalousie.

Les plans urbains furent eux-même subordonnés à la Grande Mosquée. Ainsi la ville de Taza est de toute évidence orientée en fonction de la qibla de la Grande Mosquée, et le même parti semble pouvoir être relevé à Salé, à Rabat et dans la Qasaba de Marrakech.[158] Sous les Almohades, les ambitions et la hardiesse des conceptions architecturales allèrent au-delà de ce qu'avait connu jusqu'alors le monde islamique occidental.

Aucun des palais almohades du Maghreb n'a survécu; l'architecture profane de cette époque n'est guère connue que par quelques portes de ville, dotées de façades grandioses et aménagées en multiples unités spatiales – salles à coupoles et cours – qui se succèdent en ligne droite ou en décrochements. Ce sont des lieux de réception et d'exercice de la justice royale et pas seulement des éléments défensifs.

Le décor architectural témoigne lui aussi de conceptions nouvelles: il est déterminé par des divisions du module géométrique qui est à la base du plan et de l'élévation des monuments.[159] Le décor devient ainsi plus rigoureux, moins ludique peut-être que sous les Reyes de Taifas et les Almoravides, sans être cependant plus monotone. Le contraste entre les stucs de l'Aljafería ou le pavillon de 'Alî ibn Yûsuf d'un côté, et la mosquée de Tinmal de l'autre, est saisissant: le nouveau style est ample et clair, il parvient à intégrer des surfaces

EN HAUT:
Séville, Alcázar de Pierre le Cruel, façade du palais
Des artisans venus de Grenade ont sans doute apporté leur contribution à cette construction sévillane. La façade est décorée d'une inscription religieuse arabe.

EN BAS:
Séville, vue de la Giralda sur l'Alcázar de Pierre le Cruel
Ce château est situé à peu près à l'emplacement du palais 'abbadide d'al-Mu'tamid et du palais almohade d'Abû Ya'qûb, dont il réutilise probablement de nombreux éléments.

Séville, Giralda
Le minaret de la Mosquée du Vendredi almohade a été transformé en clocher de la cathédrale. La tour almohade a conservé son aspect original jusqu'à l'arcature aveugle au-dessus des fenêtres géminées.

vides jusqu'ici et est ainsi en mesure de créer de généreuses compositions d'ensemble.

La technique du stuc était courante depuis l'époque des Taifas, mais elle fut poussée plus loin sous les Almohades: on rappellera tout particulièrement les chapiteaux de Tinmal et de la Kutubiyya et les coupoles à mouqarnas. On utilisa beaucoup les briques soigneusement cuites aussi bien comme élément de construction que comme élément de décor, avec de grands panneaux à décors losangés et entrelacés. La pierre de taille, qui n'avait plus été guère employée au XIe siècle, revint à l'honneur, notamment pour les grandes portes monumentales à décor sculpté. Le recours à la céramique vernissée – venue sans doute d'Orient par l'intermédiaire du Maghreb central – est une nouveauté dans le décor architectural du Maroc et de l'Andalousie; elle orne l'extérieur du minaret de la Kutubiyya, et ne disparaîtra plus désormais des techniques décoratives de l'architecture hispano-maghrébine. La peinture tient

Ermita de Cuatrohabitan
Vestiges d'une mosquée almohade située à Bollulos de la Mitación, à proximité de Séville. Le minaret est une copie simplifiée mais harmonieuse de la Giralda.

elle aussi sa place dans le décor architectural almohade: de tout temps le stuc sculpté avait été recouvert de couleurs, mais maintenant, de simples surfaces crépies reçurent également des ornements géométrique peints, comme cela avait d'ailleurs été déjà le cas au Castillejo de Monteagudo et à Chichaoua.

La capitale Séville et sa Mosquée du Vendredi

Les Almohades firent de Séville leur capitale en al-Andalus; le minaret de leur Grande Mosquée, la Giralda, demeure aujourd'hui le symbole d'un pouvoir disparu en même temps que l'emblème de la ville. Cette tour fut édifiée entre 1172 et 1198 (son couronnement actuel date du XVIe siècle) et doit son nom à la statue de sainte Fides qui tourne au gré du vent (Giraldilla). Elle est construite en grands blocs de pierre pour les fondations, en pierres de remploi provenant d'édifices 'abbâdides pour la base et surtout en briques d'excellente qualité (page 155). Le décor utilise des briques émaillées, des azulejos, comme à la Kutubiyya (page 153).[160] De plan carré (14,85 mètres de côté), le minaret se dressait jadis à plus de 70 mètres; le noyau central avec ses sept salles à coupole superposées est enveloppé d'une rampe qui compte 34 compartiments jusqu'à la plateforme (et à la partie chrétienne). Les façades (page 155) sont subdivisées en trois registres: un socle lisse et deux grands panneaux superposés de losanges en relief il y a également une division tripartite verticale: les fenêtres centrales sont flanquées de deux panneaux de losanges, constitués de deux réseaux végétaux qui se superposent sans s'entrelacer et se développent à partir d'arcades géminées. La partie islamique de la tour s'achève actuellement par une arcature aveugle, dont les arcs polylobés et entrelacés reposent sur des colonnes engagées.

Un relief ancien montre qu'à l'origine cette arcature aveugle était surmontée par une plate-forme protégée par des merlons, sur laquelle se dressait une autre petite tour plus étroite dont la base était décorée d'arcades géminées; elle présentait également des panneaux losangés et des merlons, sous le petit dôme sommital qui portait une hampe chargée de trois boules dorées.

La tour est plus élevée et plus élancée que le minaret de 'Abd al-Rahmân III à Cordoue; ses proportions rappellent les minarets du Maghreb central (Qal'a des Banû Hammad en Algérie). Mais l'arcature aveugle au sommet et les fenêtres géminées reprennent des motifs d'époque califale: loin de rejeter l'héritage ancien, les nouveaux seigneurs le mirent au service de leurs propres réalisations architecturales.[161]

Les murs intérieurs de la cour de la cathédrale présentent encore quelques souvenirs de l'époque islamique, mais la salle de prière a disparu.[162] L'ancienne mosquée almohade, érigée par Abû Ya'qûb Yûsuf vers 1171, possédait probablement dix-sept nefs à treize travées (ci-contre). Ces nefs longitudinales butaient contre une nef perpendiculaire, large d'une travée. La nef centrale et les nefs extérieures étaient plus larges que les autres; il y avait probablement une coupole à la croisée du «transept». La cour était entourée d'un portique, l'entrée principale se trouvait au milieu du côté Nord. Le plan est spécifiquement almohade, mais la longueur exceptionnelle des nefs de la salle de prière est sans doute un rappel de Cordoue.

Près de Bollulos de la Mitación, à l'Ouest de Séville, on trouve une petite

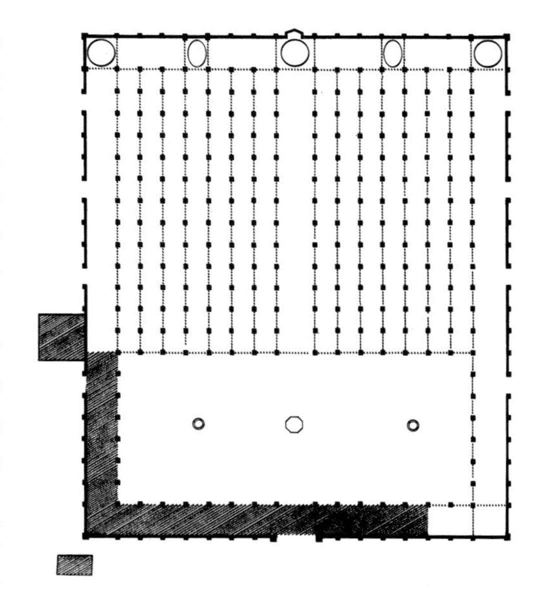

Séville, Mosquée du Vendredi almohade, plan schématique (d'après H. Terrasse)

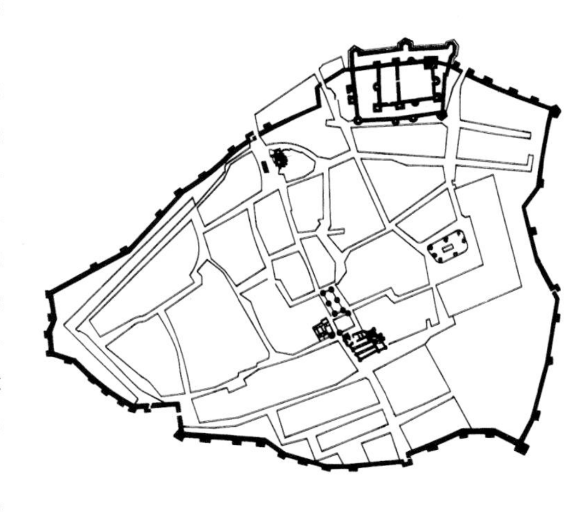

EN HAUT:
Niebla, plan de la ville et de l'Alcázar (A. Marín Fidalgo)

Niebla, enceinte de la ville
La ville, située sur une colline, est entourée de remparts de trois kilomètres de long. Remparts et Alcázar datent de l'époque islamique.

Badajoz, remparts

Badajoz, Torre de Espantaperros

mosquée almohade transformée en église, l'ermita de Cuatrohabitan (page 156). La salle de prière a trois nefs, séparées par deux rangées de cinq arcs simples à alfiz; l'entrée est à l'emplacement du mihrâb disparu. Le minaret, situé au Nord, est de plan carré comme la Giralda, mais il n'a que 3,28 mètres de côté; il est construit en briques. Les quatre faces de la tour sont différentes: l'une est lisse tandis que les trois autres, très semblables mais non identiques, présentent trois panneaux en retrait, superposés, dans lesquels s'ouvrent deux meurtrières; celles des deux niveaux inférieurs sont encadrées d'arcs géminés polylobés. Ce minaret est une réplique modeste mais harmonieuse de la Giralda. Il n'est pas daté mais remonte probablement aux années 1198–1248.

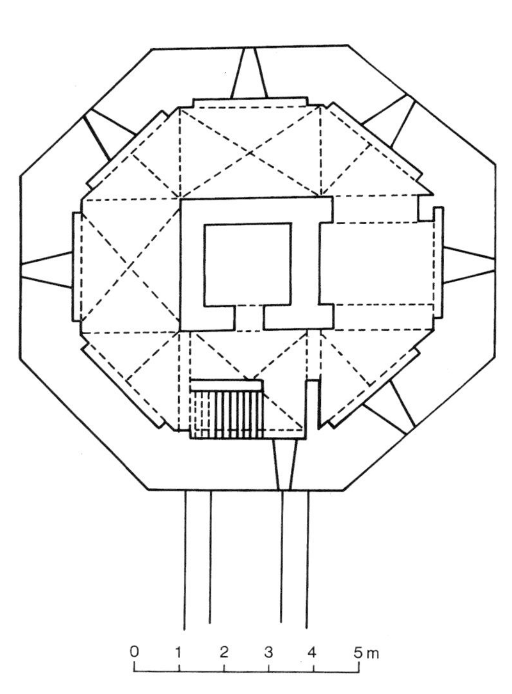

Badajoz, Torre de Espantaperros, plan (L. Torres Balbás)

Autres mosquées almohades du Sud-Ouest

Dans la cour de l'actuelle église Santa María de la Granada à Niebla (page 159), dont l'histoire est encore mal connue, il reste des colonnes surmontées d'arcs brisés polylobés qui remontent à une phase de construction almohade; le minaret, transformé en clocher, appartient sans doute à la même époque. Le mihrâb de la salle de prière à trois nefs est conservé. Toujours à Niebla, l'église San Martín, aujourd'hui ruinée, possède une arcade de briques qui pourrait être almohade (page 159, en haut à droite).[163]

La mosquée de l'Alcázar de Jérez de la Frontera, l'actuelle Capilla de Santa María la Real,[164] correspond à un type très différent et à première vue surprenant (pages 160, 161): la salle de prière a un plan carré d' à peine 10 mètres de côté et est couverte d'une vaste coupole octogonale. Sur le côté Nord-Ouest, trois arcades donnent sur une petite cour avec un déambulatoire en U; le minaret est placé dans l'angle Nord; il y a un bassin au centre de la cour et, dans l'angle Nord-Est, un puits profond qui a conservé sa margelle en céramique. L'édifice est construit en briques. La salle à coupole est orientée: le

Niebla, porte de la ville, XIe siècle

Niebla, vestige de l'église San Martín
Cette église, en ruines, occupe l'emplacement d'un édifice antérieur, probablement almohade.

Niebla, Santa María de la Granada
L'histoire de la construction de cette église est compliquée et comporte certainement une phase almohade.

mihrâb est une profonde niche carrée surmontée d'une coupole (restaurée) qui se trouve répétée, en plus petit, aux angles du mur qibla, car les écoinçons triangulaires derrière les grandes arcades diagonales supportant la coupole principale sont surmontés d'une coupole du côté qibla, et d'une simple demi-voûte d'arêtes du côté cour.

Les mosquées almohades ont généralement des nefs multiples, et celle de l'Alcázar de Jérez paraît si exceptionnelle que l'on a songé à une salle à trois nefs transformée ultérieurement. Mais tout prouve qu'on a là le plan original. Cette mosquée est un oratoire de palais comme celui de l'Aljafería, et les deux édifices présentent le même plan en octogone inscrit dans un carré. L'architecte de la mosquée de l'Alcázar ne s'est cependant pas contenté de reprendre la tradition ancienne du plan centré pour l'oratoire privé; les trois petites coupoles du côté qibla, qui orientent l'ensemble de l'édifice, l'adaptent aux exi-

Jérez de la Frontera, Alcázar

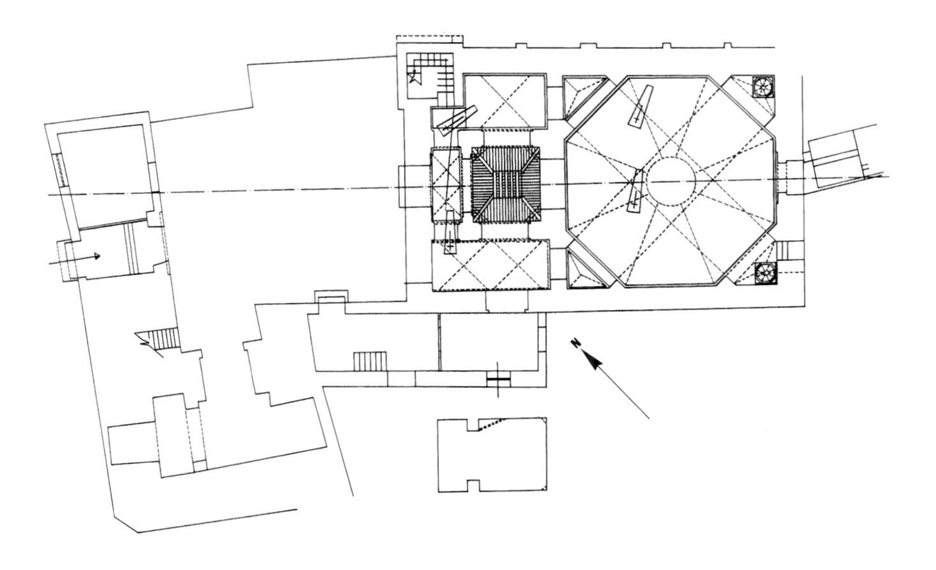

Jérez de la Frontera, Alcázar, plan de la mosquée (A. Jiménez Martín)

Jérez de la Frontera, Santa María la Real, Alcázar, ancien minaret

gences idéologiques d'une époque nouvelle. Cet édifice, particulièrement harmonieux et sobre, date probablement de la fin du XIIe siècle et appartient à l'apogée de l'architecture almohade en Espagne.

Palais et forteresses

Seule Séville a conservé des restes de son palais almohade, mais ceux-ci ne permettent plus de restituer l'ensemble.[165] A l'intérieur de l'Alcázar actuel, maints cuarto et patio doivent remonter au palais almohade; mais celui-ci a été tant de fois détruit, reconstruit et modifié que la datation des différents éléments est un exercice aléatoire. La plupart des constructions datent, dans leur aménagement actuel, de l'époque de Pierre le Cruel qui fit venir des artisans de l'Espagne nasride au cours du troisième quart du XIVe siècle, pour

Séville, Alcázar, vue ancienne

se faire élever un palais à son goût (pages 154, 164 à 168). Les inscriptions à la gloire d'Allah n'indiquent pas, ici, un commanditaire islamique (pages 154, 166). L'ensemble almohade avait été transformé dès le XIIIe et le début du XIVe siècle; en outre il est difficile de déterminer clairement ce que les Almohades ont conservé des palais 'abbâdides de Mu'tamid. De plus, il y eut de nouvelles réfections aux XVe et XVIe siècles qui sont, elles, généralement identifiables. Des parties qui sont certainement almohades, le Patio del Yeso (page 163) – un jardin allongé avec des parterres et un canal – mérite une attention toute particulière. Les édifices qui le délimitent sont construits en briques; l'un des longs côtés est occupé par un portique à sept arcades: la haute arcade centrale, brisée, a ce profil polylobé alors courant avec une alternance de segments d'arc de diamètre différent, avec des œillets qui rappellent les bordures de feuille de vigne, et des pendentifs dessinant un «profil à lambrequins»; les écoinçons sont décorés des habituels réseaux d'arcades aveugles entrelacées. La baie centrale est flanquée, sur chaque côté, de trois arcades «végétales» (les «Blattbögen» de Christian Ewert) au-dessus desquelles s'élèvent des panneaux ajourés de losanges polylobés. Sur l'un des petit côtés, une grande baie arquée donne accès à une salle à coupole que modifièrent les maîtres chrétiens de l'Alcázar. Dans le Patio de las Banderas, la coupole à nervures de stuc avec un couronnement à mouqarnas est probablement elle aussi almohade.[166] Le «Crucero» (page 131) déjà mentionné à propos du palais d'al-Mu'tamid est un jardin dont les allées surélevées se coupent à angle droit, avec des bassins et des massifs d'orangers[167] en contrebas; il occupe l'emplacement d'un jardin plus ancien du palais 'abbâdide. Un bassin circulaire marque l'intersection des allées, ses parois portent de beaux décors peints. Certains des soubassements des allées présentent également des restes de peintures, dont le vocabulaire formel est déjà connu par les décors en stuc; les couleurs – des jaunes, des beiges, des roux et des bruns – remplacent peut-être les couleurs absentes en hiver.[168]

La salle qui se trouve sur le long côté du Patio del Yeso (ci-contre) et qui remonte certainement à l'époque almohade, présente un motif désormais de rigueur dans l'architecture domestique de l'Occident islamique: les petites fenêtres à claustra de plâtre délicatement sculpté surmontant la porte des salles d'apparat, qui laissent filtrer une lumière discrète et permettent l'aération des pièces, même quand la porte est fermée. Les nombreux chapiteaux de facture califale (page 167) réutilisés dans l'Alcázar proviennent vraisemblablement de Madînat al-Zahrâ'; ils ont subsisté dans le palais chrétien grâce sans doute aux Almohades, qui les appréciaient assez pour les remployer jusque dans les mosquées.[169]

Une évidence s'impose devant ces quelques vestiges de palais almohades:[170] on n'y retrouve pas l'austérité tant prisée par Ibn Tûmart, et qui est sensible dans l'architecture religieuse. Riche décor architectural, jeux d'eau, bosquets d'agrément odoriférants s'unissent dans le «hortus conclusus», pour créer le cadre raffiné d'un art de vivre subtil, et le Patio del Yeso, en ce sens, est déjà très proche des jardins de l'Alhambra. Le parc qui s'étend aujourd'hui encore en arrière de l'Alcázar est probablement d'origine almohade. La Marrakech almohade était célèbre, elle, pour ses vastes parcs avec de grands plans d'eau artificiels, dont certains existent encore.

L'époque almohade correspond à la dernière tentative de stabilisation de l'islam en Espagne. On construisit ou rénova des édifices défensifs de toute

EN HAUT ET EN BAS:
Séville, Alcázar, Patio del Yeso
Le Patio del Yeso a conservé en grande part son aspect almohade. Cette façade tripartite, avec son décor ajouré de losanges végétaux, généré par l'entrecroisement des arcs, est l'un des rares exemples conservés de l'architecture palatiale almohade.

Séville, Alcázar, pièce à proximité du Patio del Yeso
La vasque circulaire posée à même le sol au milieu d'une salle à coupole est caractéristique des belles pièces d'habitation dans les palais islamiques du moyen âge tardif.

A DROITE:
Séville, Alcázar, Patio de las Muñecas
Les chapiteaux et les colonnes sont des remplois du califat umayyade, amenés à Séville peut-être déjà dès l'époque d'al-Mu'tamid ou, au plus tard, sous les Almohades, ils proviennent sans doute de Madînat al-Zahrâ'.

PAGES 164, 165:
Séville, Alcázar, Salón de Embajadores
La conception et le décor de la salle de réception de Pierre le Cruel sont largement influencés par l'architecture nasride contemporaine. C'est l'un des plus célèbres exemples de l'art mudéjar à Séville.

sorte dans l'ensemble du pays (et pas seulement dans les régions frontalières), tant pour résister à la Reconquista, que pour tenir fermement l'administration d'un pays resté largement berbérophobe: remparts, citadelles urbaines, châteaux forts. Cordoue et Séville, l'ancienne et la nouvelle capitale, Badajoz (page 158), Cáceres, Trujillo et Montanchez dans l'Estremadure, plus loin au Sud Ecija, Jérez de la Frontera (page 160) et Gibraltar (page 25) – toutes ces villes furent alors pourvues de nouveaux systèmes défensifs. Alcalá da Guadaira est une fondation de cette époque (page 145). Dans l'Est, les régions de Valence, d'Alicante et de Murcie se virent dotées, vers la fin du XIIe et au début du XIIIe siècle, de nouvelles structures fortifiées,[171] et les nombreux sommets couronnés de ruines pittoresques témoignent aujourd'hui encore de ces derniers affrontements entre chrétienté et islam dans le Sud-Est d'al-Andalus.

Dans certaines villes, on construisit des murs renforcés de tours et munis de chemin de ronde en avant du haut rempart principal (par exemple à Cordoue et à Séville). Les tours se transformèrent également: la plupart d'entre elles restent carrées, mais elles sont parfois aussi rondes ou polygonales (page 158);[172] plus importantes, elles sont en plus forte saillie sur la courtine que celles des siècles antérieurs; leur base est toujours massive, mais des salles sont aménagées au niveau du chemin de ronde, surmontées de terrasses à merlons et créneaux. Les tours albarranes sont une nouveauté: ce sont des tours de flanquement érigées à une certaine distance du rempart principal, auquel elles sont reliées par un mur. Au-dessus de la base massive, ces tours possèdent des salles de garde, parfois sur plusieurs niveaux; leur terrasse est couronnée d'un parapet à merlons. Le matériau de construction le plus fréquent est toujours le pisé, souvent avec un décor peint de joints imitant un grand appareil; pour les portes et les tours, ce sont la brique et la pierre de taille. Mais dans bien des régions reculées, on continua à construire selon les modes et les techniques séculaires: ainsi par exemple dans la Sierre de los Filabros, on retrouve des constructions en grandes dalles d'ardoise et en terre.[173] Il est difficile, voire impossible, de dater précisément aujourd'hui la plupart de ces burûdj, husûn, qusûr, qilâ, qulay'ât, qaryât et qasabât de l'Andalousie,[174] toutes ces installations fortifiées, nombreuses et variées, qui recouvrent le pays d'un filet de mailles serrées et qui servaient à des fins d'administration, de défense, d'offensive et de stockage de réserves alimentaires.

On mentionnera tout particulièrement la Calahorra de Cordoue (pages 138, 139) et la Torre del Oro à Séville (pages 136, 170, 171). Les deux monuments sont non seulement des symboles d'un pouvoir prestigieux et exigeant, mais aussi des têtes de pont efficaces. La Torre del Oro, une tour de plan dodécagonal avec une cage d'escalier centrale hexagonale, avait à l'origine trois étages; elle servait de tour d'angle à l'enceinte de la ville; il semble y avoir eu une seconde tour semblable de l'autre côté du Guadalquivir pour tendre, en cas de menace, une chaîne et verrouiller le port. La tour tient son nom des tuiles en faïence lustrée à reflets dorés qui la recouvraient à l'origine.

Le Sud-Est d'al-Andalus ne s'était jamais vraiment soumis ni aux Almoravides ni aux Almohades, et avait toujours conservé ses aspirations d'indépendance. C'est donc à juste titre que l'on peut parler pour Valence et Murcie du règne des Taifas almoravides puis almohades. Ces tentatives centrifuges s'expriment-elles dans le domaine de l'histoire de l'art, par un langage, un style spécifiques? Les fouilles archéologiques menées ces dernières années à Murcie

Séville, Alcázar, entrée de la Salle de Justice
La façade de la cour intérieure est évidemment inspirée du Patio del Yeso almohade (page 163), dont elle n'a cependant pas l'harmonie ni le rythme vigoureux.

Séville, Alcázar, pavillon moderne dans le parc
Le décor de ce pavillon révèle la fidélité aux formes de l'époque maure.

PAGES 169, 170:
Séville, Alcázar, détail des mosaïques de faïence

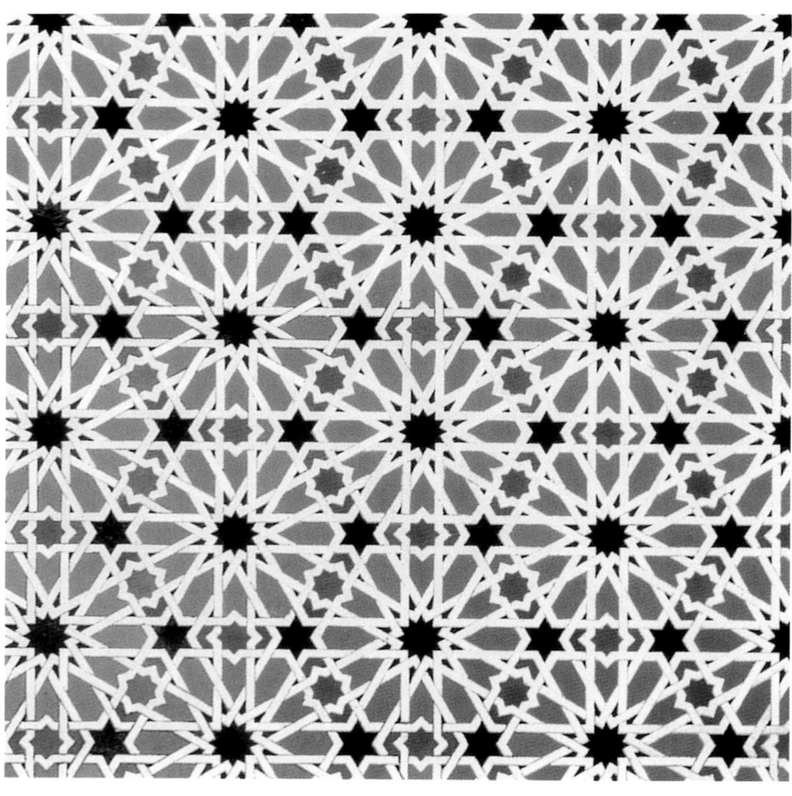

Séville, Torre del Oro
Il y avait vraisemblablement une autre tour dodécagonale identique de l'autre côté du Guadalquivir, qui permettait de fermer le port en tendant une chaîne. Cette tour est une remarquable tête de pont fortifiée, mais c'est aussi une démonstration de puissance de la dynastie almohade.

Cieza, plan de l'ancienne forteresse (J. Navarro Palazón)

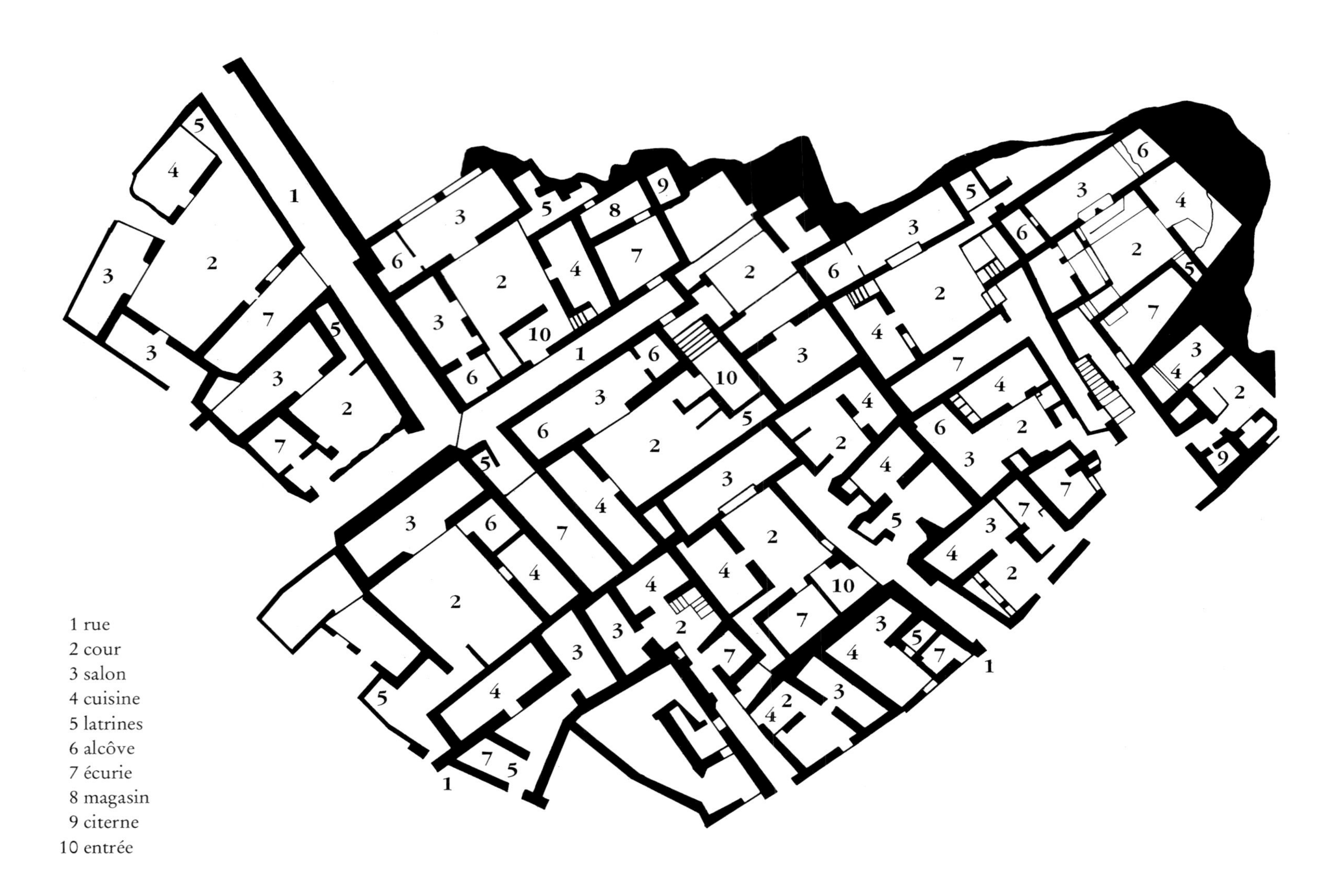

Cieza, ruines de l'ancienne ville islamique
La ville, abandonnée après la reconquête chrétienne, domine la vallée du Segura. Elle est en cours de fouilles depuis plusieurs années.

Paysage près d'Archidona
Archidona offre une vision fréquente en Andalousie: les ruines d'un site fortifié islamique qui dominé la ville.

et dans les environs tendent à le confirmer.[175] Elles ont permis de faire des découvertes significatives et parfois exceptionnelles: ainsi par exemple sous l'actuel couvent Sainte-Claire, un palais richement décoré des XIIe et XIIIe siècles, avec notamment un plafond à mouqarnas peint. La céramique livrée par un puits situé dans le quartier Saint-Nicolas donne une idée des ustensiles de ménage courants à la fin de la période islamique à Murcie (pages 150, 151). Un peu partout, on a retrouvé de la vaisselle en céramique «esgrafiada»; c'est une céramique sans glaçure, recouverte d'une peinture noire à l'oxyde de manganèse avec un décor incisé, qui imite des objets en métal. Il faut également mentionner des supports de jarre de céramique en forme de maison, qui n'étaient attestés auparavant que dans l'orient islamique; certains de ces supports provenant de Murcie présentent même deux «maisons» sur une seule base.

La province de Murcie: Cieza

L'actuelle Cieza, au Nord de Murcie, est située dans la plaine du Segura, à l'Est d'un «despoblado», une ville islamique abandonnée nommée Siyâsa (page 172); après son annexion par le royaume de Castille, en 1243, elle fut désertée par ses habitants, apparemment sans destructions, et ne fut plus jamais réoccupée. Station sur la route de Cartagène à Tolède, la ville a été fondée à une époque inconnue (on y a trouvé des restes de céramique romaine) sur le sommet d'une colline.[176] La citadelle occupe l'angle Nord-Ouest de la ville, entourée d'un rempart; il y a un grand cimetière à l'extérieur des murs, au Sud. Jusqu'ici on a surtout fouillé le quartier Est, dans lequel ont été dégagées des habitations plus ou moins aisées, séparées les unes des autres par des ruelles, avec des cours intérieures, des pièces de réception, d'habitation et de stockage, des cuisines, des latrines et des puits. La mosquée n'a pas encore été découverte. Trouvailles archéologiques et sources historiques prouvent qu'au XIIe et au début du XIIIe siècle, la ville était prospère. Les décors des maisons se concentrent toujours dans le patio et la salle principale, rectangulaire, de grande dimension. Ce sont des stucs soigneusement sculptés et peints qui peuvent être répartis en trois groupes distincts: un premier groupe postcalifal, mais avec des réminiscences prononcées de formes umayyades, un deuxième groupe, apparenté au Patio del Yeso de Séville, et un troisième que Julio Navarro Palazón a qualifié de «protonasride», à cause de sa finesse et sa préciosité exceptionnelles.

Rayonnement dans le Nord chrétien

Dans les villes reprises depuis longtemps par les chrétiens, comme par exemple à Tolède, ou dans des centres qui n'avaient jamais été islamiques, on trouve parfois d'authentiques stucs almohades, ce qui prouve qu'en dépit des progrès irréversibles de la Reconquista, les seigneurs chrétiens furent séduits par l'artisanat de leurs ennemis vaincus. Les chapiteaux en stuc et les décors pariétaux de l'ancienne synagogue Santa María la Blanca à Tolède,[177] ou les stucs de la Capilla de la Asunción, dans le monastère Las Huelgas près de Burgos, sont purement almohades (pages 176, 177). Las Huelgas fut fondé en 1187 par Alphonse VIII pour sa femme Aliénor, fille de Henry II d'Angleterre. La Capilla de la Asuncíon n'a sans doute été achevée qu'au début du XIIIe siècle; son décor marque un point d'aboutissement de l'art almohade, tout à fait inattendu ici, avec la coupole principale sur ses nervures en stuc, les trois petites coupoles à mouqarnas, les écoinçons et surtout les arcs polylobés à réminiscences végétales, les arcs recti-curvilignes, les arcs à lambrequins ainsi

Burgos, monastère Las Huelgas, Capilla de Santiago, coupole en bois
Ce monastère cistercien, fondé à la fin du XIIe siècle par Alphonse VIII, dépendait directement de la couronne. De nombreux détails du décor architectural, dans le cloître San Fernando et dans deux des chapelles, prouvent l'admiration des élites chrétiennes pour l'art maure à l'époque de la Reconquista. Cette coupole de bois polychrome, avec ses motifs en étoile et les placages de stuc des voûtes du grand cloître (page 175) sont des œuvres mudéjares qui datent du XIIIe siècle; mais bien que de «style maure», elles n'ont pas forcément été exécutées par des musulmans.

que les motifs de remplissage en demi-palmettes asymétriques à bordure lisse et en bourgeons également lisses. Les stucs des voûtes du cloître principal du monastère (ci-contre) doivent être à peu près contemporains, et bien que sans doute exécutés par des maîtres mudéjars, leur répertoire formel demeure redevable aux principes almohades qui se manifestent, sous une forme plus pure, dans la chapelle voisine.[178] C'est la survie séculaire de l'héritage hispano-islamique dans l'art hispano-chrétien qui s'annonce dans cette chapelle privée.

De tout temps, il y eut des berbères dans l'Espagne islamique, mais tout comme les Turcs sous les premières dynasties islamiques du Proche-Orient, ils occupèrent longtemps une place subalterne dans la société. Lorsque des dynasties berbères prirent enfin le pouvoir, des siècles plus tard, ils rencontrèrent l'hostilité résolue de l'ancienne couche dominante. Mais ce contact et ce renversement furent prodigieusement stimulants pour les deux protagonistes. Du temps des Almoravides, c'était l'Andalousie qui demeurait centre de rayonnement en ce qui concerne l'architecture, tandis que le Maroc faisait figure de terre d'accueil; en revanche, la relation s'inversa sous les Almohades, qui avaient intégré le legs des Almoravides. Rarement architecture fut utilisée plus délibérément comme expression et véhicule d'une volonté souveraine que sous les califes almohades qui, malgré la conscience qu'ils avaient de leur propre pouvoir, ne cherchèrent jamais à occulter le passé umayyade, mais bien au contraire à rappeler, comme un moyen de légitimation, la splendeur du Califat de Cordoue.

Burgos, monastère Las Huelgas, cloître San Fernando, décor de stuc

Burgos, monastère Las Huelgas, détail de décor en stuc, les armes de Castille.

PAGES 176, 177:
Burgos, monastère Las Huelgas, Capilla de la Asunción
Les stucs des voûtes et des arcades proviennent sans doute d'ateliers almohades.

1237–1492

Le règne des Nasrides

Muhammad ibn Yûsuf ibn Nasr, le fondateur de la dynastie nasride, appartenait à la famille arabe des Banû l-Ahmar. A la faveur de la dissolution de l'empire almohade, il réussit à saisir le pouvoir à Arjona (près de Jaén) en 1232, puis en 1233 à Jaén même; en 1234 il tint Séville pendant un mois; en 1237, il s'installa à Grenade, fondation ziride du XIe siècle;[179] en 1238 enfin, il annexa au nouveau sultanat Almería, puis Málaga. Lorsque Ferdinand III prit Jaén en 1246, Muhammad se retira à Grenade et reconnut sa suzeraineté: il accepta de payer régulièrement tribut et de participer aux expéditions guerrières des chrétiens, par exemple contre Séville, encore islamique. En échange, il vit son autorité reconnue sur une région qui s'étendait de Tarifa au Sud jusqu'à une soixantaine de kilomètres à l'Est d'Almería, et dont la frontière Nord se situait dans la région de Jaén. Il ne faut pas imaginer cette frontière comme une ligne précise et immuable: pendant toute l'histoire du sultanat, elle varia au gré des succès des armes. Le royaume de Grenade correspond en gros aux provinces actuelles de Grenade, Málaga et Almería (page 181). La conquête de cette région montagneuse, dont les côtes offraient par ailleurs d'excellentes rades aux éventuels corps expéditionnaires africains, parut sans doute trop coûteuse aux Castillans, d'autant plus que Muhammad était un vassal fidèle.

A l'époque de ce dernier règne islamique de la péninsule ibérique, baladiyyûn, shamiyyûn, muwalladûn et berbères s'étaient fondus depuis longtemps déjà en une population homogène arabo-islamique qui se distinguait, selon Ibn al-Khatîb (historien et vizir de Grenade) par «sa taille moyenne, la blancheur de sa peau, la régularité de ses traits, la vivacité de son esprit et son aptitude à l'enseignement . . . »[180]

Les communautés mozarabes avaient en grande part disparu, la plupart de leurs membres s'étant enfuis vers l'Espagne chrétienne au moment des persécutions, sous les Almoravides et les Almohades. Il y avait pourtant des chrétiens à Grenade: d'une part dans la garde personnelle du sultan, d'autre part dans les comptoirs commerciaux, où est attestée la présence de Catalans, de Florentins, de Vénitiens et surtout de Génois. S'y ajoute un nombre considérable de prisonniers qui, amenés par les razzias et la piraterie, furent rachetés ou forcés d'accomplir des travaux pénibles. Le pouvoir de la communauté juive avait été considérable du temps des Zirides, mais avait été brisé par le pogrome de 1066. Les persécutions juives furent courantes en Andalousie du temps des Almohades et plus tard dans toute l'Espagne sous les Rois Très Chrétiens. En revanche, les sultans nasrides acceptèrent volontiers des réfugiés juifs. Médecins, interprètes, artisans et commerçants, ils participèrent à la vie culturelle et économique de Grenade; commerçants, ils jouèrent un rôle d'intermédiaire entre les grandes maisons commerciales de l'étranger et la population locale.[181] L'afflux des musulmans fuyant les régions reprises par les chrétiens vint également augmenter la population de Grenade. A cette époque, les pentes de l'Albaicín furent occupées par des réfugiés du Levant andalou. La politique extérieure de Grenade s'épuisait dans de perpétuels louvoiements entre des voisins trop puissants, les princes chrétiens et les émirs berbères qui, de leur côté, nouaient des alliances toujours fluctuantes.

Depuis la chute des Almohades, une nouvelle dynastie berbère avait pris les rênes du pouvoir au Maroc. Ce sont les Mérinides, qui nomadisèrent dans l'Est du pays au XIIe et au début du XIIIe siècle, avant de conquérir, vers le milieu du XIIIe siècle, Taza, Fès, Meknès et Salé, et, vingt ans plus tard, Marrakech. L'assise de leur pouvoir n'était d'origine ni dynastique, ni religieuse, ce qui explique sans doute qu'ils mirent d'autant plus en avant comme légitimation l'argument du djihâd. Mais les six campagnes qu'ils menèrent en Espagne entre 1275 et 1291 ne leur acquirent pourtant pas de succès durables; la défaite décisive du Rio Salado, en 1340, marque la fin de la politique du djihad des Mérinides. Ils réussirent néanmoins à maintenir pendant assez longtemps leur autorité sur Tarifa, Algeciras et Ronda. Bien qu'elle ait été théoriquement soumise soit aux Nasrides, soit aux Mérinides, cette dernière ville conserva en réalité une indépendance relative jusqu'à sa prise par Ferdinand, en 1485.

Dans le domaine intérieur, les Nasrides eurent souvent à lutter contre des rébellions de potentats qui cherchaient appui auprès des voisins chrétiens ou marocains. Grenade connut sa véritable grande époque au XIVe siècle, sous le règne de Yûsuf I (1333–54) et de Muhammad V (1354–59 et 1362–91). Le règlement des conflits intérieurs du sultanat fut souvent facilité par les bonnes relations qu'il entretenait avec la Castille et le Maroc. Dans l'ensemble, le XIVe siècle fut une période de prospérité économique; l'agriculture intensive, l'artisanat de haute qualité et le développement des relations commerciales offrirent une base solide à l'épanouissement culturel de Grenade, célèbre à juste titre.

Ronda, cathédrale
La cathédrale conserve encore des restes de décor stuqué appartenant à un mihrâb de la fin du XIIIe siècle.

Ronda, Puente San Miguel
La ville, installée sur un plateau rocheux, est coupée en deux par une gorge profonde (le Tajo) au fond de laquelle coule le Gualdalevin: au Sud, l'ancienne ville maure et au Nord, la ville moderne. Les trois ponts au-dessus du Tajo sont impressionnants.

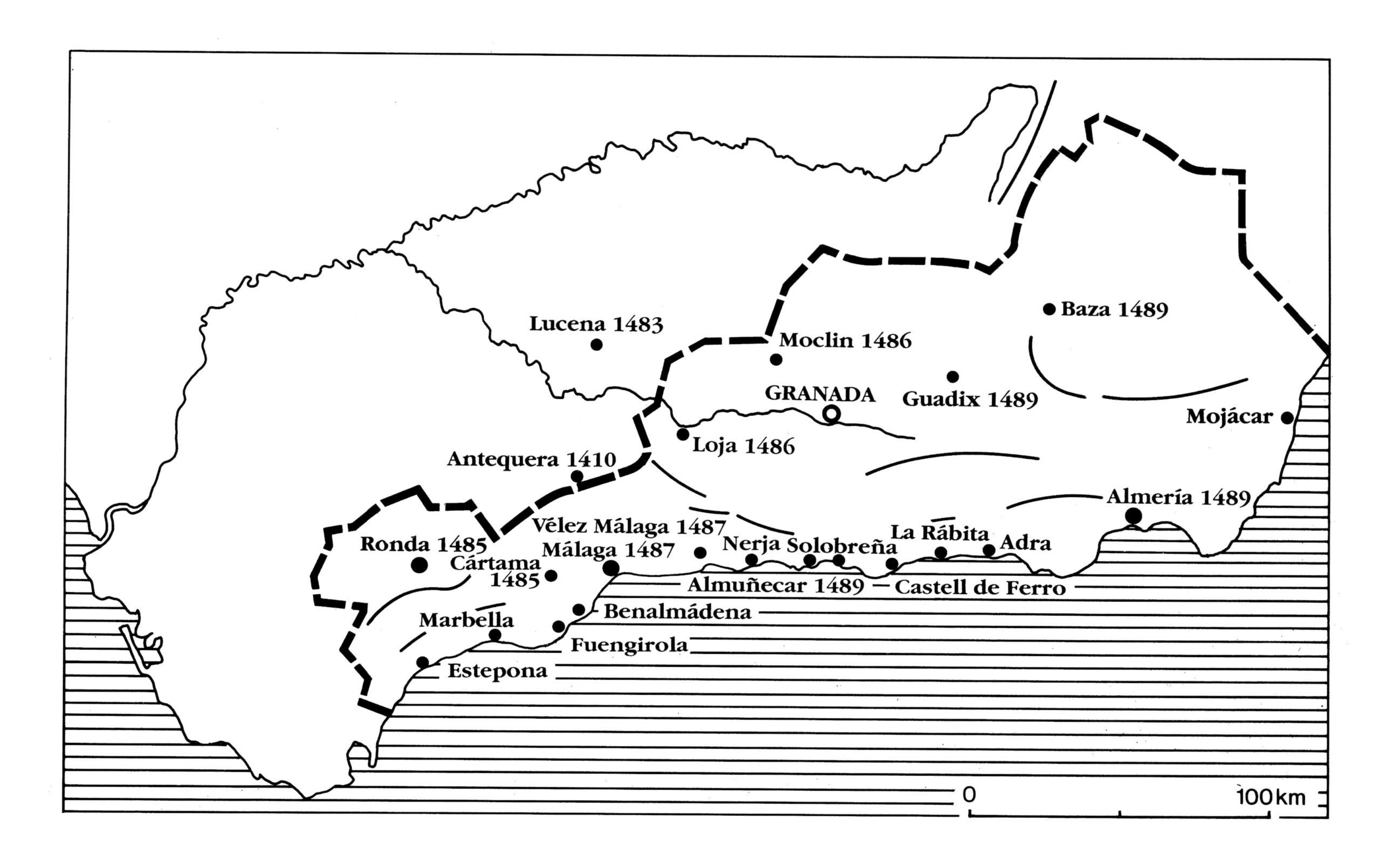

Carte du sultanat nasride de Grenade (R. Arié)

Des disputes pour le pouvoir au sein de la famille nasride – les prétendants et leurs partisans ne se préoccupant que de leur intérêt personnel du moment – affaiblirent Grenade alors que s'accentuait la menace chrétienne. L'unification de l'Aragon et de la Castille, grâce au mariage de Ferdinand et d'Isabelle en 1469, scella la chute du sultanat. Antequera était tombé dès 1410, Gibraltar et Archidona avant 1464; Málaga se soumit en 1487, Almería en 1489. Le dernier Nasride, Abû 'Abd Allâh Muhammad XII, le Boabdil des Espagnols, quitta l'Alhambra en janvier 1492.

Si l'histoire politique de l'Espagne islamique s'achève avec ce départ, son influence culturelle devait cependant rester prégnante pendant des siècles, non seulement en Afrique du Nord, où la Grenade nasride demeura un modèle culturel déterminant jusqu'à l'époque moderne, mais également dans l'Espagne chrétienne, où l'art mudéjar trouva un large écho. Mais ce fut aussi le début d'une période d'intolérance qui atteignit avec l'Inquisition à des sommets d'horreur et vit l'éradication définitive de l'islam avec les édits d'expulsion de 1609 et 1614.

L'architecture nasride

L'Alhambra – de la forteresse à la ville royale

«La ville de Grenade est vraiment sans égale,
Le Caire, Damas, d'Iraq la capitale
ne sont que le prix de la fiancée
Face à Grenade, fiancée dévoilée»

«Béni de Dieu est le balcon de la Vega! Des ruisseaux argentés courent entre les buissons et les prés d'émeraude; le zéphyr de son Najd, du Hauz la vision enivrent les sens et la raison, nul chant de louange ne dirait assez la gloire de cette région.»

«Dieu bénisse les beaux jours vécus dans l'Alhambra!
La nuit finie, tu y allais au rendez-vous,
Le sol semblait d'argent, mais déjà le soleil
Enveloppait de ses voiles d'or la Sabîka.»[182]

Aujourd'hui encore, Grenade est une oasis luxuriante dans un paysage montagneux et dénudé. Si la ville était un centre important depuis le XIe siècle, la colline de la Sabîka n'avait toujours qu'une citadelle modeste. C'est là qu'allait se dresser l'Alhambra («al-qal'a al-hamrâ'», «la Citadelle Rouge») des Nasrides, avec ses enceintes de pisé rougeoyant couronnées de merlons; à ses pieds s'étale en demi-cercle Grenade, reliée à la citadelle par une haute muraille. L'Alhambra fut dès l'origine une ville royale, régnant sur la cité bourgeoise en contrebas, et sur tout le sultanat du même nom. A cet égard, elle s'inscrit directement dans la tradition de Madînat al-Zahrâ' et de la Qasaba almohade de Marrakech, beaucoup plus que dans celle des palais et des citadelles moins complexes des Reyes de Taifas. Ses fortifications et sa situation stratégique très protégée en font une ville royale caractéristique du Moyen-Age tardif; c'est une synthèse entre les constructions palatiales des premiers siècles de l'islam et l'architecture défensive médiévale, considérablement développée par des siècles de menace.

L'Alhambra s'étend sur une plate-forme étroite d'environ 720 mètres de long sur 220 mètres de large, qui couronne une colline escarpée, la Sabîka, un des derniers contreforts de la Sierra Nevada. A l'Ouest, la plate-forme tombe presque à pic vers la médina et le Darro; du côté Est, elle est séparée par un ravin de la montagne. Elle ressemble à un «énorme bateau ancré entre la montagne et la plaine» et surplombe la vallée encaissée du Darro sur son versant Nord et la plaine du Genil et de la Vega sur son flanc Sud (pages 184, 185).

Les remparts, avec leurs vingt-trois tours et leurs quatre portes, abritaient

Grenade, Alhambra
Vue du Generalife sur la Torre de las Damas, le Partal, le Peinador de la Reina et la Torre de Comares.
L'Alhambra est une citadelle très bien fortifiée en même temps qu'un somptueux palais de réception qui possédait aussi des quartiers d'habitation privés.

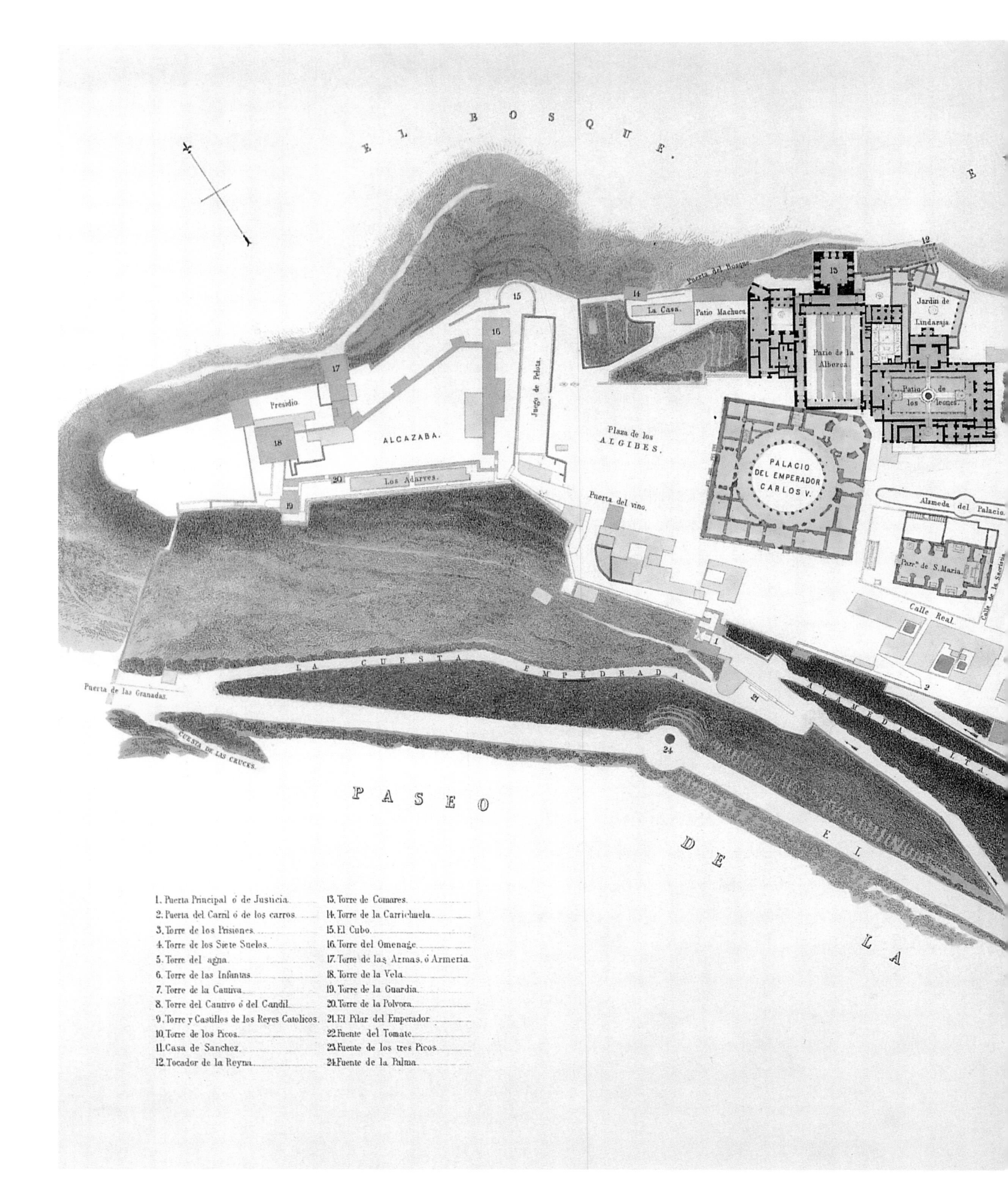
EL BOSQUE.
Puerta del Bosque
La Casa.
Patio Machuca
Jardin de Lindaraja
Patio de la Alberca
Patio de los leones
Presidio
ALCAZABA.
Juego de Pelota
Plaza de los ALGIBES.
Los Adarves.
PALACIO DEL EMPERADOR CARLOS V.
Puerta del vino.
Alameda del Palacio.
Parr.ia de S. Maria.
Calle Real.
Calle de la Sacristia
LA CUESTA EMPEDRADA.
ALAMEDA ALTA
Puerta de las Granadas.
CUESTA DE LAS CRUCES.
PASEO DE LA
1. Puerta Principal ó de Justicia.
2. Puerta del Carril ó de los carros.
3. Torre de los Prisiones.
4. Torre de los Siete Suelos.
5. Torre del agua.
6. Torre de las Infantas.
7. Torre de la Cautiva.
8. Torre del Cautivo ó del Candil.
9. Torre y Castillos de los Reyes Catolicos.
10. Torre de los Picos.
11. Casa de Sanchez.
12. Tocador de la Reyna.
13. Torre de Comares.
14. Torre de la Carrichuela.
15. El Cubo.
16. Torre del Omenage.
17. Torre de las Armas, ó Armeria.
18. Torre de la Vela.
19. Torre de la Guardia.
20. Torre de la Polvora.
21. El Pilar del Emperador
22. Fuente del Tomate.
23. Fuente de los tres Picos
24. Fuente de la Palma.

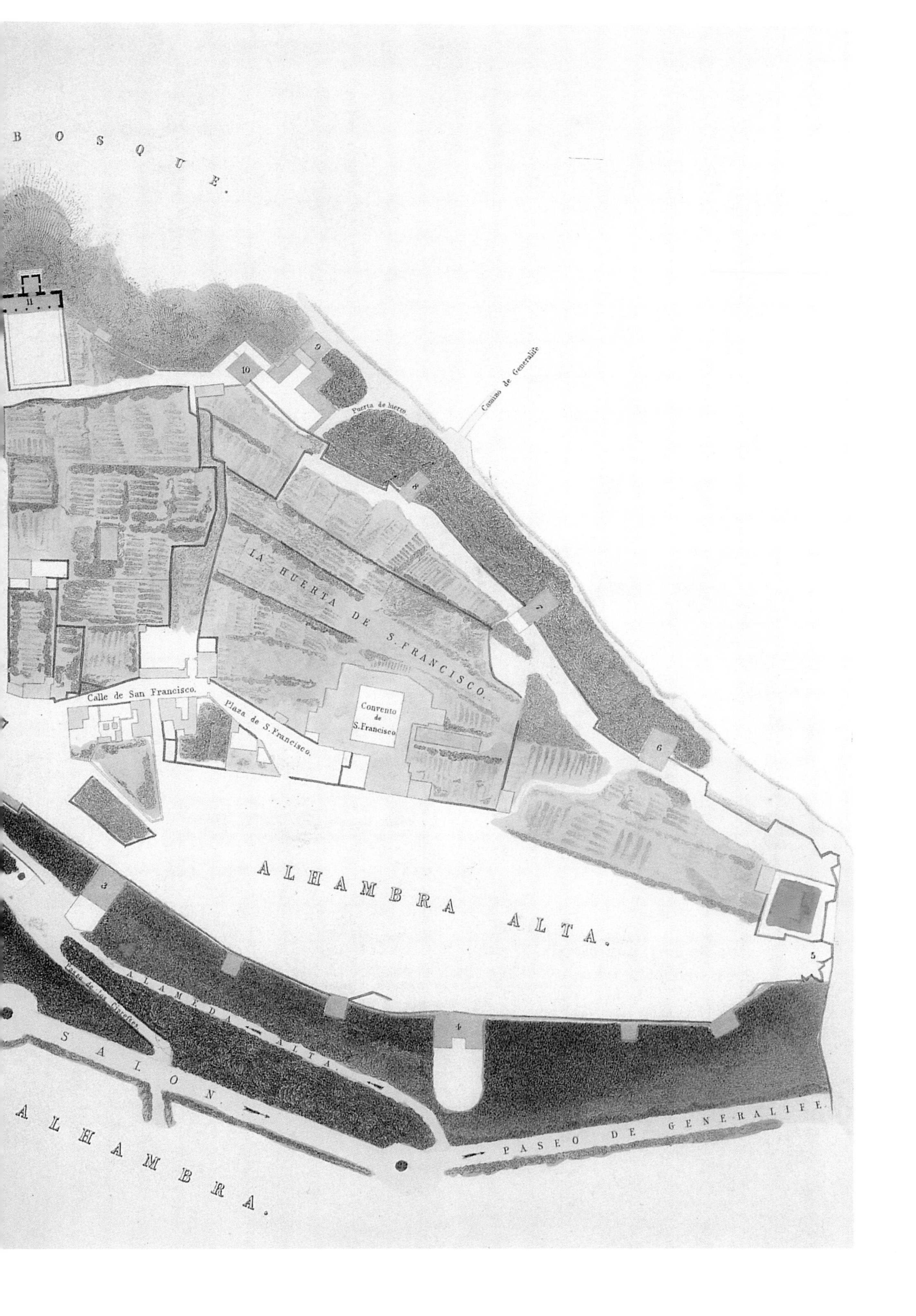

BOSQUE.
Puerta de hierro
Camino de Generalife
LA HUERTA DE S. FRANCISCO.
Calle de San Francisco.
Plaza de S. Francisco.
Convento de S. Francisco
ALHAMBRA ALTA.
ALAMEDA ALTA.
SALON.
ALHAMBRA.
PASEO DE GENERALIFE.

PAGES 184, 185:
Grenade, Alhambra, plan d'Owen Jones (1842)

EN BAS:
Grenade, Alhambra, Palais de Comares et Palais de la Cour des Lions, plan d'Owen Jones (1842)
Ce plan ancien est juste dans l'ensemble, mais il y a quelques erreurs de noms pour les parties occidentales: il faut lire, par exemple, «Mexuar» à la place de «Mezquita». Il n'y a là en fait qu'une seule petite salle de prière (la petite pièce en oblique sur le petit côté Nord de la «Mezquita») que Jones n'a pas identifiée et dont il a transformé la niche du mihrâb en passage. Aujourd'hui, le «Patio de la Mezquita» est le «Cuarto Dorado», l'entrée principale du Palais de Comares.

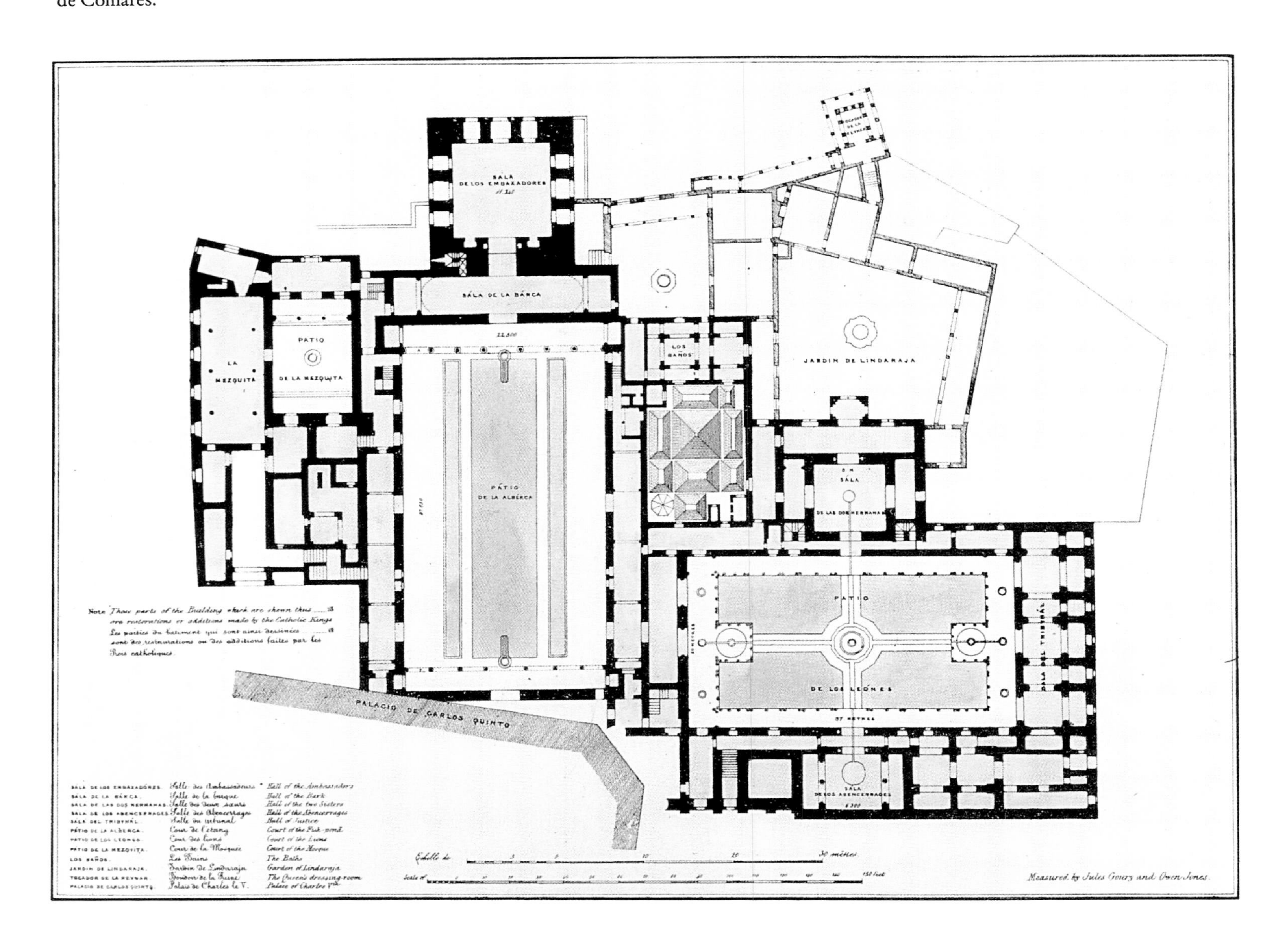

sept palais, des habitations correspondant à différentes catégories sociales et de multiples services gouvernementaux: des bureaux, la monnaie royale, des ateliers, des garnisons et des prisons, des mosquées et des bains publics et privés, la nécropole royale, des jardins, un ouvrage avancé (les Torres Bermejas), un palais d'été (le Generalife) et une forteresse du XIe siècle construite par les Zirides à la pointe occidentale de la Sabîka, en face de la médina (Tour de la Vela). L'Alhambra possédait une «ville haute» au Sud-Est et une «ville basse» au Nord-Ouest, reliées par deux axes longitudinaux traversant l'ensemble de l'aire, les actuelles Calle Real et Calle Real Baja. Les édifices plus modestes ont disparu, car on a conservé les palais les plus somptueux, ce qui fausse l'image actuelle de l'Alhambra. Comme les autres villes royales islamiques, elle avait ses échoppes et ses ateliers, ses pauvres et ses riches.

Pour les musulmans hispaniques, le sultanat de Grenade constituait le dernier refuge sur la presqu'île ibérique, et l'Alhambra était leur fierté. Les Rois

Grenade, Alhambra, photo aérienne, vue vers le Sud-Est
L'Alhambra s'étire, «tel un gigantesque vaisseau amarré entre montagne et plaine», sur un contrefort de la Sierra Nevada, au-dessus de la plaine fertile de la Vega. Il y a une extraordinaire symbiose visuelle entre la nature et l'architecture. L'écrasant palais de Charles-Quint a définitivement transformé la ville royale nasride.

Grenade, Alhambra, Palais du Partal
Le palais constitue une sorte d'avant-corps monumental devant la Torre de las Damas, qui ouvre sur la perspective de la Cuesta del Rey Chico et la montagne au-delà. Cet édifice, apparemment dépourvu de patio, a sans doute été construit par Muhammad III; ce serait donc le plus ancien palais conservé de l'Alhambra.

Catholiques la reprirent sans la détruire, et s'y installèrent en préservant les palais. Le palais même de Charles-Quint n'est conçu que comme une sorte d'entrée impériale ajoutée à ceux de l'époque nasride, réaménagé et réoccupé par le Souverain (p. 187). Mais au XVIIe et XVIIIe siècles, on ne se souciait guère de la conservation des édifices musulmans. C'est seulement au cours des guerres napoléoniennes puis surtout à l'époque romantique que l'Europe commença à s'intéresser à la ville royale nasride. Entamée depuis plus d'un siècle, l'étude de l'Alhambra n'est pas encore achevée.[183] Certes, l'histoire de ses monuments est en gros connue, mais de nombreux détails restent encore dans l'ombre, et les fouilles continuent d'apporter régulièrement une moisson de résultats inattendus.

Muhammad Ier visita l'Alcazaba ziride peu après la prise de Grenade et fit rapidement aménager des adductions d'eau et construire une vaste enceinte, achevée par son fils et successeur Muhammad II. La Tour des Dames (page 182) et la Tour des Merlons, sur le flanc Nord, remontent probablement à cette époque. Muhammad III (1302–09) fit élever une Mosquée du Vendredi (à son emplacement se dresse actuellement l'église Santa María) et juste à côté, un bain public. La façade extérieure de la Porte du Vin date de ces années (page 191). Des recherches récentes attribuent au même souverain le palais du Par-

Grenade, Alhambra, Palais du Partal, plafond peint en marqueterie de bois

tal, qui serait donc le plus ancien palais de l'Alhambra. Bien que la petite mosquée adjacente porte des inscriptions au nom de Yûsuf Ier, la conception de cet ensemble revient sans doute à Muhammad III (pages 188–189). Depuis le début du XIVe siècle au plus tard, l'Alhambra paraît donc être une ville royale indépendante de la ville bourgeoise en contrebas. Mais les constructeurs les plus actifs furent Yûsuf Ier et surtout Muhammad V; ils firent détruire des bâtiments plus anciens et élever les somptueux édifices que l'on y admire aujourd'hui. Les tours «de las Armas», «de la Justicia» et «de Siete Suelos» avec leurs portes, ainsi que les tours «del Candil», «de la Cautiva», «de Machuca» et «de Comares» furent construites ou plus vraisemblablement reconstruites sur des bases plus anciennes, sous le règne de Yûsuf Ier; en tout cas ces travaux ne modifièrent pas le tracé de l'enceinte (pages 190, 191). Le Mexuar (du terme arabe «mashwar», «salle de conseil») (page 191) et le «Cuarto Dorado» remontent sans doute aussi à cette époque, bien que la magnifique façade Sud de ce dernier, qui constitue en même temps la façade d'entrée du palais de Comares, porte des inscriptions au nom de Muhammad V (pages 193, 218). La puissante Tour de Comares[184] abrite la «Salle des Ambassadeurs», la salle de trône de Yûsuf Ier, l'un des hauts-lieux de l'Alhambra (pages 182, 194, 195). La «Sala de la Barca» (de l'arabe «baraka», bénédiction) qui la pré-

Grenade, Alhambra, vue du Generalife vers le palais (photographie ancienne)
Le mur d'enceinte pourvu de tours qui s'étire sur les pentes de la Sabîka rappelle les dangers qui menaçaient la ville royale, mais que tendent à faire oublier la somptuosité et la délicatesse du décor.

A COTE:
Grenade, Alhambra, Mexuar
La «Salle du Conseil» du souverain arabe fut transformée en chapelle à l'époque chrétienne.

A DROITE:
Grenade, Alhambra, Torre de las Infantas
Comme la Torre dé la Cautiva, cette tour est aménagée en petit palais d'agrément avec une cour intérieure et des galeries.

Grenade, Alhambra, façade intérieure de la Puerta del Vino
Cette porte qui commande l'une des deux rues principales de la ville date du règne de Muhammad III, mais son décor a été refait sous Muhammad V. La façade présente une polychromie discrète, où se combinent l'ocre des briques, le bleu et le blanc de la faïence, et que rehaussaient les stucs peints.

Grenade, Alhambra, Torre de la Cautiva, décor mural en mosaïque de faïence et en stuc sculpté
On trouve des inscriptions coraniques non seulement dans les salles de prière mais aussi dans des pièces de réception et d'habitat. L'inscription en écriture cursive que l'on voit ici reproduit l'une des principales sourates de la controverse avec les chrétiens (sourate 112) «Au nom d'Allâh, le Bienfaiteur miséricordieux. Dis: il est Allâh, unique, Allâh le Seul. Il n'a pas engendré et n'a pas été engendré. N'est égal à Lui personne» (traduction R. Blachère).

Grenade, Alhambra, Salle des Deux Sœurs, coupole
Les petites niches et fragments de niches qui forment la coupole à mouqarnas sont disposées selon un schéma géométrique rayonnant à partir d'une étoile centrale. Ces coupoles, qui paraissent flotter au-dessus des fenêtres hautes, ont une fonction purement décorative; elles sont construites sous la charpente, à laquelle elles sont reliées par des poutres invisibles d'en bas.

Grenade, Alhambra, Cuarto Dorado, façade méridionale
La façade principale du Palais de Comares date du règne de Muhammad V. La porte de droite donnait accès aux quartiers d'habitation, celle de gauche débouche sur un couloir coudé qui conduit au Palais de Comares. Cette façade, dressée au-dessus d'un podium à trois degrés de marbre, est l'une des plus belles réussites de l'architecture nasride. Elle est entièrement décorée de faïences, de stucs et de bois; les motifs géométriques, végétaux et épigraphiques, variés à l'infini, sont clairement répartis dans des cadres géométriques (panneaux, écoinçons, frises et bordures). C'est une esthétique qui évite tout accent brusque, l'improvisation et le désordre, qui écarte les couleurs trop vives, qui recherche avant tout une harmonie nuancée.

Grenade, Alhambra, Cour des Myrthes, niche sur le petit côté Nord
Le décor mural est strictement organisé: à l'étage inférieur, une mosaïque de faïence à motifs géométriques terminée par une frise de merlons bicolore; puis au-dessus des panneaux de stuc. Les écoinçons de l'arc présentent surtout des motifs végétaux, les intrados des motifs géométriques; l'alfiz a un décor épigraphique.

cède sert de salle d'entrée; elle s'ouvre sur un portique qui occupe le petit côté Nord de la Cour des Myrtes (page 195), connue aussi sous le nom de «Cour de l'Alberca» (de l'arabe «al-birka», «réservoir»); elle est presque entièrement occupée par un long bassin central (34,70 mètres sur 7,50) bordé de myrtes, où se reflètent les façades de la cour (page 220). Sur son côté Est est installé le hammâm de Yûsuf (page 207);[185] vient ensuite, du même côté, le palais de Muhammad V dont le grand axe est perpendiculaire à celui du palais précédent, avec au centre la «Cour des Lions» (pages 13, 197 à 204). Les Rois Catholiques, qui habitèrent ces deux palais, aménagèrent une communication directe entre eux. Dans la Cour des Lions, deux allées se recoupent à angle droit pour former une croix; sur chacun des deux petits côtés, un gracieux pavillon à fontaine avance sur la cour, dont le centre est mis en valeur par un bassin entouré de douze lions. Le socle aux lions n'a certainement pas été prévu pour le bassin, et il a souvent été daté du XIe siècle; mais ses lions ressemblent tant à ceux qui se trouvent actuellement aux angles du bassin du Partal – et qui sont, eux, certainement du XIVe siècle – qu'ils pourraient en être en fait contemporains (seconde moitié du XIVe siècle).[186] Quatre galeries à colonnes entourent la cour avec ses parterres, situés beaucoup plus bas à l'origine qu'aujourd'hui. Sur chaque côté de la cour se trouve une salle somptueuse, avec une coupole à mouqarnas: à l'Ouest la Salle «de los Moçárabes», sorte de vestibule allongé qui doit son plafond Renaissance à un remaniement postérieur; à l'Est la Salle des Rois, principale salle de réception du complexe, qui présente un plan compartimenté (page 206). Au Sud et au Nord, il y a deux appartements; le premier est aménagé autour d'une salle tripartite avec une vasque centrale, la «Salle des Abencerrajes» (page 204); le second s'organise autour de la «Salle des deux Sœurs» (page 192), carrée et pourvue aussi d'une vasque centrale; cette salle conduit à une pièce perpendiculaire, avec une alcôve en face de l'entrée: le «Mirador de Daraxa» («Dâr 'Â'isha», «la Maison de 'Â'isha») (pages 10 et 186) qui donne aujourd'hui sur une cour

Grenade, Alhambra, Salle de Comares, plafond en bois
Ce chef-d'œuvre de marqueterie, qui date du début du XIVe siècle, a servi pendant des siècles de modèle pour les plafonds des salles d'apparat maures et mudéjares. Le décor d'étoiles, réparties en sept registres, est fait de plus de huit mille petits éléments de bois. C'est une représentation stylisée de la voûte céleste et sans doute même, plus précisément, des sept cieux de la littérature eschatologique islamique. La coupole centrale évoque le trône de Dieu.

Grenade, Alhambra, Cour des Myrthes (ou de l'Alberca)
La Tour de Comares se trouve sur le petit côté Nord de la cour, précédée de la Sala de la Barca et d'un portique. C'est l'une des plus puissantes de l'Alhambra; elle est presque entièrement occupée par la Salle de Comares (la «Salle des Ambassadeurs»), pièce de réception officielle de Yûsuf Ier.

aménagée à l'époque chrétienne; à l'origine, les baies géminées du «Mirador de Daraxa» permettaient d'apercevoir le Darro et l'Albaicín. Le couvent Saint-François, l'actuel Paradór, est construit au-dessus d'un palais islamique. Les vestiges d'un autre complexe important font partie du palais de Yûsuf III (1408–17); il possédait une tour surplombant un patio occupé par un long bassin rectangulaire, des cours secondaires, un hammâm, une entrée monumentale et diverses autres constructions dont on ignore souvent les fonctions exactes.

La nécropole royale, la «Rauda», qui dut céder sa place au palais de Charles-Quint, fut sans doute aménagée au début du XIVe siècle.[187]

Un chemin mène de la «Puerta de Hierro», au pied de la «Torre de los Picos», jusqu'au Généralife, palais d'agrément privé qui s'étend sur la pente au- dessus de l'Alhambra, près de la principale adduction d'eau (pages 209, 219). De nombreux jardins sont aménagés autour de l'axe formé par le «Patio de la Acequia» (de l'arabe «al-Sâqiya», canalisation) avec son bassin allongé. D'infinies variations se développent ici autour du thème complexe de l'«hortus conclusus», qui utilise subtilement les accidents du terrain. L'«escalier d'eau», unique en son genre, suscitait déjà l'admiration des voyageurs du XVIe siècle.[188] Dans le Généralife comme dans l'Alhambra, la vue vers l'exté-

PAGE 197:

Grenade, Alhambra, Cour des Lions

Le Palais de la Cour des Lions, construit par Muhammad V dans la seconde moitié du XIVe siècle, appartient à la période de splendeur du sultanat nasride. La Cour des Lions est au centre d'un palais autonome, constitué lui-même d'unités d'habitation indépendantes les unes des autres. Le patio, qui est l'une des caractéristiques classiques de la maison andalouse, est traité ici d'une manière particulièrement subtile. La cour rectangulaire (autrefois un jardin) est entourée de portiques. Mais tandis que ces portiques sont en général associés à des façades, ils font ici tout le tour de la cour. Sur les petits côtés, on trouve des pavillons à fontaine reliés à la vasque centrale par des canalisations. Les lions ont une allure si massive qu'on a souvent hésité à les dater de l'époque de Muhammad IV. Ils sont pourtant sans doute contemporains de la vasque de la fontaine, laquelle occupait dès l'origine son emplacement actuel. Les arcades des portiques sont supportées par de minces colonnes isolées, ou groupées par deux et par trois. Cette composition n'a rien d'arbitraire: elle obéit à une composition géométrique réfléchie qui est à l'origine de l'impression de profondeur et d'harmonie dégagée par le patio.

PAGES 198, 199:

Grenade, Alhambra, Palais de la Cour des Lions, détails des arcades

La verticalité qu'imprime l'élancement des colonnes est tempérée par les bagues des fûts, les tailloirs, les impostes, les mouqarnas et les panneaux de losanges. Le décor est organisé en toutes petites unités, qui répètent en les variant les mêmes éléments de base. Motifs végétaux, géométriques et épigraphiques sont étroitement associés. L'ornementation végétale est bien loin, ici, de son origine naturelle.

PAGES 200, 201:

Grenade, Alhambra, Palais de la Cour des Lions, Salle des Rois, alcôve centrale, peinture sur cuir de la coupole

Le tableau représente une assemblée de dix dignitaires de l'islam, et non pas, comme on l'a parfois prétendu, les membres de la dynastie nasride. Les trois alcôves sont décorées de semblables peintures sur cuir, dont on suppose qu'elles ont été exécutées pour Muhammad V par des artistes chrétiens appartenant à la mouvance de l'Ecole d'Avignon.

PAGE 202, 203:
Grenade, Alhambra, Salle des Deux Sœurs, dessin de la façade intérieure

rieur, sur la Vega et la montagne, est savamment prise en compte dans l'aménagement de l'ensemble. La nature est partout présente, jusqu'à l'intérieur des bâtiments où elle joue un rôle prépondérant.

Cette résidence, dont le nom dérive peut-être de «Djannat al-'Arîf» (Jardin de l'artiste), date probablement du premier tiers du XIVe siècle, car une inscription fournit le nom de Ismâ'îl Ier. Elle a été profondément modifiée après la conquête chrétienne; un incendie, en 1958, a permis une exploration archéologique approfondie et une reconstitution au moins partielle de l'état d'origine.[189] On découvrit alors une salle de prière et un hammâm, qui prouvent que le Généralife pouvait servir de résidence d'été indépendante. La conception du Patio de la Acequia, avec ses deux allées se coupant à angle droit, est proche de celle de la Cour des Lions, malgré la différence des proportions. Les jeux d'eau actuels sont récents, mais la présence de canalisations anciennes en terre cuite atteste que le bassin central en était à l'origine pourvu.

Plus haut sur la pente, vers le Nord, subsistent encore les ruines d'une munya sans doute comparable, appellée Dâr al-'arûsa («Maison de la Fiancée»).

Les thèmes principaux de l'architecture nasride

L'architecture palatiale nasride, si intimiste, possède certains traits spécifiques: ainsi par exemple la combinaison fréquente entre salle de réception et jardin, tous deux agrémentés de jeux d'eau; le groupement des pièces avec une nette hiérarchisation des espaces; la tour de défense aménagée en petit palais d'agrément; enfin, la complexité des systèmes de communication.

EN HAUT:
Le toit du pavillon des Abencerrajes

Grenade, Alhambra, Palais de la Cour des Lions, Salle des Abencerrajes
On demeure toujours surpris par le contraste entre la somptuosité et le raffinement des aménagements intérieurs, et la sobriété extérieure des édifices de l'islam occidental. Il atteint un point extrême à l'Alhambra.

Grenade, Alhambra, Palais de la Cour des Lions, Salle des Rois
Cette enfilade de pièces, également connue sous le nom de Salle de la Justice, se trouve sur le petit côté oriental de la Cour des Lions. Les arcs à mouqarnas accentuent l'impression de profondeur de l'espace.

A Madînat al-Zahrâ' déjà, les plans d'eau jouaient un rôle considérable: celui qui précède le Salón Rico est clairement destiné à magnifier l'architecture en la reflétant. Le thème se précise dans divers palais des Reyes de Taifas. Mais à l'Alhambra et dans le Généralife, il prend une importance et connaît un développement inégalés jusqu'alors. La plupart des bassins sont en rectangle allongé (l'Acequia et l'Alberca), parfois en U (au Sud du Partal), rarement circulaires (un seul cas, dans le Généralife) et jamais carrés. L'eau, amenée par un canal dans une vasque posée à même le sol, s'écoule dans le bassin en contrebas. Le thème de l'eau est repris dans certaines salles d'habitation et de réception: les canaux de la Cour des Lions se poursuivent jusque dans la Salle des Abencerrajes et la Salle des deux Sœurs, jusqu'à une vasque centrale peu profonde. On pense au Paradis du Coran avec ses jardins, ses sources et ses «appartement où coulent des ruisseaux». Le jardin quadripartite avec ses massifs et ses parterres en contrebas, ses pavillons symétriques, ses bassins et ses canaux, procède d'une architecture d'apparat et de réception, qui fait de la jouis-

Grenade, Alhambra, Palais de Comares, Baño Real, coupe et plan d'Owen Jones
Ce bain royal remonte à l'époque de Yûsuf I, mais il a été remanié à plusieurs reprises. On connaît aujourd'hui bien mieux son aménagement original que du temps d'Owen Jones. Le bain est comme encastré en contrebas de la Cour des Myrthes, la Cour des Lions et la Salle des Deux Sœurs; on y accède par le jardin inférieur du Palais de la Cour des Lions (l'actuel jardin de Linderaja).

A GAUCHE:
Grenade, Alhambra, Palais de Comares, Baño Real
Cet aménagement ne se distingue guère de ce qu'on trouve habituellement dans l'islam occidental, si ce n'est par la qualité du décor. En comparaison, les bains contemporains des métropoles du Proche-Orient sont nettement plus complexes.

sance de la nature un symbole du statut social. Mais elle ne s'accomplit pas dans le contact immédiat avec la nature: le pied ne foule ni l'herbe ni la terre, la main ne cueille pas les fleurs, et nul ne songerait à se coucher dans l'herbe. On arpente doucement le marbre des allées, au-dessus des plantations d'où monte le parfum des fleurs et des orangers; installés sur des tapis et des coussins dans les salles de réception fraîches ouvertes sur le jardin, habitants et visiteurs contemplent l'«hortus conclusus» et écoutent le murmure de ses jeux d'eau.

Dans l'architecture de réception, les salles basilicales de Madînat al-Zahrâ' ont fait place à des salles à coupole. Celles des salles d'apparat ne sont jamais maçonnées; ce sont de grandes carènes de bois, comme dans la Salle des Ambassadeurs de Yûsuf Ier (page 194), ou des voûtes à mouqarnas minuscules en stuc, comme dans les salles somptueuses de Muhammad V (pages 192, 206); elles sont protégées par des toitures pyramidales légères recouvertes de briques vernissées (page 204). Les pièces sont relativement petites, et regroupées en unités d'habitation, avec une salle principale (souvent à coupole) qui commande les espaces latéraux: alcôves, antichambre et portique. Sous Yûsuf Ier pas plus que sous Muhammad V, les pièces ne semblent ordonnées selon un schéma précis et contraignant. Il y a néanmoins des traits constants, comme l'exiguïté des espaces et la fragmentation des couvertures: chaque pièce possède son propre plafond et sa propre charpente (de là cette impression kaléidoscopique quand on voit les palais d'en haut). La hiérarchisation à l'intérieur de chaque unité d'habitation est évidente; il est probable (mais l'habitat «courant» ayant disparu, on ne peut le dire avec certitude) qu'il y avait également une claire hiérarchisation des unités d'habitation, déterminée par l'emplacement, la configuration, le décor etc. En comparaison avec ce que l'on peut restituer de Madînat al-Zahrâ', ville royale qui se situe au début de la tradition architecturale qui s'achève avec l'Alhambra, il semble que s'accentue la tendance à fragmenter les espaces, que l'aménagement et la forme des pièces se diversifient, tandis que se maintient – tout en s'affinant – le principe de la hiérarchisation spatiale.

Les tours qui paraissent être de l'extérieur de puissants organes de défense, mais qui, vues de près, sont de véritables petits palais de plaisance, constituent une caractéristique propre de l'Alhambra. La disposition de base reste toujours la tour massive de plan carré ou rectangulaire à plusieurs étages, souvent occupés par une pièce centrale et des galeries. La pièce centrale est parfois transformée en cour ou plutôt en puits de lumière. Cette ordonnance n'est en rien nouvelle; il y a des précédents pour cette métarmophose d'une tour de fortification en construction de prestige et de réception, comme par exemple en Algérie, la Tour du Manâr de la Qal'a des Banû Hammâd ziride, à la fin du XIe siècle.[190] Ce qui est nouveau ici, c'est le raffinement et la grâce des aménagements intérieurs, l'atmosphère d'intimité de ces appartements, tout à fait différente des prétentions de la Tour du Manâr, qui se retrouvent d'ailleurs largement dans la Tour des Ambassadeurs. Les conquérants chrétiens semblent avoir ressenti avec autant d'intensité que nous aujourd'hui le contraste entre l'apparence extérieure et l'aménagement intérieur de ces tours, comme en témoignent ces noms donnés à l'époque chrétienne – «Peinador de la Reina», «Torre de las Damas» ou «Torre de la Cautiva», ou les légendes recueillies et immortalisées par Washington Irving, dans lesquelles de belles et malheureuses princesses arabes se languissent de leurs princes charmants.

Grenade, Alhambra, Generalife, Patio de la Acequia
Ce jardin en rectangle allongé possède un bassin central et des allées surélevées dessinant une croix axiale, qui rappellent la Cour des Lions.

Les systèmes de communication sont extraordinairement complexes et eux aussi nettement hiérarchisés. L'accès au palais de Comares par le Cuarto Dorado en fournit un bel exemple: la façade Sud du Cuarto Dorado – qui sépare la partie publique et administrative du palais des zones de réception et des appartements privés – possède deux portes (voir p. 193); celle de droite donnait sur les couloirs conduisant aux pièces privées du souverain, tandis que celle de gauche permettait d'emprunter le passage menant au palais de Comares, ensemble destiné à la réception. Cette dernière entrée combine des pièces et des couloirs coudés avec des niches pour les gardiens, et des vantaux de portes commandés de l'intérieur du passage afin de garantir un filtrage efficace des visiteurs. L'entrée privée était encore plus compliquée et tortueuse. Les deux accès étaient parfaitement isolés l'un de l'autre, et tous deux imposaient aux visiteurs un itinéraire exactement défini et impossible à éviter.[191] La séparation et la différenciation des passages en fonction de la catégorie des utilisateurs ressortent plus nettement encore dans des villes royales postérieures mieux conservées,[192] mais elles existaient probablement déjà à Madînat al-Zahrâ'.

En récapitulant les principales fontions de cette ville royale, on constate que la protection et la défense jouaient un rôle déterminant, et que les exigences de représentation et de réception ont conduit à trouver des solutions originales, nouvelles et spécifiques. Une Mosquée du Vendredi (non conservée), une multitude de petites salles de prière et les inscriptions religieuses attestent de sa fonction religieuse. Mais elle est peut-être moins essentielle qu'il n'y paraît de prime abord: les inscriptions religieuses ne constituent pas l'essentiel de l'épigraphie, car les textes historiques et poétiques occupent une place importante dans les décors de l'Alhambra.[193] De plus, les petits oratoires privés, avec leur plan rectangulaire simple, sont moins importants que les oratoires palatiaux antérieurs d'une conception plus élaborée et davantage chargée de valeurs symboliques. On a donc l'impression que la fonction religieuse de l'Alhambra n'est pas prédominante.

Grenade, Corral del Carbón, façade
Ce funduq (à la fois auberge, dépôt de marchandises, centre de trafic commercial) se trouve au centre de la ville, à proximité de la Grande Mosquée et du souk (le marché). L'intérieur de ce bâtiment qui date du XIVe siècle, est presque complètement détruit, mais sa belle façade de briques est bien conservée.

On a souvent insisté sur le rôle symbolique du décor; il est certes hors de doute que les coupoles, avec leur décor géométrique à étoiles ou à mouqarnas, rappellent la voûte céleste et ses astres, mais on ne peut probablement guère aller au-delà dans l'interprétation.[194]

Bien des questions demeurent à ce jour sans réponse. Quel lien y a-t-il entre le Palais de Comares et le Palais de la Cour des Lions? S'agit-il d'une résidence d'hiver et d'une résidence d'été? D'édifices de réception et d'appartements privés? Ou simplement de deux ensembles princiers qui se succèdent chronologiquement et topographiquement et qui aspirent chacun à traduire la gloire du maître des lieux? La question de l'évolution stylistique n'a pas encore reçu de réponse définitive, elle non plus. Le «Patio del Harén» (dans le complexe de la Cour des Lions, datant de l'époque de Muhammad V) possède des peintures murales dans le goût almohade qui tranche nettement sur le style habituellement associé au règne de Muhammad V.[195] On observe un affinement progressif dans le traitement des éléments formels plus anciens; ainsi les colonnes de Muhammad V ne sont pas en elles-mêmes une création nouvelle, mais leur agencement rythmé autour de la Cour des Lions est original. En revanche, étonnantes sont les trois grandes peintures sur cuir de la Salle des Rois (pages 200–201), qui semblent provenir d'un atelier chrétien dont le maître a peut-être été formé à Avignon.[196]

Grenade, Alhambra, Alcazaba, vue de la Torre de la Vela vers l'Est
On aperçoit au fond la Torre de Homenaje et la Torre Quebrada. Cette lourde forteresse est la partie la plus ancienne de l'Alhambra. Il reste à l'intérieur les ruines d'un quartier d'habitation militaire, le Barrio Castrense, composé de dix-sept appartements, d'un bain, de dépôts, de casernes et d'écuries, et d'un puits.

Constructions nasrides dans la ville et le Sultanat de Grenade

On construisit beaucoup à l'époque nasride, aussi bien dans la ville de Grenade que dans le reste du sultanat. Le «Cuarto Real de Santo Domingo», qu'habita par la suite le Grand Inquisiteur Torquemada, est à l'origine un palais du temps de Muhammad II; dans le même «Faubourg des Potiers» se trouve la «Casa de los Girones», qui date aussi du XIIIe siècle. L'Alcázar Genil est situé plus loin au Sud, en dehors de la ville, près de l'ermitage Saint-Sébastien qui, lui, était à l'origine un petit édifice funéraire à coupole d'époque nasride. Dans l'Alcázar Genil, qui possédait jadis deux bassins, on trouve encore une salle avec deux alcôves et un portique dont le décor remonte à l'époque de Yûsuf Ier. Le couvent des Franciscaines, Santa Isabel la Real, dans l'Alcazaba Cadima, renferme un petit palais attribué généralement au XVe siècle, «Daralhorra». Santa Catalina de Zafra, autre couvent du même quartier, conserve lui aussi les restes d'une maison islamique du XVe siècle. Dans les environs de Grenade, il y a encore quelques vestiges de munyas, comme dans le Cortijo del Cobertizo, ou un peu plus loin au Sud, dans le Cortijo de la Marquesa, connu aussi sous le nom de «Darabenaz», et qui date probablement également du XVe siècle.[197] A Ronda, la Casa de los Gigantes possède encore des éléments de l'époque islamique.[198]

Grenade, Madrasa, salle de prière
La salle de prière carrée est couverte d'une coupole en bois établie sur plan octagonal au-dessus d'une frise à mouqarnas.

Grenade, Madrasa, vue sur le mihrâb
Yûsuf Ier fit construire à Grenade une madrasa (collège d'enseignement théologique et juridique) qui, presque entièrement détruite, a été restaurée au XIXe siècle. La salle de prière est carrée, couverte d'une coupole octagonale, la transition du carrée à l'octogone se faisant par des trompes à mouqarnas.

A Grenade et à Tarifa, ainsi qu'aux environs du village Zubia et à Churriana, il subsiste des hammâms nasrides, jadis nombreux. Celui de Ronda en est un exemple, même si la ville était sans doute sous l'autorité nasride, et non pas mérinide lorsqu'il fut construit. Les bains de l'Occident islamique sont étonnamment archaïques en comparaison de ceux du Proche-Orient. Leur plan est rectangulaire, avec une succession simple de pièces: la salle de déshabillage, puis les pièces froide et tiède, et enfin l'étuve. Il y avait parfois des cabinets séparés dans la pièce de déshabillage et dans la pièce chaude. Le système de chauffage par des hypocaustes est le même que celui des Romains. La salle de déshabillage et de repos est souvent plus grande et possède parfois une coupole et des galeries.

Dans la ville de Grenade, Muhammad V fit construire un mâristân (hôpital) destiné surtout aux pauvres, avec un service psychiatrique; cet édifice fut démoli en 1843.[199] Sa cour intérieure, en rectangle allongé, avait un bassin orné de deux sculptures de lion en ronde-bosse, réutilisés aujourd'hui pour le bassin du Partal. L'inscription de fondation est conservée au Musée de l'Alhambra. Ce mâristân semble avoir été dans l'ensemble plus modeste que les édifices contemporains du même genre au Proche-Orient. L'actuel Corral del Carbón, un ancien funduq situé à proximité de la qaysâriyya et de la Grande Mosquée, date du début du XIVe siècle; il servait de dépôt de marchandises, de centre de commerce de gros et d'auberge. Son portail monumental est conservé (page 210); l'intérieur est en triste état, mais on reconnaît encore ses disposition générales: une cour centrale rectangulaire entourée des galeries surmontées d'un premier étage.

De nombreux vestiges de châteaux de cette époque se dressent encore sur les crêtes de l'ancien sultanat. Ce sont souvent des fondations plus anciennes restaurées à l'époque nasride ou mérinide. Certaines, comme Tabernas (page 147), avaient surtout des fonctions stratégiques; d'autres servaient de refuge ou de poste de surveillance, comme Alcaudete, La Guardia près de Jaén (pages 8–9) ou Moclín; d'autres encore sont des villages, des bourgs ou des villes lourdement fortifiées, tels Archidona (page 173), Antequera ou Ronda. Leurs puissantes tours d'angle carrées trahissent l'influence de l'architecture défensive chrétienne. La Calahorra de Gibraltar et le donjon de Malaga et Antequera appartiennent à cette catégorie.

Peu d'édifices religieux ont été conservés. La Mosquée du Vendredi de l'Alhambra avait trois nefs perpendiculaires au mur qibla; la nef centrale sans doute plus large et plus élevée trahit peut-être une influence chrétienne. La Grande Mosquée de Grenade, beaucoup plus ancienne (d'époque ziride), occupait l'emplacement de l'actuelle Cathédrale; elle possédait elle-aussi une salle de prière à plusieurs nefs. Quelques minarets subsistent, transformés par la suite en clochers, comme la tour de San Juan de los Reyes à Grenade (page 112), celle de l'église (détruite) Saint-Sébastien à Ronda, ou celles d'Archez (page 113) et de Salarez, dans une vallée isolée de la chaîne côtière de la province de Malaga. La cathédrale Santa María la Mayor à Ronda conserve l'arc du mihrâb de l'ancienne Grande Mosquée; ses riches sculptures en stuc (page 215) évoquent le répertoire mérinide plutôt que nasride.

Il ne reste plus qu'une seule madrasa dans tout le sultanat, et encore a-t-elle été très remaniée. Il s'agit d'un édifice fondé par Yûsuf Ier à Grenade, près de l'ancienne Grande Mosquée. Cette madrasa, très endommagée au XVIIIe siècle, fut restaurée à la fin du XIXe. Le patio, la salle de prière carrée avec son

mihrâb et sa coupole sur trompes à mouqarnas sont, sinon nasrides, du moins refaits selon des modèles largement nasrides (ci-contre).

A Fiñana,[200] bourg fortifié (un hisn) sur la route d'Almeria à Grenade, un ermitage conserve les vestiges d'une mosquée nasride. Dans la salle de prière, quatre piliers octogonaux délimitent neuf travées; aujourd'hui très austère, elle possède cependant les restes d'une façade de mihrâb finement sculptée qui semble provenir d'un excellent atelier grenadin (page 215).

Le décor architectural nasride

Grenade, Alhambra, détail d'une mosaïque de faïence

Grenade, coupe de faïence nasride, XIVe siècle (Alhambra, Museo Nacional de Arte Hispano-musulmán)

Panneaux de marbre ou de stuc sculptés et faïences polychromes dominent le décor architectural; le stuc, aujourd'hui de la même couleur – un blanc ivoire – que le marbre, était à l'origine rehaussé de couleurs. Le bois des plafonds, auvents, consoles et vantaux devient, lui aussi support de décor; on utilisait conjointement les techniques de la sculpture, de la marqueterie et du tournage. Le bois tourné sert notamment pour les grilles des fenêtres et des balcons. Dans le Maroc mérinide comme dans le sultanat nasride, les fenêtres hautes étaient garnies de vitraux colorés, sertis dans des remplages de stuc.

L'Alhambra offre une étonnante variété de profils d'arcs: de l'arc en fer à cheval de l'époque califale jusqu'à l'arc à mouqarnas plus récent, on trouve des formes multiples allant du simple demi-cercle aux formes surbaissées et surhaussées, en passant par des profils polylobés divers. Les amples formes de l'époque almohade sont subdivisées ici en éléments plus petits. De larges impostes s'intercalent entre le chapiteau et le départ de l'arc; leurs faces sont souvent sculptées de décors grêles. Le chapiteau lui-même est le résultat d'une évolution logique amorcée au temps du califat: la partie inférieure cylindrique du chapiteau est maintenant nettement distinguée de la partie supérieure, qui est parallélépipédique. La silhouette du chapiteau s'en trouve simplifiée, mais son décor sculpté devient de plus en plus envahissant. La partie cylindrique porte presque toujours le même motif: une sorte de bandeau ondulant, ce «méandre incurvé au sommet» (Marçais) qui a fait son apparition chez les Almohades, et qui dérive des couronnes d'acanthes lisses, simples ou doubles, de la fin du califat (pages 198–199). Les décors sculptés de la partie supérieure, cubique, qui sont à la fois grêles et compacts, connaissent plus de variations, en général autour du thème de l'arabesque. L'Alhambra possède également des chapiteaux à mouqarnas. Certains fûts de colonnes sont ornés aux deux extrémités de groupes de bagues en relief, toujours plus nombreuses du côté du chapiteau qu'à la base et semblant l'annoncer. Les colonnes de section polygonale sont rares; elles sont parfois revêtues de céramique de faïence colorée.

L'épigraphie tient naturellement une place importante dans le décor, surtout l'écriture cursive. L'écriture coufique n'est plus guère utilisée que pour des formules religieuses répétitives. Parmi celles-ci, l'une devient l'élément-clef du «blason» nasride: «wa-lâ ghâliba illá'llâh», «et il n'est d'autre vainqueur que Dieu». Tresses, compositions d'arcades et arabesques multiples s'entrecroisent et se confondent avec les lettres.

Les parois des salles sont souvent subdivisées en panneaux et en bandeaux horizontaux ou verticaux qui permettent une répartition symétrique du décor de remplissage. Demi-palmettes asymétriques multiples, à digitations ou lisses, et boutons variés se combinent avec les dessins géométriques des tiges

Fiñana, mihrâb transformé en niche d'autel
Cette petite ville de montagne, au Sud-Est de Grenade, était autrefois un bourg fortifié (hisn). Sa mosquée a été transformée en ermitage; mais il reste des parties de l'édifice d'origine, comme par exemple les panneaux de stuc nasrides finement découpés de la façade du mihrâb.

végétales pour engendrer un décor touffu et répétitif. Les petites palmettes, les rosettes à quatre ou cinq pétales, les lys à trois pétales viennent se mêler aux demi-palmettes asymétriques. Ce décor végétal inclut souvent des pommes de pin, souvent prises entre deux demi-palmettes. Eléments végétaux et géométriques tendent à se confondre. Les minces arcades – gravées plus que sculptées dans le stuc et le marbre – s'enchevêtrent en losanges chargés de motifs denses alliant eux-aussi inspiration végétale et géométrique.

Les décors à base d'étoiles entrelacées couvrent des surfaces toujours plus vastes. En dépit de leur apparente complexité, le schéma de base est en général assez simple: les combinaisons géométriques à partir de formes polygonales à quatre, huit, douze, seize ou vingt-quatre angles se laissent en fait presque toujours réduire à des compositions à partir du carré; le pentagone est absent et l'hexagone est rare en tant que formes de base.

Certes, il y a quelques éléments nouveaux dans le décor nasride; ce sont essentiellement des apports chrétiens, apparemment contemporains, qui sont manifestes surtout dans l'Alhambra de Muhammad V. Mais ni ces motifs ni les nouvelles formes d'arc surhaussés ne suffisent à renouveler l'ensemble du décor architectural. Les plans et les élévations des architectes nasrides ne présentent guère non plus d'innovations réelles; la maison à patio rectangulaire et galeries pour l'architecture domestique, les salles basilicales pour l'architecture religieuse et la salle à coupole pour l'architecture d'apparat avaient été élaborées et définies depuis longtemps. C'est pourquoi on reproche souvent à l'époque nasride un certain manque de créativité, et on la tient pour décadente. Mais on peut être sensible aussi à cette aspiration au raffinement, «un idéal d'élégance remplaçant un idéal de force».[201] Art de vivre plutôt que pompe, harmonie plutôt que fracas des armes: l'afflux des visiteurs à l'Alhambra révèle la sensibilité de notre époque moderne à ce caractère spécifique du génie créateur nasride.

Ronda, cathédrale, départ de l'arc du mihrâb
Le décor de stuc sculpté date vraisemblablement de la fin du XIIIe siècle et pourrait être influencé par l'art mérinide.

Conclusion

Telle Athéna, l'architecture d'al-Andalus naît en pleine possession de ses moyens. La première Grande Mosquée de Cordoue ne trahit ni tâtonnements, ni incertitudes; ce n'est pas une œuvre de débutant. Cet édifice est l'aboutissement d'une évolution qui s'est faite non pas sur le sol ibérique, mais au Proche-Orient où la civilisation et l'art umayyades sont nés, ont grandi et mûri entre le milieu de VIIe et le milieu du VIIIe siècle. Cette tradition s'interrompt en Orient en 750, pour être reprise en Espagne une trentaine d'années plus tard. Au Proche-Orient s'impose alors une autre tendance, qui conduira à une orientalisation profonde du legs umayyade, c'est-à-dire à de nouveaux principes de composition et à un nouveau répertoire formel. Sur la presqu'île ibérique cependant, l'affrontement alors inévitable entre ce même legs umayyade et l'héritage culturel romano-ibérique et wisigothique conduit à un enrichissement du premier, et non pas à sa disparition.

Cette architecture islamique d'Espagne présente-t-elle dès ses premières manifestations des traits spécifiques qui en feraient, tout au cours de son existence, une entité particulière dans l'ensemble de l'architecture islamique? On peut sans aucun doute répondre par l'affirmative; la province artistique d'al-Andalus possède son style propre, qui s'affirme en dépit de toutes les variations qu'il subit au fil des temps. Ce style est fruit aussi bien des contraintes matérielles locales que de son inspiration d'origine; l'apport formel umayyade, lui-même riche d'éléments hellénistiques, byzantins et sassanides, vient se greffer sur le fonds wisigothique, où se mêlent déjà les héritages germanique et byzantin.

C'est sans doute surtout l'isolement géographique d'al- Andalus qui explique son évolution stylistique particulière, ainsi que son profond conservatisme. L'architecture profane reste tributaire de celle de Rome: on y retrouve toujours la maison à cour centrale, avec ou sans portiques, avec ou sans cours secondaires, avec ou sans jardin. L'édifice basilical demeure une constante de toute l'architecture religieuse, qui se retrouve même à l'époque almohade, en dépit de ses innovations. Les Mosquées du Vendredi andalouses demeurent fidèles au modèle de Médine, certes remanié, retravaillé, mais jamais oublié. Les recherches autour de l'iwân et de la salle à coupole monumentale, en pierre ou en brique, qui déterminent la problématique architecturale en Orient à partir des Saldjoukides, ne pénètrent pas jusqu'en Andalousie. Les quelques expériences de coupoles tentées aux Xe et au XIVe siècles, à Cordoue et à Grenade, ne modifient en rien ce constat: à Cordoue, après des débuts impressionnants, ces recherches monumentales se réduisent très rapidement à de simples jeux décoratifs, et à Grenade, les coupoles nasrides sont toujours en bois et en stuc.

Grenade, Alhambra, mosaïque de faïence, détail
Ces décors étoilés sont exécutés ici en une mosaïque particulièrement raffinée; ils font cependant aussi partie des motifs principaux de la technique de cuerda seca, bien moins coûteuse; ils couvrent d'immenses surfaces murales dans tout le monde hispano-maghrébin, mais ils atteignent rarement la délicatesse de ceux de l'Alhambra.

Dans le décor, on peut discerner une évolution homogène et presque linéaire, qui se distingue d'emblée de celle des terres d'Orient. Les formes et les motifs d'origine romaine classique, orientale ou wisigothique[202] se différencient encore jusqu'au Xe siècle. C'est seulement dans l'art des Reyes de Taifas qu'elles fusionnent vraiment pour aboutir à un langage artistique cohérent, raffiné, qui ne craint pas l'effet; on y note une tendance à éloigner progressivement les éléments végétaux de leur origine naturelle, pour les transformer en motifs géométriques. Ce langage artistique recherche l'élégance; les compositions décoratives obéissent toujours à des schémas mathématiques précis; la répétition devient principe formel. Certes, on trouve sur quelques produits d'artisanat – notamment des céramiques – des motifs figuratifs pleins de vivacité et d'humour, mais ils sont comme limités par un ordre géométrique supérieur, qu'ils ne font jamais éclater.

Au début du XIIe siècle, la confrontation avec les dynasties berbères d'Afrique du Nord qui vont déterminer goût, sensibilité et aspirations de la créativité artistique, est génératrice d'une impulsion nouvelle. Au départ, ce sont les conquérants africains qui paraissent recevoir, mais rapidement la relation s'inverse et, pour un court laps de temps, c'est l'Andalousie qui fait à son tour figure de bénéficiaire. Jamais, dans l'existence d'al-Andalus, n'ont été coupés

Grenade, Alhambra, Cuarto Dorado, façade (gravure du XIXe siècle)

Grenade, Generalife, Patio de la Acequia

les liens culturels avec l'Orient islamique. Son langage artistique a toujours continué d'absorber des éléments formels provenant de l'islam oriental, mais de façon curieusement désordonnée; ainsi, au temps des règnes berbères, des innovations orientales récentes, comme par exemple les mouqarnas, se trouvent assimilées en même temps que des éléments beaucoup plus anciens, tels certains motifs de décor en stuc dont l'origine remonte à Sâmarrâ (au IXe siècle). L'art nasride reprend nombre d'éléments de l'époque almohade, mais il n'en maintient pas les concepts rigoureux et synthétiques déterminant jusqu'au dernier petit détail, auxquels il préfère des formules plus additives. Les choix esthétiques de ce dernier règne islamique sur sol ibérique – et malgré sa mort imminente, il demeure une époque de grandes commandes et d'intense activité architecturale – sont dominés par une recherche d'intimité et d'harmonie qui n'a rien à voir avec les ambitieux programmes almohades. L'intégration de motifs isolés d'origine européenne dans le vocabulaire formel de Grenade peut être interprétée de la même manière que l'absorption d'éléments nasrides dans le décor architectural des palais chrétiens de Séville: comme le prélude à une époque nouvelle qui ne reniera pas l'héritage islamique, malgré les édits d'expulsion et l'Inquisition. Avec Goethe, on redira cette continuité:

«L'Orient a glorieusement
Franchi la Méditerranée;
Celui-là seul qui aime et connaît Hafiz
Sait ce qu'a chanté Calderón.»[203]

PAGE 220:
Grenade, Alhambra, Cour des Myrthes, vue sur la façade Nord (gravure romantique)
L'artiste n'a pas jugé utile de représenter le palais de Charles-Quint qui surplombe en réalité la façade nasride.

Notes

1 L'un de ces dinars est conservé au Museo Arqueológico Nacional de Madrid.

2 Halm, H.: «Al-Andalus und Gothica Sors», dans Welt des Orients, 66, 1989, pp. 252–263.

3 Bonnassié, P.: «Le temps des Wisigoths», dans Bennasser, B.: Histoire des Espagnols. VIe-XVIIe siècle, Paris, 1985, pp. 50–51.

4 Claudio Sánchez-Albornoz évoque le culte presque fanatique que les combattants de la Reconquista vouaient au souvenir de l'époque wisigothique. Sánchez-Albornoz, C.: L'Espagne Musulmane, Publisud, 1985; id.: «Espagne préislamique et Espagne musulmane», dans Revue historique, 1967, pp. 295–338.

5 de Palol, P.: Regard sur l'art wisigoth, Paris, 1979. Voir aussi le chapitre que Henri Terrasse consacre à ce sujet dans son: Islam d'Espagne. Une rencontre de l'Orient et de l'Occident, Paris, 1958, pp. 15–25. Voir surtout J. Fontaine, L'art préroman hispanique, La Pierre-qui-vire, Editions Zodiaque, La Nuit des Temps, 38, 1973.

6 En fait Madînat al-nabî, la ville du Prophète. Sur la fondation de Médine et le premier Etat islamique, voir Noth, A.: «Früher Islam», dans Geschichte der arabischen Welt, édité par U. Haarmann, Munich, 1987, pp. 11–100.

7 Ibn 'Idhârî al-Marrakûshî: Kitâb al-bayân al-mughrib, II, 58–60. Cité d'après Hoenerbach, W.: Islamische Geschichte Spaniens, Zürich et Stuttgart, 1970, p. 65 et 525.

8 Cette anecdote est fréquemment citée, mais exclusivement dans la littérature andalouse; Ibn al-Khatîb la reprend des Akhbâr Majmû'a et du Bayan II, 59, 60, dans les A'mâl al-A'lâm. Hoenerbach, 1970, p. 64.

9 Singer, H. R.: «Der Maghreb und die Pyrenäenhalbinsel bis zum Ausgang des Mittelalters», dans Geschichte der arabischen Welt, édité par Haarmann, U., Munich, 1987, p. 275.

10 Selon Wasserstein, D.: The Rise and Fall of the Party-Kings. Politics and Society in Islamic Spain, 1002–1086, Princeton, 1985, p. 23, les chrétiens ne se convertirent massivement à l'islam que vers le milieu du Xe siècle.

11 Ibn al-Qûtiyya: Iftitâh al-Andalus, cit. d'après Sánchez-Albornoz, 1985, pp. 38–40.

12 Guichard, P.: «Naissance de l'islam andalou, VIIIe-début Xe siècle», dans Bennasser, B.: Histoire des Espagnols, Paris, 1985, p. 79 et 81.

13 Sourdel, D.: «Wazîr et hâjib en Occident», dans Etudes d'orientalisme dédiées à la mémoire d'E. Lévi-Provençal, Paris, 1962, pp. 749–755.

14 Sourdel, 1962.

15 Vernet, J.: Die spanisch-arabische Kultur in Orient und Okzident, Zurich et Munich, 1984, p. 37.

16 Lévi-Provençal, E.: Histoire de l'Espagne Musulmane, 3 t., Paris, 1950–67, t. 1, pp. 193–278.

17 La localisation de Bobastro dans la Serrania de Malaga, sur l'un des sommets flanquant la vallée du Guadalhorce, est assurée depuis les fouilles de C. de Mergelina (Bobastro, Memoria de las excavaciones realizadas en las Mesas de Villaverde, El Chorro (Málaga), Madrid, 1927), mais resurgit de temps en temps la polémique autour de cet emplacement: Vallve Bermejo, J.: «De nuevos sobre Bobastro», dans Al-Andalus 30, 1965, pp. 139–174; cet auteur place Bobastro à Marmuyas dont on sait que la fondation est nasride; voir à ce propos Fernandez López, S.: «Marmuyas (Montes de Málaga). Análisis de una investigación», dans Actas de I Congreso de Arqueología Medieval Española, t. III, Saragosse, 1986, pp. 163–180.

18 Toutes deux semblent avoir été fondées par un certain Hanash al-San'anî. Lévi-Provençal, Espagne Musulmane, 1, p. 344. Ibn 'Idhârî, Bayân, II, p. 98 et 156.

19 Torres Balbás, L.: «Arte Hispanomusulmán. Hasta la cáida del califato de Córdoba«, dans: R. Menéndez Pidal, Historia de España, t. V, Madrid, 1957, p. 341, qui cite Ibn al-Qûtiyya (Iftitâh, p. 11, trad. p. 6).

20 Torres Balbás, Arte Hispanomusulmán, p. 370, d'après Ibn al-Athîr, K. al-Kâmil fî l-târîkh, éd. et trad. Fagnan, E.: Annales, p. 379 et trad. p. 101; Maqqarî, Nafh al-tîb, éd. et trad. Dozy, R.: Analectes, I, p. 358.

21 C'est en tout cas ce que rapporte Ibn 'Idhârî; mais son ouvrage al-Bayân al-mughrib ne date que de la fin du XIIIe siècle et ses indications ne sont pas toujours fiables. L'histoire du site de la Grande Mosquée de Cordoue, avant sa construction, est loin d'être claire. On trouve un résumé particulièrement précis des faits et des hypothèses dans Ewert, Ch.: Spanisch-islamische Systeme sich kreuzender Bögen. I Die senkrechten ebenen Systeme sich kreuzender Bögen als Stützkonstruktionen der vier Rippenkuppeln in der ehemaligen Hauptmoschee von Cordoba, Berlin, 1968 (Madrider Forschungen, t. 2), p. 1. Voir aussi Ocaña Jiménez, M.: Precisiones sobre la Historia de la Mezquita de Córdoba, dans Cuadernos de estudios medievales IV-V, Grenade, 1979, pp. 275–282.

22 Creswell, K.A.C.: Early Muslim Architecture, t. II, New York, 1979, p. 157, renvoie à Ibn al-Qûtiyya, Bibliothèque Nationale, Paris, MS arab 1897, f. 27 et 31, trad. Cherbonneau, Journal Asiatique, 5e série, t. VIII, p. 475.

23 Cf. Creswell, Early Muslim Architecture, t. I/1, pp. 198–201, t. II, p. 156.

24 Bloom, J.: Minaret. Symbol of Islam, Oxford, 1989, p. 33.

25 Cressier, P.: «Les chapiteaux de la Grande Mosquée de Cordoue (oratoires d'"Abd al-Rahmân I et d'"Abd al-Rahmân II) et la sculpture de chapiteaux à l'époque émirale», dans Madrider Mitteilungen, 25, 1984, pp. 257–313, planches 63–72 et 26, 1985, pp. 216–281, planches 72–82.

26 Ewert, Ch. et Wisshak, J.P.: Forschungen zur almohadischen Moschee. I. Vorstufen. Hierarchische Gliederungen westislamischer Betsäle des 8. bis 11. Jahrhunderts: Die Hauptmoscheen von Kairouan und Córdoba und ihr Bannkreis, Mayence, 1981 (Madrider Beiträge, 9).

27 Schlumberger, D.: Qasr al-Heir el-Gharbi, Paris, 1986, p. 24.

28 Torres Balbás: Arte hispanomusulmán, p. 377.

29 Terrasse, H.: L'art hispano-mauresque des origines au XIIIe siècle, Paris, 1932, p. 153.

30 al-Idrîsî, Description de l'Afrique et de l'Espagne, éd. et trad. Dozy, R. et de Goeje, J., Leyde, 1866, pp. 182, 220–221, d'après Torres Balbás: Arte hispanomusulmán, p. 385.

31 L'isolement des fils de 'Umar Ibn Hafsûn et leur discorde profitèrent à l'émir qui s'empara de la forteresse de Bobastro comme d'un fruit trop mûr, en quelque sorte. Cf. Lévi-Provençal, Espagne Musulmane, 2, pp. 16–24.

32 D'après Gómez-Moreno, M.: El arte árabe español hasta los Almohades – Arte mozarabe dans Ars Hispaniae III, p. 63, 'Abd al-Rahmân III y aurait fait construire une nouvelle forteresse. De même H. Terrasse, L'Art Hispano-Mauresque, p. 158, qui se fonde sur Ibn 'Idhârî, al-Bayan II, p. 333. Voir aussi le rapport de fouilles de Mergelina, Bobastro, 1927 et Torres Balbás, L.: Ciudades yermas hispano-musulmánas, Madrid, 1957, pp. 182–195.

33 de Mergelina, C.: «La iglesia rupestre de Bobastro», dans Arch. esp. de Arte y Arqueologîa, Madrid, 1925, II; voir également Gómez-Moreno, Ars Hispaniae III, p. 356.

34 C'est ce que dit Ibn al-Khatîb dans ses A'mâl al-A'lâm; cit. d'après Hoenerbach, 1970, p. 109.

35 Cf. Ibn al-Khatîb, cit. d'après Hoenerbach, 1970, p. 130.

36 Guichard, 1985, p. 75, voir aussi Wasserstein, 1985, p. 237. Le «Calendrier de Cordoue» de Rabî' Ibn Zayd (ou Recesmund) est rédigé en arabe; à cette époque on traduisit aussi la Bible en arabe. Tandis que l'on connaît encore des textes latins du IXe siècle, on n'en possède plus pour le XIe siècle.

37 Glick, Th. F.: Islamic and Christian Spain in the Early Middle Ages, Princeton, 1979, pp. 33–35, 282. Voir aussi Bulliet, R. W.: Conversion to Islam in the Medieval Period. An Essay in Quan-

titive History, Cambridge, Mass. & Londres, 1979.

38 Guichard, 1985, p. 76, qui cite dans ce contexte un passage d'Ibn Hawqal.

39 Ayalon, D.: «On the Eunuchs in Islam», dans Jerusalem Studies in Arabic and Islam, 1, 1979, pp. 67–124.

40 Wasserstein, 1985, p. 25, voir aussi Lévi-Provençal, E., Espagne Musulmane, t. 2, p. 126 sq.

41 Mamlûk: esclave («quelqu'un qui est la propriété» [de quelqu'un d'autre]), terme en général utilisé pour des soldats. Voir Ayalon, D.: «Mamlûk» dans Encyclopédie de l'Islam, t. VI, 1987, pp. 299–305.

42 Miles, G.C.: The Coinage of the Umayyads of Spain, 2 t., New York, 1950.

43 Al-Maqqarî, Shihâb al-Dîn Abû l-'Abbâs Ahmad b. Muhammad b. Ahmad b. Yahyâ al-Qurashî al-Tilimsanî al-Fâsî al-Mâlikî (ca. 1577 – 1632), Nafh al-tîb, éd. Le Caire, 1949 (10 t.), en partie traduit par de Gayangos, Pascual: The History of the Muhammadan Dynasties in Spain, Londres, 1840, nouvelle édition New York, 1964, t. I, p. 232.

44 L'entrée de plusieurs châteaux umayyades était surmontée d'une statue d'homme – peut-être l'image du souverain; dans la ville ronde de Bagdad, fondée en 862 par al-Mansûr, il semble que le dôme du palais central et ceux des quatre portes monumentales aient été décorés de statues équestres. Etant donné le statut de la femme dans la société islamique, il est hautement improbable qu'une maîtresse ait pu être honorée par une statue monumentale placée audessus d'une porte urbaine. On ne peut cependant pas exclure tout à fait la présence d'une statue antique à cet emplacement, car on sait qu'al-Hakam admirait et collectionnait les antiques.

45 Voir Ibn al-Khatîb, d'après Hoenerbach, 1970, p. 122; de même al-Maqqarî, t. I, p. 232 sq.

46 Seules certaines parties septentrionales de la ville ont été fouillées, i.e. les édifices royaux et administratifs des terrasses supérieures. La terrasse inférieure, la plus vaste des trois, n'a guère été encore explorée. En 1965, Klaus Brisch a fait le point des recherches et fourni une bibliographie critique exhaustive concernant Madînat al-Zahrâ' («Medinat az-Zahra in der modernen archäologischen Literatur Spaniens», dans Kunst des Orients, 4, 1965, pp. 5–41); quelques travaux récents sont venus s'y ajouter depuis, dont nous ne retiendrons ici que les principaux. Particulièrement important: Pavón Maldonado, B.: Memoria de la excavación de la mezquita de Medinat al-Zahra, Excavaciones Arqueológicas en España, N° 50, 1966; López-Cuervo, S.: Medina az-Zahra. Ingenería y forma, Madrid, 1983; Hernandez Giménez, F.: Madinat al-Zahra, Grenade, 1985; le premier numéro de la nouvelle revue Cuadernos de Madînat al- Zahrâ' (1987) constitue un début prometteur. Bien utile est la petite brochure – destinée plutôt aux touristes, de Castejón y Martinez de Arizala, R.: Medina Azahara, Léon, 1982.

47 En témoignent par exemple les colloques de Madînat al-Zahrâ', qui existent depuis 1987, et la nouvelle revue archéologique déjà mentionnée. Cuadernos de Madînat al-Zahrâ'.

48 al-Idrîsî, 1866, p. 212, trad. p. 163.

49 Les dénominations actuelles des divers édifices ont été inventées par les archéologues; elles ne sont pas utilisées de façon systématique dans l'ensemble de la littérature.

50 Ibn al-Khatîb, d'après Hoenerbach, 1970, p. 123; selon Ibn 'Idhârî, Bayân (II, p. 231) il ne s'agissait toutefois que de 800 pains.

51 Castejón, 1982, p. 12.

52 Ce voyage est connu par un texte latin: Jean, abbé de Saint-Arnulph le relate dans sa biographie de Jean de Gorze, son prédécesseur dans les fonctions abbatiales à Saint-Arnulphe. Monumenta Germaniae Historica, Script. IV, p. 335 ff.

53 Castejón, 1982, p. 42 sq.

54 Lévi-Provençal, E., Espagne Musulmane, t. 2, p. 163 sq.

55 Une plaque de marbre à droite de la Puerta de la Palmas; Lévi-Provençal, E.: Inscriptions arabes d'Espagne, Leyde et Paris, 1931, pp. 8–9.

56 Creswell, 1979, t. 2, p. 141.

57 Hernández Giménez, F.: El Alminar de 'Abd al-Rahmân III en la Mezquita mayor de Córdoba. Génesis y repercusiones, Grenade, 1979.

58 Brisch, K.: Die Fenstergitter und verwandte Ornamente der Hauptmoschee von Córdoba. Eine Untersuchung zur spanisch-islamischen Ornamentik, Berlin, 1966 (Madrider Forschungen, 4), p. 28, note 5; voir aussi Ewert, Córdoba, 1968, p. 5.

59 Voir l'excellente analyse stylistique et technique de Ch. Ewert; Córdoba, 1968, pp. 7–11, 67–74.

60 Ainsi par exemple à Haghbat, dans la bibliothèque et dans les trois autres salles du XIIIe siècle; Der Nersessian, S.: L'Art Arménien, Paris, 1977, p. 171, voir aussi Thierry, J.-M. et Donabédian, P.: Les Arts Arméniens, Paris, 1987, p. 534 sq. Voir aussi le système de nervures dans la coupole de l'église arménienne Saint-Jacques à Jérusalem; Narkiss, B.: Armenian Art Treasures of Jerusalem, Jérusalem, 1979, pp. 120–122.

61 Déjà O. Reuther, en 1912 (dans Ocheïdir, Leipzig), a donné une description et une analyse de cette technique; voir aussi Godard, A.: «Voûtes iraniennes», dans Athar-é Irân, 1949.

62 Ewert, Córdoba, 1968, p. 74.

63 Ewert, Córdoba, 1968, p. 75.

64 Stern, H.: Les Mosaïques de la Grande Mosquée de Cordoue, Berlin, 1976 (Madrider Forschungen, 11); avec une contribution de Duda, D.: «Zur Technik des Keramiksimses in der Großen Moschee von Córdoba», dans Madrider Forschungen, 11, 1976, pp. 53–55.

65 Cette technique était également maîtrisée par l'atelier des mosaïques umayyades de la Coupole du Rocher à Jérusalem. Voir M. van Berchem, «The Mosaics of the Dome of the Rock and the Great Mosque in Damascus», dans Creswell, 1979, t. 1, part 1, pp. 223–372.

66 Stern, Cordoue, 1976, pp. 36–38.

67 C'est l'année indiquée par Ibn 'Idhârî; mais on ne sait pas si c'est la date du début ou de l'achèvement des travaux de construction. Pour Leopoldo Torres Balbás, Arte hispanomusulmán, p. 571 c'est le commencement, pour Creswell, 1979, t. 2, p. 144, la fin.

68 Voir à ce propos les remarques convaincantes de Jonathan Bloom, 1989.

69 Le chiffre n'a peut-être qu'une valeur symbolique pour signifier une très grande quantité; il s'agissait en tout cas de la «bibliothèque la plus importante de l'Occident», Vernet, 1984, p. 47 et 386.

70 Ewert, Ch.: «Die Moschee am Bâb Mardûm in Toledo – eine ‹Kopie› der Moschee von Córdoba», dans Madrider Mitteilungen, 18, 1977, pp. 278–354, 21 fig., 28 planches. Pour la ville de Tolède à l'époque islamique, voir Delgado Valero, C.: Toledo islámico: ciudad, arte e historia, Tolède, 1987; la Mosquée d'al-Bâb al-Mardûm, pp. 283–302.

71 Ewert, Tolède, 1977, pp. 339–349. Amador de los Ríos, J.: Toledo pintoresca o descripción de sus más célebres monumentos, Tolède, 1845, p. 307 sq.; Gómez-Moreno, M.: Arte Mudéjar Toledano, Madrid, 1916, p. 5 sq., et du même auteur, dans Ars Hispaniae, III, 1951, pp. 210–212; plusieurs auteurs attribuent l'édifice au XIIe siècle et donc à l'époque mudéjare. Voir à ce propos le travail récent – et remarquablement documenté – de Clara Delgado Valero, Tolède, 1987, pp. 303–317, qui confirme la datation haute.

72 Clara Delgado Valero, Tolède, 1987, analyse les vestiges de plusieurs autres édifices religieux des Xe et XI siècles à Tolède; un compte-rendu de ces investigations dépasserait le cadre de cet ouvrage.

73 Ewert, Ch.: «Der Mihrâb der Hauptmoschee von Almería», dans Madrider Mitteilungen, 13, 1972, pp. 287–336, 13 fig., 17 planches, restitue un édifice à trois nefs, L. Torres Balbás, L.: «La Mezquita Mayor de Almería», dans Al-Andalus, 18, 1953, pp. 412–443, propose cinq nefs.

74 Cressier, P.: «Le décor califal du mihrâb de la Grande Mosquée d'Almería», dans Madrider Mitteilungen, 31, 1990. La restauration qui a

permis de dégager ces panneaux a été effectuée en 1987 par la Junta de Andalucía sous la direction L. Fernández Martínez et L. Pastor Rodríguez.

75 Abû 'Ubayd al-Bakrî est un célèbre géographe andalou du XIe siècle qui a passé la plus grande partie de sa vie à Séville et à Cordoue. Ses renseignements sur le Sud-Ouest de l'Andalousie sont particulièrement fiables, son père ayant été le souverain de Huelva et de Saltès et lui-même ayant passé sa jeunesse à Almería et à Cordoue. L'un de ses principaux ouvrages est le Kitâb al-mamâlik wa-l-masâlik, qui n'a été publié et traduit qu'en partie. Pour l'Afrique du Nord: Mac Guckin de Slane, Description de l'Afrique septentrionale, Alger, 1857, trad. française dans Journal Asiatique, 1857–58. Pour l'Andalousie: Lévi-Provençal, E.: La Péninsule Iberique au Moyen-Age, Leyde, 1938. Cette partie a été traduite plus récemment en espagnol: Vidal Beltrán, E.: Abû 'Ubayd al-Bakrî. Geografía de España (Kitâb al-masâlik wa-l-mamâlik), Saragosse, 1982 (Textos Medievales, 53).

76 Jiménez Martín, A.: La mezquita de Almonaster, Instituto de Estudios Onubenses «Padre Marchena», Diputación Provincial de Huelva, 1975; cette monographie – précieuse – se fonde sur l'aspect archaïque du mihrâb pour proposer une datation haute de l'édifice.

77 Voir Jiménez Martín, 1975, p. 22.

78 Lévi-Provençal, E., Inscriptions, pp. 85–86, pl. 20; reproduit aussi dans Kühnel, E.: Maurische Kunst, Berlin, 1924, pl. 18a.

79 Azuar Ruiz, R.: La Rábita Califal de las Dunas de Guardamar. Excavaciones Arqueológicas, Alicante, 1989 (Museo Arqueológico); id.: «Una rábita hispanomusulmána del Siglo X», dans Archéologie Islamique 1, 1990, pp. 109–145.

80 Codera, F.: «Inscripción árabe de Guardamar», dans Boletín de la Real Academía de la Historia, XXXI, 1987, pp. 31–35; voir aussi Lévi-Provençal, Inscriptions, 1931, pp. 93–94, pl. XXIId; Torres Balbás, L.: «Rábitas hispano-musulmánas», dans Al-Andalus, 13, 1948, pp. 475–491.

81 Les fortifications de l'Espagne islamique ont suscité, dans les dernières années, des recherches nombreuses et intéressantes, voir, à titre d'exemple: Bazzana, A., Cressier, P. et Guichard, P.: Les châteaux ruraux d'Al-Andalus. Histoire et archéologie des husûn du sud-est de l'Espagne, Madrid, 1988; Bazzana, A.: «Eléments d'archéologie musulmáne dans al-Andalus: caractères spécifiques de l'architecture militaire arabe de la région valencienne», dans al-Qantara, 1, 1980, pp. 339–363. Cressier, P.: «Las fortalezas musulmánas de la Alpujarra (provincias de Granada y Almería) y la división política administrativa de la Andalucía oriental», dans Arqueología Espacial, Coloquio sobre distribución y relaciones entre los asentamientos, Teruel, 1984, Actas, t. 5, pp. 179–199; Zozaya, J.: «Evolución de un yacimiento: el castillo de Gormaz (Soria)», Castrum, 3, 1988. Acién Almansa, M.: «Poblamiento y fortificación en el sur de Al-Andalus. La formación de un país de Husûn», dans III Congreso de Arqueología Medieval Española, Oviedo, 1989, Actas, pp. 137–150; Zozaya J. et Soler, A.: «Castillos Omeyas de planta cuadrangular: su relación funcional», manque: in III. Congreso de Arqueología Medieval Española, Oviedo, 1989, Actas; et Giralt i Balagueró, J.: «Fortificacións andalusines a la Marca Superior: el cas de Balaguer», dans Setmana d'Arqueológia Medieval, Lleida, pp. 175–193.

82 Quelques exemples magnifiques dans le volume photographique de Reinhard Wolf, Castillos, Ed. Schirmer/Mosel, 1982.

83 Bazzana, A.: «Un fortin omayyade dans le ‹Sharq al-Andalus›, dans Archéologie Islamique I, 1990, pp. 87–108.

84 Terrasse, H.: L'art hispano-mauresque, 1932, p. 158.

85 Terrasse, M.: «La fortification oméiyade de Castille», dans Revista del Instituto de Estudios Islamicos en Madrid, 14, 1967–68, pp. 113–127.

86 Delgado Valero, Tolède, 1987, pp. 184–195.

87 La Puerta del Puente, ou Bâb al-Qantara, Delgado Valero, Tolède, 1987, pp. 140–148.

88 L. Torres Balbás, Arte hispanomusulmán, 1957, pp. 638–642; id., Ciudades yermas, 1957, pp. 52–60. Je tiens à remercier ici le directeur des fouilles, Ricardo Izquierdo Benito, pour avoir mis à ma disposition les deux photographies de Vascos, page 121. Voir Izquierdo Benito, R.: «La cerámica hispano-musulmána decorada de Vascos (Toledo)», dans Homenaje al Prof. Martín Almagro Basch IV, Madrid, 1983, pp. 107–115; id., «Tipología de la cerámica hispano-musulmána de Vascos (Toledo)», dans II. Coloquio Internaciónal de Cerámica Medieval en el Mediterraneo Occidental, Tolède 1981, paru en 1986, pp. 113–125; id., «Los Baños Árabes de Vascos (Navalmoralejo, Toledo)», dans Noticiario Arqueológico Hispánico, 28, 1986, pp. 195–242; id., «Una ciudad de Fundación musulmána: Vascos», dans Castrum, 3, 1988, pp. 163–172.

89 Berges Roldan, L.: Baños árabes del Palacio de Villardompardo Jaén, Jaén, 1989.

90 Marçais, G.: L'architecture musulmáne d'occident. Tunisie, Algérie, Maroc, Espagne, Sicile, Paris, 1954. Cet auteur se trompe en pensant que le stuc aurait fait son apparition en Andalousie à une époque plus tardive (p. 228).

91 Voir à ce propos Brisch, Fenstergitter.

92 Voir Ewert, Ch.: «Elementos decorativos en los tableros parietales del salón Rico de Madînat al-Zahrâ'», dans Cuadernos de Madînat al-Zahrâ', 1, 1987, pp. 27–60; et aussi Golvin, L.: «Note sur un décor de marbre trouvé à Madînat al-Zahrâ'», dans Annales de l'Institut d'Etudes Orientales, XVIII-XIX, 1960–61, pp. 277–299. Terrasse, H.: «Les tendances de l'art hispano-mauresque à la fin du Xe et au début du XIe siècle», dans al-Mulk, 3, 1963, pp. 19–24; id., «La formation de l'art musulmán d'Espagne», dans Cahiers de Civilisation Médiévale, 8, 1965, pp. 141–158. A propos des chapiteaux: Marinetto Sánchez, P.: «Capiteles califales del Museo Naciónal de Arte hispanomusulmán», dans Cuadernos de Arte, XVIII, Grenade, 1987, pp. 175–204.

93 Voir Gonzalez, V.: Origine, développement et diffusion de l'émaillerie sur métal en occident islamique, Doctorat, Université de Provence I (Aix-Marseille), 1982, 2 vol., I, p. 104 sq.

94 Beckwith, J.: Caskets from Córdoba, Londres, 1960; Kühnel, E.: Die Islamischen Elfenbeinskulpturen, VIII. bis XIII. Jahrhundert, Berlin, 1971.

95 Torres Balbás, Arte Hispanomusulmán, 1957, p. 745 sq.

96 Torres Balbás, Arte Hispanomusulmán, 1957, p. 772 sq. Retuerce, M. et Zozaya, J.: «Variantes geográficas de la cerámica omeya andalusí: los temas decorativos», dans La ceramica medievale nel Mediterraneo occidentale, Congresso Internazionale della Università degli Studi di Siena, 1984, Actes: Florence, 1986, pp. 69–128.

97 Torres Balbás, Arte Hispanomusulmán, 1957, p. 782 sq.; Serjeant, R.B.: Islamic Textiles (Material for a History up to the Mongol Conquest), Beyrouth, 1972 (chapitre XVII: «Textiles and the Tirâz in Spain», pp. 165–176).

98 Kubisch, N.: «Das kalifale Becken des Museo Arqueológico Naciónal von Madrid» (avec une bibliographie détaillée), dans Madrider Mitteilungen, 33, 1992, en préparation. Je remercie l'auteur d'avoir mis à ma disposition le manuscrit de cette publication. Voir aussi Gómez-Moreno, M.: «Marmoles califales», dans Ars Hispaniae III, 1951, pp. 180–191; Kühnel, E.: «Antike und Orient als Quellen spanisch-islamischer Kunst», dans Madrider Mitteilungen, 1, 1960, pp. 174–181, pl. 55.

99 Voir note 94. Cf. aussi Ettinghausen, R. et Grabar, O.: The Art and Architecture of Islam 650–1250, Penguin, Harmondsworth, 1987, pp. 145–155.

100 Lévi-Provençal, E.: «Un manuscrit de la bibliothèque du Calife al-Hakam II», dans Hespéris, 18, 1934, p. 198 sq.

101 Wasserstein, 1985, p. 57.

102 Idris, H.R.: Les Zîrîdes d'Espagne, dans al-An-

dalus, XXIX, 1964/1, p. 42; à ce sujet aussi Wasserstein, 1985, p. 99.

103 L'excellente analyse de Wasserstein, 1985, p. 113.

104 Wasserstein, 1985, p. 137.

105 Wasserstein, 1985, p. 198; le pouvoir des Juifs à Grenade fut définitivement brisé par le pogrome de 1066; le fils de Samuel, Jehoseph ben Naghrîla (lui aussi vizir et collecteur d'impôt pour les souverains berbères) fut l'une des premières des 4000 victimes.

106 Les Muwashshahât, forme de poésie strophique dans laquelle la rime peut changer d'une strophe à l'autre. Voir Stern, S.M.: Les Chansons Mozarabes. Les Vers Finaux (Kharjas) en espagnol dans les Muwashshas arabes et hébreux, Palerme, 1953. Voir aussi Pérès, H.: La poésie andalouse en arabe classique au XIe siècle, Paris, 1953.

107 Guichard, 1985, p. 110.

108 de Epalza, M. et Guellouz, S.: Le Cid, personnage historique et littéraire (Anthologie de textes arabes, espagnols, français et latins avec traductions), Paris, 1983.

109 Wasserstein, 1985, p. 265 sq.; Menéndez Pidal, R.: La España del Cid, 2 t., Madrid, 1969, I, pp. 234–8 ; II, pp. 727–33; MacKay A. et Benaboud, M.: «Alfonso VI of Leon and Castile, 'al-Imbratûr dhû'l-Millatayn'», dans Bulletin of Hispanic Studies, 56, 1979, pp. 95–102.

110 On a de bonnes raisons de penser que certains des Reyes de Taifas firent appel à Yûsuf b. Tâshufîn dès 1081–82; voir Huici Miranda, A.: Al-Hulal al-Mawshiyya, crónica árabe de las dinastías almorávide, almohade y benimerín. Tétouan, Colección de crónicas árabes de la Reconquista, 1952. Cf. Wasserstein, 1985, p. 284. A cette époque Yûsuf n'était sans doute pas prêt, matériellement, à entreprendre une expédition de cette envergure.

111 Idris, 1964, p. 111.

112 Lévi-Provençal, E.: «La fondation de Marrakech (462–1070)», dans Mélanges d'Art et d'Archéologie de l'Occident Musulman, t. 2, Alger, 1957, pp. 117–120.

113 Cf. Ibn al-Khatîb, cité d'après Hoenerbach, 1970, p. 336

114 Voir Bazzana, Cressier, Guichard, 1988, p. 130 sq. sur les relations entre les «forteresses» et la subdivision administrative du pays. Voir aussi note 81.

115 On a souvent cité la Puerta Antigua de Bisagra de Tolède pour prouver la survivance du schéma droit dans les portes monumentales du XIe siècle. Mais Clara Delgado Valero démontre de façon convaincante que cette porte appartient à une époque antérieure (Tolède, 1987, pp. 172–181).

116 Toutefois, des explorations attentives sur le terrain et des analyses de textes ont donné des résultats; voir Delgado Valero, Tolède, 1987, pp. 195–229, en particulier p. 211 sq. Voir aussi à ce propos, du même auteur, Materiales para el estudio morfológico y ornamental del arte islámico en Toledo, Tolède, 1987.

117 Cressier, P. et Lerma, J. V.: «Un chapiteau inédit d'époque Tâ'ifa à Valence», dans Madrider Mitteilungen, 30, 1989, pp. 427–431.

118 Ewert, Ch.: Spanisch-islamische Systeme sich kreuzender Bögen. III. Die Aljafería von Zaragoza, 3 t., Berlin, 1978 (Madrider Forschungen, 12) qui est un modèle d'analyse et d'interprétation architecturales. Le matériel trouvé lors des fouilles a été publié par Martín-Bueno, M., Erice Lacabe, R. et Sáenz Preciado, M.P.: La Aljafería. Investigación Arqueológico. Saragosse, 1987.

119 Travaux archéologiques dirigés d'abord par l'architecte Francisco Iniguez Almech; ses publications sont cités par Ewert, Saragosse, 1978.

120 Ewert, Ch.: Hallazgos islámicos en Balaguer y la Aljafería de Zaragoza, con contr. de Duda, D. y Kirchner, G., Madrid, 1979. Voir aussi Esco, C., Giralt, J. et Senac, Ph.: Arqueología islámica en la Marca Superior de al-Andalus, Huesca, 1988. Pour l'histoire de Balaguer: Pere Sanahuja o.f.m.: História de la ciutat de Balaguer, Balaguer, 1984.

121 Pérès, Poésie, 1953, p. 142 sq.; L. Seco de Lucena Paredes: «Los palacios del taifa almeriense al-Mu'tasim», dans Cuadernos de la Alhambra, 3, 1967; Lazoro, R. et Villanueva, E.: Homenaje al Padre Tapia. Almería en la História, Almería, 1988, p. 173 sq.; Cara Barrionuevo, L.: La Almería islámica y su alcazaba, Almería, 1990.

122 Ibn al-Khatîb, cité d'après Hoenerbach, 1970, p. 366.

123 Torres Balbás, L.: «Hallazgos arqueológicos en la Alcazaba de Málaga», dans Al-Andalus, 2, 1934, pp. 344–357; id. «Excavaciónes y obras en la alcazaba de Málaga», dans Al-Andalus, 9, 1944, pp. 173–190, Gómez-Moreno, Ars Hispaniae III, 1951, pp. 244–253; Ewert, Ch.: «Spanisch-islamische Systeme sich kreuzender Bögen II. Die Arkaturen eines offenen Pavillons auf der Alcazaba von Málaga», dans Madrider Mitteilungen, 7, 1966, pp. 232–253, 14 fig., 16 pl.

124 Gómez-Moreno, Ars Hispaniae III, 1951, p. 225 sq.; Seco de Lucena Paredes, L.: «El barrio del Cenete, las alcazabas y las mezquitas de Granada», dans Cuadernos de la Alhambra, 2, 1966, p. 46 sq.; Huici Miranda, A. et Terrasse, H.: «Gharnâta», dans Encyclopédie de l'Islam, t. II, 1977, pp. 1035–1043. Pour l'histoire de Grenade: Peinado Santaella, R.G. et López de Coca Castañer, J.E.: Historia de Granada II: La Época Medieval. Siglos VIII-XV, Grenade, 1987. Voir aussi note 179.

125 Cette thèse a été défendue avec énergie par F. P. Bargebuhr: The Alhambra Palace. A Cycle of Studies on the Eleventh Century in Moorish Spain, Berlin, 1968, p. 90 sq. Voir aussi Basilio Pavón Maldonado, «La alcazaba de la Alhambra», dans Cuadernos de la Alhambra, 7, 1971, p. 3 sq., 29.

126 Gómez-Moreno, M.: «El Baño de la Judería en Baza» dans Al-Andalus, XII, 1947, pp. 151–155. Sur les premiers édifices zîrides: Torres Balbás, L.: «El alminar de la iglesia de San José y las primeras construcciónes de los zîries granadinos», dans Al-Andalus, VI, 1941, pp. 427–446. Pour le Bañuelo, voir aussi Pavón Maldonado, B.: Tratado de Arquitectura Hispano-Musulmana. I. Agua, Madrid, 1990.

127 Torres Balbás, L.: Ciudades hispano-musulmánas, Madrid, 2 t. [s. d.], t. 2, p. 490. L'article de José Guerrero Lovillo, «Al-Qasr al-Mubârak, El Alcázar de la bendición», Discurso de recepción en la Real Academia de Bellas Artes de Santa Isabel de Hungria, 19 novembre 1970, Séville 1974, pp. 83–109, 15 fig., apporte des résultats nouveaux et intéressants.

128 Al-Qasr al-Zâhir, sur l'autre rive du Guadalquivir, al-Qasr al-Zâhî, construit directement sur la rive Est et al-Qasr al-Mukarram, un palais urbain au Nord de Qasr al-Mubârak. Voir aussi José Guerrero Lovillo, note 127.

129 Guerrero Lovillo, 1974, p. 98 sq.

130 Dickie, J.: «The Islamic Garden in Spain», dans The Islamic Garden, Dumbarton Oaks, Washington D. C., 1976, pp. 87–106, et tout particulièrement p. 97 sq.

131 Mais il est difficile de déterminer ce qui, dans ce jardin, remonte à l'époque d'al-Mu'tamid, et ce qui est dû aux Almohades.

132 Baer, E.: «The ‹Pila› of Játiva. A Document of Secular Urban Art in Western Islam», dans Kunst des Orients, 7, 1970–71, pp. 142–166. A propos de Játiva: Torres Balbás, L.: «Jativa y los restos del Palacio de Pinohermoso», dans Al-Andalus, XXII, 1958, pp. 143–171.

133 Dans les illustrations des deux manuscrits hispano-maghrébins du Vatican, Bayâd wa Riyâd et al-Sûfî (Bibl. Apost., Ms. Ar. 368 et Ms. Siriaco 559).

134 Lagardère, V.: Le Vendredi de Zallâqa. 23 Octobre 1086, Paris, 1989. Voir aussi la présentation synthétique plus ancienne de Bosch-Vilá, J.: Los Almorávides (Historia de Marruecos, V), Tétouan, 1956.

135 La célèbre histoire de la belle Zaynab n'est pas facile à décrypter: Zaynab bint Ishaq al-Nafzawiya, d'une beauté radieuse, d'une intelligence supérieure, dotée des richesses considérables et de noble ascendance, choisit d'abord, parmi ses nombreux prétendants, le souverain d'Aghmat, un prince de la lignée des Maghrâwa. Abû Bakr

ibn 'Umar, chef de l'armée almoravide, réussit à s'emparer de la forteresse d'Aghmat et à conquérir aussi le cœur de Zayneb. Le mariage eut lieu vers la fin de l'année 1068. L'année suivante, l'armée almoravide prit une grande partie du Maroc, mais Abû Bakr fut bientôt rappelé au Sahara. Il se sépara alors de son épouse qu'il céda – volontairement ou non? aussitôt ou un peu plus tard? – à son neveu Yûsuf ibn Tâshufîn, dont la puissance s'était affirmée et qui devint rapidement un souverain autocratique.

136 A propos des éventuelles structures matrilinéaires de la société almoravide, voir Lagadère, V., 1989, p. 28. Voir aussi Guichard, P.: «Structures Sociales ‹Occidentales› et ‹Orientales›», dans l'Espagne Musulmane, Paris-La Haye, 1977.

137 Wasserstein, 1985, p. 282; Singer, p. 297.

138 L'ash'arismus; cf. Watt, W. M.: «al-Ash'arî» et «Ash'a-riyya», dans Encyclopédie de l'Islam, t. I, 1975, pp. 715–718; pour les Almohades, voir: Huici Miranda, Al-Hulal, 1952; du même auteur: Historia política del Imperio Almohade, 2 t., Tétouan, 1956–57; Le Tourneau, R.: The Almohad Movement in North Africa in the 12th and 13th centuries, Princeton, 1969.

139 Watt, M.W. et Cachia, P.: A History of Islamic Spain, Edimbourg, 1977 (Islamic Surveys, 4), p. 108.

140 Guichard, P.: Les Musulmans de Valence et la reconquête (XIe-XIIIe siècles), Damas, 1990, pp. 139–145.

141 Terrasse, L'art hispano-mauresque, 1932, p. 225 sq.

142 Cf. Lévi-Provençal, Marrakech, 1957.

143 La découverte et la première publication sont de Berthier, P.: «Campagne de fouilles à Chichaoua, de 1965 à 1968», dans Bulletin de la Société d'Histoire du Maroc, 2, 1969, pp. 7–26; voir aussi les résultats les plus récents de Ch. Ewert: «Der almoravidische Stuckdekor von Shûshâwa (Südmarokko). Ein Vorbericht», dans Madrider Mitteilungen, 28, 1987, pp. 141–178.

144 Je tiens à remercier Monsieur Abderrahman Khelifa, directeur de l'Agence Nationale d'Archéologie et du Patrimoine de l'Algérie de son aide pour la visite de Nedroma.

145 Ewert, Ch.: «Die Moschee von Mertola», dans Madrider Mitteilungen, 14, 1973, pp. 217–246.

146 Gómez-Moreno, Ars Hispaniae. III, 1951, p. 279.

147 Navarro Palazón, J. et García Avilés, A.: «Aproximación a la cultura material de Madînat Mursiya», dans Murcia Musulmana, Murcie, 1989, pp. 253–356, p. 298; id. «Arquitectura y artesania en la cora de Tudmir», dans Historia de Cartagena, t. V, 1986, pp. 411–485, p. 416 sq.; L. Torres Balbás («Monteagudo y El Castillejo en la Vega de Murcia», dans Al-Andalus, II, 1934, pp. 366–370) et G. Marçais (L'architecture, 1954, p. 214) avaient déjà proposé cette attribution, mais Marçais traitait ce complexe dans le contexte de l'architecture palatiale almoravide.

148 Ibn al-Khatîb, d'après Hoenerbach, p. 463; le texte continue: «et il avait l'habitude d'inviter à sa table de vaillants héros, des chevaliers et des soldats célèbres, de leur servir du vin de sa propre main et de leur présenter lui-même le verre. Parfois il était saisi d'humeurs extravagantes; il distribuait alors ses verres ainsi que tout le mobilier de la pièce. Il aimait les jouissances physiques, partageait sa couche avec plus de deux cent fillettes esclaves sous une seule couverture! – Il avait tendance à adopter des mœurs chrétiennes ... il utilisa des chrétiens dans le service de l'Etat ... à Murcie, il fit construire pour eux des habitations avec des auberges et des églises. La précarité de sa situation financière l'amena à exploiter ses sujets sans aucun scrupule ... » La cruauté de ce souverain vis-à-vis de sa propre famille (il répudia sa femme après la trahison de son beau-père et fit égorger les enfants issus de cette union; il fit également tuer sa sœur dont le mari l'avait abandonné) a conduit plusieurs chercheurs à reconnaître en lui des «structures comportementales occidentales». Voir à ce propos Guichard, Structures sociales, 1977, p. 111 sq. Voir aussi, pour Muhammad ibn Sa'd ibn Mardanîsch, Guichard, Valence, 1990, pp. 116–124 et à propos de son successeur Zayyân ibn Mardanîsch, pp. 146–149.

149 Bazzana, Cressier, Guichard, Châteaux, 1988, p. 139 sq.

150 Par exemple dans Kühnel, Elfenbeinskulpturen, 1971, pl. CX.

151 Reproduction dans The Arts of Islam, Catalogue de l'exposition de Londres, 1976, The Arts Council of Great Britain, Londres, 1976.

152 Basset, H. et Terrasse, H.: Sanctuaires et forteresses almohades, Paris, 1932; Terrasse, H.: «Minbars anciens du Maroc», dans Mélanges d'histoire et d'archéologie de l'occident musulmán, Hommage à Georges Marçais, t. 2, Alger, 1957, pp. 159–167. Id.: La mosquée al-Qaraouiyin à Fès, París, 1968.

153 Voir Duda, D.: Spanisch-islamische Keramik aus Almería vom 12. bis 15. Jahrhundert, Heidelberg, 1970; également Flores Escobosa, I., Muñoz Martín, M. et Dominguez Bedmar, M.: Cerámica Hispanomusulmána en Almería, Almería, 1989. Voir aussi, en ce qui concerne la céramique de cette époque, Bazzana, A.: La cerámica islámica en la ciudad de Valencia. I. Catalogo, Valence, 1983; Puertas Tricas, R.: La Cerámica Islámica de cuerda seca en La Alcazaba de Málaga, Malaga, 1989. Au Musée de Málaga, il y a quelques inscriptions intéressantes d'époques almoravide et almohade: Acién Almansa, M. et Martínez Nuñez, M.A.: Museo de Málaga. Inscripciónes árabes, Málaga, 1982.

154 Navarro Palazón, dans Murcia, 1989, fig. 13 et p. 264 sq.

155 Soustiel, J.: La céramique islamique, Fribourg, 1985; Llubia, L.M.: Cerámica medieval española, Barcelone, 1968.

156 On ignore les raisons de la démolition de la première Mosquée du Vendredi almohade et de la reconstruction d'une nouvelle mosquée presque identique, mais légèrement désaxée par rapport à la première. L'explication habituelle – la mauvaise orientation du premier édifice qui aurait entraîné sa destruction lorsqu'on découvrit ce fait – n'est pas satisfaisante, car le nouvel édifice est encore plus mal orienté par rapport à la Mecque. Voir à ce propos Ewert et Wisshak, Almohadische Moschee I, 1981, p. 3, note 28.

157 Ewert, Ch. et Wisshak, J.P.: Forschungen zur almohadischen Moschee II: Die Moschee von Tinmal, Mayence, 1984 (Madrider Beiträge, 10).

158 Wirth, E.: «Regelhaftigkeit in Grundrißgestaltung, Straßennetz und Bausubstanz merinidischer Städte: das Beispiel Fes Djedid (1276 n. Chr.)», dans Madrider Mitteilungen 32, 1991 sous presse. Je remercie l'auteur de m'avoir communiqué le manuscrit de son article.

159 Voir Ewert et Wisshak, Tinmal, 1984, p. XI, 80 sq.

160 Voir aussi à ce sujet Valor Piechotta, M.: «Algunos ejemplos de cerámica vidriada aplicada a la arquitectura almohade», dans II. Congresso de Arqueolgía Medieval Española, Madrid, 1987, t. III, pp. 194–202.

161 Voir aussi la réutilisation de chapiteaux hispano-umayyades dans la Kutubiyya et dans la Mosquée de la Qasba à Marrakech. Basset et Terrasse, Sanctuaires, 1932; Terrasse, H.: «Chapiteaux oméiyades d'Espagne à la Mosquée d'al-Qarawiyyîn de Fès», dans Al-Andalus 28, 1963, pp. 211–220.

162 Terrasse, H.: «La Grande mosquée almohade de Séville», dans Mémorial Henri Basset, Paris, 1928, pp. 249–266.

163 Il n'y a pas, que je sache, d'étude exhaustive des deux complexes. Voir à ce propos Marín Fidalgo, A.: Arquitectura Gótica del Sur de la Provincia de Huelva, Huelva, 1982, Santa María de la Granada, pp. 60–64, San Martín, pp. 64–65. A Puerto Santa María, province de Cadix, il y a des vestiges d'une mosquée avec le plan habituel à plusieurs nefs (dans ce cas également trois), et dont l'histoire n'est pas plus claire; on suppose qu'il s'agit d'une fondation du XIe ou éventuellement du XIIe siècle. Cf. Torres Balbás, L.: «La mezquita de al-Qanatir y el Sanctuario de Alfonso el-Sabio en el Puerto de Santa María», dans Al-Andalus, 7, 1942, p. 149 sq.

164 Jiménez, A.: «Arquitectura Gaditana de Epoca

Alfonsí», dans Cádiz en el siglo XIII, Acta de las Jornadas Conmemorativas del VII Centenario de la Muerte de Alfonso X el Sabio, Cadix, 1983, pp. 135–158. Voir aussi Pavón Maldonado, B.: «Jérez de la Frontera: Ciudad Medieval. Arte Islámico y Mudéjar», Asociación Española de Orientalistas, Madrid, 1981, pp. 15–18; Menéndez Pidal, J.: «La Mezquita-Iglesia de Santa María la Real (Alcazar de Jérez)», dans Bellas Artes 73, n° 19, pp. 8–9; Alcocer M. et Sancho, H.: «Notas y Documentos referentes al Alcázar de Jérez de la Frontera, en los siglos XIII a XVI». Publicaciónes de la Sociedad de Estudios Históricos Jerezanos, 7, 1940, pp. 9–29.

165 Torres Balbás, L.: Arte Almohade. Arte Nazarí. Arte Mudéjar (Ars Hispaniae, 4), Madrid, 1949, pp. 30–31.

166 Torres Balbás, Ars Hispaniae, 4, 1949, p. 31, fig. 20.

167 Résultats fournis par les analyses de pollen de Rafael Manzano Martos. Voir Dickie, Islamic Garden, 1976, p. 98.

168 Dickie, Islamic Garden, 1976, p. 97.

169 Voir note 161.

170 A Cordoue, près de la rive droite du Guadalquivir, il y a, dans l'eau, les vestiges d'un palais qui est peut-être almohade, mais qui est en si mauvais état de conservation que l'on ne peut rien dire de son aménagement. Voir Torres Balbás, Ars Hispaniae, 4, 1949, p. 30 et fig. 16.

171 Pour la région de Valence, voir Bazzana, Cressier, Guichard, Châteaux, 1988, p. 157 sq.; pour Alicante: Azuar Ruiz, R.: Castellología medieval alicantina: area meridional, Alicante, 1981; pour Murcie: Navarro Palazón, J.: «Aspectos arqueológicos», Historia de la región murciana, II, 1980, pp. 64–107.

172 En dehors de la célèbre Torre del Oro à Séville, le Sud-Ouest hispanique possède d'autres tours polygonales: la Torre Redondada et la Torre Desmochada à Caceres; une tour à l'angle Nord-Ouest du rempart de Reina (entre Séville et Badajoz), la Torre Espantaperros à Badajoz; Écija et Jérez de la Frontera ont plusieurs tours polygonales. Sur Badajoz à l'époque islamique, voir: Valdés Fernández, F.: La Alcazaba de Badajoz. Síntesis de la historia de le ciudad, Badajoz, 1979; id.: «Ciudadela y fortificación urbana: el caso de Badajoz», dans Castrum, 3, 1988, pp. 143–152.

173 Par exemple à Velefique et à Senés; mais, dans le cas de la forteresse de Senés, il n'est guère possible de préciser l'époque de construction; l'examen des matériaux et techniques ne permet pas de conclusions. Je tiens à remercier Patrice Cressier de m'avoir fait connaître la fouille qu'il dirige à Senés. Voir aussi Bazzana, Cressier, Guichard, Châteaux, 1988, p. 281.; Angelé, S. et Cressier, P. «Velefiqe (Almería): un exemple de mosquée rurale en al-Andalus», dans Mélanges de la Casa de Velázquez, 26, 1990, pp. 113–130.

174 Sing. Burdj, Hisn, Qal'a, Qulay'a, Qarya, Qasaba; ces termes árabes désignent différents types d'agglomérations plus ou moins fortifiées – avec ou sans centre administratif, avec ou sans habitations seigneuriales. La toponymie espagnole actuelle en conserve encore le souvenir, al-qal'a et son diminutif al-qulay'a sont particulièrement fréquents: Alcalá de Henares, Alcalá la Real, Calahorra, Alcolea del Cinca. Voir aussi Lautensach, H.: Maurische Züge im geographischen Bild der Iberischen Halbinsel, Bonn, 1960, pp. 11–33.

175 Voir à ce propos le volume Murcia musulmána, Murcie, 1989, et dans celui-ci, surtout: Navarro Palazón und García Avilés, Aproximación; cf. aussi Barnabé Guillamón, M., Fernández González, F.V., Manzano Martínez, J., Pozo Martínez, I. et Ramirez Segura, E.: «Arquitectura doméstica islámica en la ciudad de Murcia», pp. 233–252. Voir aussi Navarro Palazón, La qora de Tudmir, 1986; id.: «El cementerio islámico de San Nicolás de Murcia. Memoria preliminar», dans Actas del 1 Congreso de Arqueología Medieval Española, Saragosse, 1986, t. IV, pp. 7–37; id.: «Excavaciónes arqueológicas en la ciudad de Murcia durante 1984», dans Excavaciónes y Prospecciónes Arqueológicas, Servicio Regional de Patrimonio Histórico, Murcie, 1987, pp. 307–320; id.: «Hacia una sistematización de la ceramica esgrafiada», dans 2° Coloquio Internaciónal de Cerámica Medieval en el Mediterraneo Occidental, Tolède (1981), 1986, pp. 165–178; id.: «Murcia como centro productor de loza dorada», et, du même auteur, en collaboration avec Maurice Picon, «La loza de la Province de Murcie, étude en laboratoire», dans Congresso Internazionale delle Università degli Studi di Siena, 1986, pp. 129–143 et pp. 144–146; Navarro Palazón, «Nuevas aportaciónes al estudio de la loza dorada andalusí: el ataifor de Zavellá», dans Les Illes Orientals d'al-Andalus, Palma de Majorque, 1987 (V Jornades d'estudis històrics locals), pp. 225–238; id.: «Formas arquitectónicas en el mobilario cerámico andalusí», dans Cuadernos de la Alhambra, 23, 1987, pp. 21–65.

176 Ce site est en cours de fouilles sous la direction de Julio Navarro Palazón: «Siyâsa: una madîna de la cora de Tudmîr», dans Areas, 5, Murcie, 1985, pp. 171–189; id.: «La conquista castellana y sus consequencias: la despoblación de Siyâsa», dans Castrum, 3, 1988, pp. 208–214. Je remercie Julio Navarro Palazon pour son accueil si généreux au centre archéologique de Murcie, qui abrite la plus grande partie du matériel provenant des fouilles islamiques de la région, et pour m'avoir fait connaître ces fouilles.

177 Voir Kubisch, N.: Die Ornamentik von Santa María la Blanca in Toledo, thèse, Munich, 1991 (manuscrit).

178 Torres Balbás, L.: «Las Yeserías des cubiertas recientemente en las Huelgas de Burgos» dans Al-Andalus, 8, 1943, pp. 209–254, voir aussi Iñiguez, F.: «Las yeserías descubiertas recientemente en Las Huelgas de Burgos», dans Archivo Español de Arte, 14, 1940, pp. 306–308, avec 12 reproductions.

179 Pour l'histoire du sultanat nasride de Grenade, voir le livre fondamental de Rachel Arié: L'Espagne musulmáne au temps des Nasrides (1232–1492), Paris, 1973; nouvelle édition Paris, 1990. Voir aussi les références bibliographique citées dans note 124 ainsi que Torres Delgado, C.: El antiguo reino nazarí de Granada (1232–1340), Grenade, 1974. C'est d'abord Elvire la capitale de la haute vallée du Genil et des montagnes environnantes, et jusqu'au XIe siècle les sources ne mentionnent que sa kûra; Grenade n'est alors, et jusqu'à l'installation des berbères zîrîdes, qu'une petite bourgade – largement juive – sans aucune importance politique. Après la chute de la dynastie zîrîde, Grenade devient d'abord almoravide, puis almohade. Les expéditions d'Ibn Mardanîsh et, plus tard, celles d'Ibn Hûd ne débouchant que sur des prises de pouvoir temporaires de la ville. En 1237, Ibn al-Ahmar, ennemi d'Ibn Hûd, réussit à entrer à Grenade, avant même que ce dernier ne soit assassiné. Peinado Santaella et López de Coca Castañer, Grenade, 1987, p. 32: discussion des différentes hypothèses sur la genèse de Grenade et sur ses liens avec Iliberis, le Municipium Iliberritanum et Madînat Ilbîra.

180 Hoenerbach 1970; cf. aussi R. Arié, Nasrides, 1973, p. 303.

181 Arié, Nasrides, 1973, p. 336.

182 D'après Hoenerbach, 1970, p. 413.

183 L'Alhambra fait partie des sites les plus visités du monde; il y a quantité de publications et de guides touristiques, souvent excellents; parmi eux il faut surtout mentionner le plus récent, particulièrement précis et riche de renseignements: Jesús Bermúdez López: L'Alhambra et le Generalife, Grenade, s. d. (1990). Le Plan especial de protección y reforma interior de la Alhambra y Alí jares, Grenade, 1986, présente une documentation admirable. Je tiens à remercier ici Jesús Bermúdez López de nous avoir si généreusement facilité le travail dans l'Alhambra et le Generalife.

184 Bermúdez Pareja, J., «El baño del Palacio de Comares en la Alhambra de Granada. Disposición primitiva y alteraciónes», dans Cuadernos de la Alhambra, 10–11, 1974–75, pp. 99–116.

185 Il n'y a pas d'unanimité sur l'origine de ce nom: Emilio García Gómez (Foco de antigua luz so-

bre la Alhambra. Desde un texto de Ibn al-Jatîb en 1362, Madrid, 1988, p. 187) l'explique par la participation aux travaux d'aménagement de cette salle d'artisans provenant de Comares. Plus probable – et plus souvent avancée – est l'explication étymologique par qamariyya, lumière haute (d'al-qamar, lune).

186 Le bassin présente une inscription avec un poème d'Ibn Zamraq, poète à la cour nasride (1333–1393), qui évoque les thèmes de l'eau – œuvre d'art crée par la main de l'homme, du pouvoir souverain symbolisé par les lions, et de la guerre sainte; Frederick Bargebuhr a découvert un poème de Salomon ben Gabirol, poète juif grenadin du XIe siècle, qui associe la «Mer d'airain» de Salomon dans le Temple de Jérusalem, et un bassin décoré de lions dans un palais. Salomon ben Gabirol était le protégé de Yehoseph ben Naghrîla, vizir juif des Zîrîdes; certains auteurs (voir note 125) pensent que son palais occupait l'emplacement de l'actuelle Alcazaba nasride. Bargebuhr suppose que la partie inférieure du bassin de la Cour des Lions, c'est-à-dire les lions, provient de ce palais. Oleg Grabar suit Bargebuhr dont l'hypothèse est certes séduisante, mais non vraiment convaincante, car manquent trop de maillons intermédiaires. De plus, les lions datent probablement du XIVe siècle, et non pas du XIe. Voir Bargebuhr, F.P.: The Alhambra Palace, 1968; id.: Salomo Ibn Gabirol. Ostwestliches Dichtertum, Wiesbaden, 1976; Grabar, O.: The Alhambra, Londres, 1978.

187 Torres Balbás, L.: «Paseos por la Alhambra: la Rauda», dans Archivo Español de Arte y Arqueología, 6, 1926, pp. 261–285.

188 Andrea Navagiero, ambassadeur italien qui en 1526 visita l'Alhambra, Grenade et Séville et qui laissa des descriptions détaillées de ses pérégrinations. Navagiero, A.: Il viaggio fatto in Spagna et in Francia . . ., Venise, Domenico Fani, 1563; voir aussi Barrucand, M.: «Gärten und gestaltete Landschaft als irdisches Paradies: Gärten im westlichen Islam«, dans Der Islam, 65, 1988, pp. 244–267.

189 Bermúdez Pareja, J.: «El Generalife después del incendio de 1958», dans Cuadernos de la Alhambra, 1, 1965, pp. 9–39.

190 Voir Golvin, L.: «Les influences artistiques entre l'Espagne musulmáne et le Maghrib. La Torre de la Vela de l'Alhambra à Grenade et le donjon du Manâr de la Qal'a des Banû Hammad (Algérie)», dans Cuadernos de la Alhambra, 10–11, 1974–75, pp. 85–90.

191 Voir Fernández-Puertas, A.: La Fachada del Palacio de Comares I. Situación, Función y Génesis, Grenade, 1980, surtout fig. 2, p. 5 sq. Emilio García Gómez a récemment proposé une nouvelle hypothèse à propos de la façade du palais de Comares: au départ elle aurait orné l'entrée principale de l'Alhambra et se serait donc trouvée sur le site de l'actuel palais de Charles Quint; en 1538, elle aurait été démontée et remontée à son emplacement actuel dans le Cuarto Dorado. Darío Cabanelas Rodríguez, au cours des «Encuentros de la Alhambra», en avril 1991, a réfuté cette hypothèse avec des arguments convaincants. Voir García Gómez, Foco de antigua luz, 1988; Cabanelas Rodríguez, D. ofm: La Fachada de Comares y la llamada «Puerta de la Casa Real», conférence, Alhambra, le 26–4–1991.

192 Barrucand, M.: L'urbanisme princier en Islam. Meknès et les villes royales islamiques postmédiévales, Paris, 1985 (Bibliothèque d'Etudes Islamiques, 13).

193 Voir à ce propos la série de Cabanelas Rodríguez, D. ofm. et Fernández-Puertas, A.: «Inscripciónes poéticas de la Alhambra», dans Cuadernos de la Alhambra: Partal y Fachada de Comares, dans 10–11, 1974–75, pp. 117–200; Generalife, dans 14, pp. 3–86; Fuente de los Leones, dans 15–17, 1981, pp. 3–88; Tacas en el accesso a la Sala de la Barca dans 19–20, 1983–84, pp. 61–149; Rubiera, M.J.: «De nuevo sobre los poemas epigráficos de la Alhambra», dans Al-Andalus, 41, 1976, pp. 453–473 et García Gómez, E.: Poemas árabes en los muros y fuentes de la Alhambra, Madrid, 1985; voir aussi l'ouvrage plus ancien de Nykl, A.R.: «Inscripciónes árabes de la Alhambra y del Generalife» dans Al-Andalus, 4, 1936–1939, pp. 174–194.

194 Bargebuhr, Alhambra, 1968 et Grabar, Alhambra, 1978 proposent une interprétation iconologique de l'Alhambra à partir d'un éventuel symbolisme du palais.

195 Aguilar Gutierrez, J.: «Restauración de pinturas murales en la Alhambra. Patio del Harén y Retrete de la Sala de la Barca, dans Cuadernos de la Alhambra, 25, 1989, pp. 204–211.

196 Bermúdez Pareja, J.: Pinturas sobre piel en la Alhambra de Granada, Grenade, 1987.

197 Manzano Martos, R.: «Dárabenaz : una alquería nazarí en la Vega de Granada», dans Al-Andalus, 26, 1961, pp. 201–218; id.: «De nuevo sobre Dárabenaz», dans al-Andalus, 26, 1961, pp. 448–449.

198 Torres Balbás, L.: «La acropolis musulmána de Ronda», dans Al-Andalus, 9, 1944, pp. 469–474; Miró, A.: Ronda. Arquitectura y Urbanismo, Málaga, 1987 (époque islamique: pp. 73–106).

199 Arié, R., Nasrides, 1973, p. 398 sq.; Torres Balbás, L.: «El Maristán de Granada», dans al-Andalus, 9, 1944, pp. 198–481; García Granados, J.A., Girón Irueste F. et Salvatierra Cuenca, V.: El Maristán de Granada. Un Hopital Islámico, Grenade, 1989.

200 Je tiens à remercier ici Patrice Cressier auquel je dois de connaître cet édifice.

201 Marçais, Architecture, 1954, p. 359.

202 Kühnel, Antike und Orient, 1960, pp. 174–181.

Glossaire

Le seul but de ce «glossaire» est de faciliter la lecture des pages précédentes au lecteur non spécialisé en histoire de l'art islamique; il n'a aucune prétention d'être systématique dans quelque domaine que ce soit.
L'index documentaire qui clôt le livre de D. et J. Sourdel: La civilisation de l'islam classique, Arthaud éd., Paris, 1968, pp. 517–621 est très précieux et les thèmes abordés incluent l'histoire de l'art, tandis que l'ouvrage récent de Cyril Glassé: Dictionnaire encyclopédique de l'Islam, Bordas éd., Paris, 1991, est surtout consacré à l'islam en tant que religion. L'Encyclopédie de l'Islam reste l'ouvrage de référence le plus exhaustif, tout en étant très spécialisé; la première édition, en quatre volumes (Leyde, 1913 à 1942), est dépassée par endroits; la seconde édition, bien plus complète, dont six volumes ont paru depuis 1954, en est en 1992 à la lettre M.

Abbassides: dynastie arabo-islamique qui ravit le Califat à la dynastie des Umayyades en 750 et le conserva jusqu'en 1258. Les Abbassides firent de l'Irak le centre de l'empire islamique; ils résidèrent surtout à Bagdad, fondée en 762.

Abside: espace généralement semi-circulaire ou parfois quadrangulaire ou polygonal, souvent (mais pas nécessairement) voûté, qui est rattaché à un espace principal plus vaste, dans lequel elle peut être inscrite, ou par rapport auquel elle fait saillie.

Acanthe: plante répandue surtout dans le bassin méditerranéen et dont les larges feuilles découpées sont devenues l'un des motifs décoratifs préférés de l'art antique dès le Ve siècle a. C. L'art islamique, tout comme les autres héritiers de l'art classique, le reprend et le métarmophose à son tour.

Aghlabides: dynastie de gouverneurs relativement autonome qui dirigea l'Ifrîqiya au IXe siècle au nom des Abbassides. Elle installa la capitale à Kairouan et fit successivement construire deux véritables villes royales à proximité: al-Abâssiyya et Raqqâda.

Alcázar: mot espagnol, de l'arabe al-qasr, qui signifie maison, palais, palais fortifié et qui vient lui-même du latin *castrum.*

Alfiz: mot espagnol qui désigne l'encadrement rectangulaire d'un arc, et qui provient probablement de l'arabe al-hayyiz, récipient (Heinz Halm).

Amîr: mot arabe, commandant, gouverneur, prince.

Amîr al-mu'minîn: mot arabe, commandeur des Croyants; depuis 'Umar (deuxième calife), titre honorifique réservé au Calife.

Baldiyyûn: mot arabe désignant les descendants des premiers conquérants islamiques de la péninsule ibérique; souvent opposés à shâmiyyûn (voir infra).

Barbacane: élément de fortification placé à l'extérieur de l'enceinte principale et relié à cette dernière.

Calife: de l'arabe khalîfa, représentant, successeur. En particulier, terme utilisé pour désigner le successeur du Prophète en tant que guide temporel et spirituel de la communauté islamique (cela n'implique pas la succession en tant que prophète). Voir aussi Amîr al-mu'minîn.

Cannelure: sillons, généralement verticaux, décorant colonnes ou piliers.

Chapiteau: élément d'architecture qui couronne un support isolé dont il agrandit la surface portante; sa fonction est statique puis qu'il joue le rôle d'intermédiaire entre les éléments verticaux (les supports) et les éléments horizontaux ou arqués (architraves, linteaux ou arcs) qui s'appuient sur eux.

Chiites, voir Shi'ia.

Coran: arabe al-Qur'ân, récitation, puis Ecriture Sainte de l'islam, qui contient les révélations divines transmises à Muhammad par l'ange Gabriel et «récitées» par le Prophète afin de convertir d'abord ses contemporains – ensuite sans doute l'humanité entière – à l'islam.

Corral: mot espagnol signifiant cour. «Corral del Carbon» (Cour du Charbon): nom actuel d'un ancien funduq à Grenade.

Dâr al-Imâra: mot arabe, palais du souverain ou du gouverneur.

Dhimmî (ou Ahl al-dhimma): mot arabe, désigne les groupes de population non islamique qui ont un statut de protection en échange du versement d'un impôt particulier, qui garantit la vie sauve, le droit à la propriété, l'exercice libre de leur religion et la jouissance des établissements de culte. Ce statut ne concerne cependant que les «Gens du Livre», c'est-à-dire les juifs et les chrétiens.

Djihâd: mot arabe signifiant «effort tendu vers un but», et, partant, Guerre Sainte. Pour l'islam, c'est une œuvre méritoire qui permet d'accéder au Paradis. Le mot n'implique toutefois pas nécessairement au départ une action guerrière, et s'applique aussi à l'effort sur soi-même en vue du perfectionnement moral et religieux.

Djund: mot arabe d'origine iranienne. Dans le Coran, il est employé pour n'importe quel groupe armé; à l'époque umayyade, il désigne les districts militaires syriens dans lesquels s'étaient établies les tribus mobilisables; elles percevaient une solde régulière ainsi qu'une partie du butin.

Ecoinçon: partie formant l'encoignure au-dessus d'un arc.

Emir, voir Amîr.

Frigidarium: du latin *frigidus*, froid. Salle froide des thermes antiques.

Funduq: mot arabe, du grec pandocheion. Bâtiment urbain servant d'auberge, de magasin, de dépôt de marchandises et de centre commercial. Le mot est utilisé surtout au Maghreb et en Andalousie; au Moyen-Orient on utilise plutôt khân, caravansérail.

Hadj: de l'arabe hadjdj; pèlerinage rituel à la Mecque qui fait partie des obligations religieuses du musulman.

Hâdjib: arabe, chambellan. Dans l'Espagne umayyade ce titre correspond à des fonctions et des prérogatives officielles qui placent celui qui le porte bien au-dessus du vizir.

Hammâm: Bain chaud arabe, jusqu'aujourd'hui un élément essentiel de la civilisation islamique, hérité de l'Antiquité.

Hisn: forteresse, château-fort, bourg fortifié, également centre administratif.

Hûdides: dynastie des Banû Hûd, l'une des principales familles des Taifas, dont le siège se trouvait à Saragosse. Au XIIe siècle, Muhammad ibn Yûsuf ibn Hûd al-Judhâmî al-Mutawakkil tenta de s'opposer aux Almohades pendant une brève période; il prétendait être un descendant des Hûdides de Saragosse.

Hypocaustes: système antique de chauffage par le sol utilisé surtout dans les pièces chaudes des thermes, et adopté aussi, dans un premier temps, par tous les bains islamiques (c'est le seul système qu'a connu le monde hispano-maghrébin jusqu'à une époque relativement récente).

Ifrîqiya: nom arabe (du latin *Africa*) de la partie orientale du Maghreb. Ses frontières géographiques sont assez floues; à l'origine cette appellation est celle de la région comprise entre Tripoli et Tanger.

Imâm: mot arabe signifiant modèle, guide. Le mot désigne celui qui conduit la prière, le chef spirituel d'une communauté ou d'une école; il peut être utilisé pour le calife. Pour les shiites c'est le chef donné par Dieu à la communauté.

Iwân: pièce quadrangulaire, généralement voûtée, ouverte sur tout un côté. Cette disposition est empruntée par l'architecture de l'Orient islamique à celle des Parthes et des Sasssanides. L'iwân se trouve aussi bien dans des édifices profanes que religieux et n'a pas de fonction déterminée.

Kutubiyya: Mosquée du Vendredi almohade de Marrakech; elle tient son nom du marché des Libraires qui se trouvait à proximité (voir pages 153, 154).

Lamtûna: puissante tribu berbère nomade du Sahara occidental, appartenant aux Sanhâdja. Au VIIIe

siècle, elle réussit à fonder un royaume constitué de tribus confédérées qui se maintint jusqu'au Xe siècle. Les Lamtûna ne se convertirent à l'islam qu'au IXe siècle; mais ils acquirent une importance considérable au XIe siècle, car ce furent eux qui soutinrent le mouvement almoravide.

Laqab: arabe, désigne le nom de règne que prennent les souverains, puis plus tard les hauts dignitaires. Au fil du temps, ces noms devinrent de plus en plus emphatiques.

Madrasa: «lieu où l'on étudie», de la racine arabe darasa, étudier. Les madrasas sont des collèges publics d'enseignement supérieur consacrés surtout, mais non exclusivement, aux études juridiques et théologiques; elles se multiplient à partir du XIe et surtout du XIIe siècle dans tout le monde islamique. Ce sont des fondations pieuses qui assurent l'entretien des enseignants et des étudiants. A côté d'une vocation philanthropique évidente, l'institution de la madrasa permettait au donateur d'exercer un certain contrôle sur l'enseignement qui y était dispensé. Ces collèges sont intimement liés – également matériellement – aux mosquées. Malgré certains caractères constants dûs aux fonctions inhérentes à l'institution, il n'y pas de type architectural spécifique: celui-ci varie d'une région à l'autre.

Mahdî: arabe, mot à mot «celui qui est guidé». Au départ ce n'est qu'un titre honorifique; mais chez les Shi'ites et sous leur influence, le mot vient à désigner le Guide messianique – exempt de toute erreur et de tout péché – qui instaurera dans l'islam de la fin des temps le règne de la Foi et de la Justice. L'histoire musulmane a connu de nombreux personnages qui se donnèrent pour le Mahdi, parmi lesquels Ibn Tûmart, le fondateur de l'almohadisme (voir aussi la notion d'imâm).

Malikisme: l'une des quatre écoles constituées aux VIIIe et au IXe siècles et reconnues comme orthodoxes par les Sunnites. Fondée au VIIIe siècle à Médine par Mâlik, l'école malikite se caractérise par son strict conservatisme. De Médine, son influence s'est étendue, en particulier en Afrique du Nord et en Espagne.

Mamlûk: «quelqu'un étant la propriété (de quelqu'un)», c'est-à-dire esclave. Ce terme désigne surtout les soldats-esclaves qui prirent le pouvoir en Egypte et en Syrie et constituèrent le sultanat mamlouk (1254 – 1517). En principe le système exclut la succession dynastique: en effet, le sultan doit sortir du rang des mamlouks, auquel n'appartiennent plus ses enfants, puisqu'ils naissent libres et musulmans (cf. les travaux de David Ayalon). Les esclaves militaires d'Andalousie ne réussirent pas à imposer un pouvoir comparable (voir saqâliba).

Maqsûra: arabe, place réservée au calife, près du mihrâb, dans la salle de prière des Mosquées du Vendredi.

Mâristân: du persan *bîmâr*, malade, et de *istân*, lieu; ces fondations pieuses destinées à accueillir les malades sont attestées dans le monde islamique à partir de la fin du VIIIe siècle. Le plus ancien mâristân connu du Maghreb a été fondé par le souverain almohade Ya'qûb al-Mansûr à Marrakech.

Masmûda: tribu berbère sédentaire du Haut-Atlas qui prit de l'importance avec le mouvement almohade, car c'est d'elle qu'était issu son guide spirituel, le mahdî Ibn Tûmart.

Maure: du grec *mauros*, sombre, qui désigne la population indigène de l'Afrique occidentale blanche.

Mawlâ, pluriel mawâlî: mot arabe qui a plusieurs significations. Il désigne le plus souvent des non-arabes convertis, libres ou affranchis, qui se sont ainsi officiellement rattachés à un clan arabe dont ils deviennent «clients».

Médersa, voir madrasa.

Mexuar: espagnol, de l'arabe *mashwâr*, lieu du conseil. Dans le Maghreb, le terme désigne aussi la grande place située devant l'entrée principale du palais et par extension l'ensemble du complexe palatial (par exemple à Rabat).

Mihrâb: arabe, niche de la salle de prière indiquant la direction de la Mecque. Le mihrâb n'apparaît qu'à l'époque umayyade et devient rapidement l'endroit le plus orné de la salle de prière.

Minaret: tour d'où se fait l'appel à la prière. L'origine, le développement et la fonction de ces tours demeurent relativement mal connus. On suppose qu'elles proviennent des phares préislamiques (en arabe manâr, manâra: point de lumière, i.e. phare). En tout cas les premières mosquées ne possédaient pas de minaret, l'appel à la prière se faisant alors des toits de la mosquée. Le minaret n'est pas un élément indispensable de la mosquée.

Minbar: chaire monumentale à degrés où se tient l'imâm pour délivrer le prône du vendredi dans les Grandes Mosquées.

Mosquée: arabe *masdjid*, «lieu de prosternation» (pour la prière), passé en français, en anglais, en allemand etc. par l'intermédiaire de l'espagnol mezquita. Edifice de culte islamique où se rassemblent les croyants pour la prière rituelle. On distingue les petits oratoires, privés ou publics (masdjid), des Grandes Mosquées, appelées aussi Mosquées du Vendredi (al-masdjid al-djâmi', ou djâmi'), lieux de réunion de la communauté pour la prédication et la prière du vendredi midi (principal office de la semaine); les Grandes Mosquées ont donc également une fonction politique.

Mosquée du Vendredi, voir mosquée.

Mouqarnas: motifs décoratifs architecturaux en alvéoles, constitués d'une juxtaposition de niches et portions de niches. Ils apparaissent au XIe siècle dans le monde islamique où ils se diffusent très rapidement. Ils sont utilisés principalement pour décorer des surfaces courbes: coupoles et surtout trompes et pendentifs, niches de mihrâb, couronnement de portails et de fenêtres. On les trouve aussi comme décor de chapiteaux ou de corniches.

Mozarabes: de l'arabe *must'aribûn*, chrétiens «arabisés» qui ont un statut de dhimmî. Le mot est utilisé surtout pour les communautés chrétiennes vivant en Espagne islamique.

Mudéjar: de l'arabe *mudadjdjân*, au sens de «domestiqué». Le terme s'applique aux musulmans restés sous la domination chrétienne après la Reconquista, et qui payaient tribut aux seigneurs chrétiens. En histoire de l'art, c'est le style de l'époque chrétienne qui demeure marqué par les apports islamiques.

Muezzin: arabe *mu'adhdhin*, celui qui appelle les croyants aux cinq prières rituelles quotidiennes.

Munya: arabe, résidence de campagne et exploitation agricole (comme les villas antiques).

Musâlimûn: arabe, chrétiens convertis à l'islam.

Must'aribûn: arabe, les «arabisés», c'est-à-dire les chrétiens vivant sous domination islamique.

Muwalladûn: arabe, désigne les néo-musulmans; utilisé surtout pour les descendants des chrétiens convertis à l'islam en Andalousie.

Plan en T: pour l'architecture des mosquées, type de plan dans lequel le mur qibla est précédé d'une nef parallèle sur laquelle vient buter la nef située dans l'axe du mihrâb.

Qâdî: arabe, juge. En principe, il est nommé par le souverain ou son représentant; le souverain demeure cependant la dernière instance de décision juridique. Le qâdî est chargé avant tout de faire respecter l'ordre dans la communauté en veillant à l'application du droit coranique.

Qaysâriyya: arabe, complexe architectural public situé au centre commercial et artisanal de la ville (c'est-à-dire dans le sûq); il regroupe des magasins, de petits dépôts de marchandises et des ateliers de produits de luxe. Les qaysâriyyas sont fermées le soir et les jours fériés.

Qibla: arabe, direction de la prière; c'était à l'origine Jérusalem, puis à partir de 624 la Ka'aba de la Mecque. Dans les mosquées, le mur qibla est donc celui dans lequel est aménagé le mihrâb, qui indique cette direction aux fidèles.

Quraysh: tribu nord-arabique regroupant plusieurs familles plus ou moins riches, qui détint le pouvoir

à la Mecque au début du VIIe siècle. Muhammad, les quatre premiers califes, les Umayyades et les Abbassides appartenaient à cette tribu.

Ramadân: le neuvième mois de l'année islamique (lunaire), pendant lequel tout musulman adulte doit jeûner. Pour l'islam, le jeûne implique l'abstention de toute nourriture, de toute boisson et de tout commerce sexuel entre le lever et le coucher du soleil.

Reconquista: espagnol, désigne en particulier la reconquête chrétienne des régions islamiques de la péninsule ibérique.

Ribât: arabe, désigne en général des fondations fortifiées souvent installées dans les régions frontalières du monde islamique, qui rappellent les monastères chrétiens. Elles servaient de camps de base pour les expéditions de la guerre sainte et de lieux de retraite religieuse.

Salât: arabe, prière rituelle, qui est le principal devoir du musulman. Elle est strictement codifiée, et doit être faite à des moments précis et dans une position particulière, cinq fois par jour.

Sanhâdja: un des principaux groupes berbères qui nomadisaient dans l'Afrique du Nord occidentale, de la Kabylie jusqu'à la côte atlantique marocaine et mauritanienne. Il est attesté dès l'époque préislamique. La famille des Almoravides appartient à la tribu des Lamtûna (voir supra).

Saqâliba (singulier siqlabî ou saqlabî): mot arabe médiéval désignant les populations d'Europe orientale, les «Slaves». Dans l'Espagne islamique, ces saqâliba sont des Européens (en général) pris en esclavage (ce serait l'étymologie du mot) lors des expéditions guerrières, enrôlés dans l'armée ou affectés au service de la cour, où ils parvinrent souvent à occuper d'importantes fonctions. Les sources les distinguent des 'abîd, les esclaves noirs.

Shâmiyyûn: arabe, «Syriens». En Espagne, ce sont les corps d'armée arabes qui passèrent en Andalousie après la première phase de conquête; les shamiyyûn se distinguent donc des arabes nés en Espagne (voir baldiyyûn).

Shi'ia: arabe, «parti» de 'Alî, gendre et cousin du Prophète, quatrième calife. Leur refus de reconnaître les trois premiers califes successeurs du Prophète, puis les califes umayyades – ils n'admettaient que la succession de 'Alî et ses descendants – conduisit les Shi'ites au schisme, ce qui leur valut d'être persécutés. Au départ strictement politique, cette sécession prit également un aspect religieux qui entraîna le développement du Shi'isme regroupant plusieurs sectes. Ces dernières ont toutes en commun «un rapport particulier avec leurs autorités, les imâms, une tradition juridique propre qui se réclame de ces derniers, des particularités culturelles, des fêtes et des pèlerinages propres, une sensibilité religieuse spécifique tournée vers la souffrance, ainsi qu'une sorte de clergé» (Heinz Halm).

Souk, voir Sûq: arabe, «marché»; le mot désigne d'abord le centre économique traditionnel de la ville islamique; mais c'est aussi un terme général pour tous lieux d'échanges commerciaux et de production artisanale, ainsi que pour des marchés situés hors des villes.

Taifas: de l'arabe *tâ'ifa* (pluriel tawâ'if), «faction, parti»; mulûk al-tawâ'if, «rois de partis», en espagnol Reyes de Taifas. La période comprise entre la fin du califat d'Espagne et l'accession au pouvoir des Almoravides, durant laquelle de multiples roitelets se disputèrent le pouvoir sur la péninsule ibérique, est appelée période des Reyes de Taifas.

Transept: nef transversale. Le mot est utilisé surtout pour l'architecture chrétienne, mais on le trouve également employé par les historiens de l'art musulman pour désigner par exemple la nef parallèle au mur qibla dans les plans en T.

Trompe: section de voûte supportant la poussée d'un élément de construction en encorbellement et permettant le passage d'un plan quadrangulaire à la base circulaire d'une coupole.

Umayyades: première dynastie califale, qui régna de 660 à 750. Les Umayyades étaient des Arabes descendant des Qurayshites comme Muhammad, mais appartenant, eux, à une famille riche. Ils furent en grande partie massacrés par les Abbassides qui les évincèrent. Certains survécurent cependant et s'enfuirent en Espagne. Les Umayyades espagnols se maintinrent au pouvoir de 756 à 1031.

Zakât: arabe, aumône légale (et par suite impôt) faisant partie des obligations religieuses de tout musulman.

Bibliographie

Acién Almansa, M. et Martínez Nuñez, M.A.: Museo de Málaga. Inscripciones árabes, Malaga, 1982.
Acién Almansa, M.: «La formación y destrución de Al-Andalus» et «Reino de Granada», dans Historia de los Pueblos de España, éd. Barceló, M., Tierras fronterizas (I), Barcelone, 1984, pp. 21–56.
Acién Almansa, M.: «Madînat al-Zahrâ' en el urbanismo mudsulmán», dans Cuadernos de Madînat al-Zahrâ', 1, 1987, pp. 11–26.
Acién Almansa, M.: «Poblamiento y fortificación en el sur de Al-Andalus. La formación de un país de Husûn», dans III Congreso de Arqueología Medieval Española, Oviedo, 1989, Actas, pp. 137–150.
Aguilar Gutierrez, J.: «Restauración de pinturas murales en la Alhambra. Patio del Harén y Retrete de la Sala de la Barca», dans Cuadernos de la Alhambra, 25, 1989, pp. 204–211.
Alcocer M. et Sancho, H.: «Notas y Documentos referentes al Alcázar de Jérez de la Frontera, en los siglos XIII a XVI». Publicaciónes de la Sociedad de Estudios Históricos Jerezanos, 7, 1940, pp. 9–29.
Amador de los Ríos, J.: Toledo pintoresca o descripción de sus más célebres monumentos, Tolède, 1845.
Angelé, S. et Cressier, P.: «Velefique (Almeria): un exemple de mosquée rurale en al-Andalus», dans Mélanges de la Casa de Velázquez, 26, 1990, pp. 113–130.
Arié, R.: L'Espagne musulmáne au temps des Nasrides (1232–1492), Paris, 1973; nouvelle édition Paris, 1990.
Ayalon, D.: «On the Eunuchs in Islam», dans Jerusalem Studies in Arabic and Islam, 1, 1979, pp. 67–124.
Ayalon, D.: «Mamlûk», dans Encyclopédie de l'islam, t. VI, 1987, pp. 299–305.
Azuar Ruiz, R.: Castellología medieval alicantina: area meridional, Alicante, 1981.
Azuar Ruiz, R.: La Rábita Califal de las Dunas de Guardamar. Excavaciónes Arqueológicas, Alicante, 1989 (Museo Arqueológico).
Azuar Ruiz, R.: «Una rábita hispanomusulmána del Siglo X», dans Archéologie Islamique, 1, 1990, pp. 109–145.
Baer, E.: «The ‹Pila› of Játiva. A Document of Secular Urban Art in Western Islam», dans Kunst des Orients, 7, 1970–71, pp. 142–166.
al-Bakrî, Abû'Ubayd, Kitâb al-mamâlik wa-l-masâlik. Pour l'Andalousie Lévi-Provençal, E.: La Péninsule Ibérique au Moyen-Age, Leyde, 1938. Une nouvelle traduction en espagnol: Vidal Beltrán, E.: Abû 'Ubayd al-Bakrî. Geografía de España (Kitâb al-masâlik wa-l-mamâlik), Saragosse, 1982 (Textos Medievales, 53)
Bargebuhr, F.P.: The Alhambra Palace. A Cycle of Studies on the Eleventh Century in Moorish Spain, Berlin, 1968.
Bargebuhr, F.P.: Salomo Ibn Gabirol. Ostwestliches Dichtertum, Wiesbaden, 1976.
Barnabé Guillamón, M., Fernández González, F.V., Manzano Martínez J., Pozo Martínez, I. et Ramirez Segura, E.: «Arquitectura doméstica islamica en la ciudad de Murcia», dans Murcia Musulmána, Murcie, 1989, pp. 233–252.
Barrucand, M.: L'urbanisme princier en Islam. Meknès et les villes royales islamiques postmédiévales, Paris, 1985 (Bibliothèque d'Etudes Islamiques 13).
Barrucand, M.: «Gärten und gestaltete Landschaft als irdisches Paradies: Gärten im westlichen Islam», dans Der Islam, 65, 1988, pp. 244–267.
Basset H. et Terrasse, H.: Sanctuaires er forteresses almohades, Paris, 1932 (Collection Hesperis, V).
Bazzana, A.: «Eléments d'archéologie musulmáne dans Al-Andalus: caractères spécifiques de l'architecture militaire arabe de la région valencienne», dans al-Qantara, 1, 1980, pp. 339–363.
Bazzana, A.: La cerámica islámica en la ciudad de Valencia. I. Catalogo, Valence, 1983.
Bazzana, A., Cressier, P. et Guichard, P.: Les châteaux ruraux d'Al-Andalus. Histoire et archéologie des husûn du sud-est de l'Espagne, Madrid, 1988.
Bazzana, A. et Cressier, P.: Shaltish/Saltés (Huelva). Une ville médiévale d'al-Andalus, Madrid, 1989 (Publications de la Casa de Velázquez, Etudes et Documents, 5)
Bazzana, A.: «Un fortin omayyade dans le ‹Sharq al-Andalus›», dans Archéologie Islamique, I, 1990, pp. 87–108.
Beckwith, J.: Caskets from Córdoba, Londres, 1960.
Berges Roldan, L.: Baños árabes del Palacio de Villardomprado Jaén, Jaén, 1989.
Bermúdez López, J.: L'Alhambra et le Generalife, Grenade, s. d. (1990).
Bermúdez López, J.: «Contribución al estudio de las construcciónes domésticas de la Alhambra: nuevas perspectivas», dans La casa hispano-musulmána. Aportaciónes de la arqueología, Grenade, 1990, pp. 341–353.
Bermúdez Pareja, J.: «El Generalife después del incendio de 1958», dans Cuadernos de la Alhambra, 1, 1965, pp. 9–39.
Bermúdez Pareja, J.: «El baño del Palacio de Comares en la Alhambra de Granada. Disposición primitiva y alteraciónes», dans Cuadernos de la Alhambra, 10–11, 1974–75, pp. 99–116.
Bermúdez Pareja, J.: Pinturas sobre piel en la Alhambra de Granada, Grenade, 1987.
Berthier, P.: «Campagne de fouilles à Chichaoua, de 1965 à 1968», dans Bulletin de la Société d'Histoire du Maroc, 2, 1969, pp. 7–26.
Bloom, J.: Minaret. Symbol of Islam, Oxford, 1989.
Bonnassié, P.: «Le temps des Wisigoths», dans Bennassar, B.: Histoire des Espagnols. VIe-XVIIe siècle, Paris, 1985, pp. 50–51.
Bosch-Vilà, J.: Los Almorávides (Historia de Marruecos, V), Tétouan, 1956.
Brisch, K.: «Madinat az-Zahra in der modernen archäologischen Literatur Spaniens», dans Kunst des Orients, 4, 1965, pp. 5–41.
Brisch, K.: Die Fenstergitter und verwandte Ornamente der Hauptmoschee von Córdoba. Eine Untersuchung zur spanisch-islamischen Ornamentik, 1966 (Madrider Forschungen, 4).
Bulliet, R. W.: Conversion to Islam in the Medieval Period. An Essay in Quantitive History, Cambridge, Mass. & Londres, 1979.
Cabanelas Rodríguez, D. ofm. et Fernández-Puertas, A.: «Inscripciónes poéticas de la Alhambra» dans Cuadernos de la Alhambra:
Partal y Fachada de Comares, dans 10–11, 1974–75, pp. 117–200;
Generalife, dans 14, pp. 3–86;
Fuente de los Leones, dans 15–17, 1981, pp. 3–88;
Tacas en el accesso a la Sala de la Barca, dans 19–20, 1983–84, pp. 61–149.
Cabanelas Rodríguez, D. ofm: «La Fachada de Comares y la llamada Puerta de la Casa Real», conférence, Alhambra, 26–4–1991.
Cara Barrionuevo, L.: La Almería islámica y su alcazaba, Almería, 1990.
Castejón y Martínez de Arizala, R.: Medina Azahara, Léon, 1982.
Catalogue: The Arts of Islam, exposition de Londres 1976, The Arts Council of Great Britain, Londres, 1976.
Codera, F.: «Inscripción árabe de Guardamar», dans Boletín de la Real Academía de la Historia, t. XXXI, 1897, pp. 31–35.
Chalmeta, P.: «Al-Andalus: musulmánes y cristianos (siglos VIII-XIII)», dans Historia de España, éd. Dominguez Ortiz, A., t. 3, Barcelóne, 1989, pp. 9–114.
Colin, G.S.: voir Ibn 'Idhârî.
Cressier, P.: «Las fortalezas musulmánas de la Alpujarra (Provincias de Granada y Almería) y la división político administrativa de la Andalucía oriental», dans Arqueología Espacial, Coloquio sobre distribución y relaciónes entre los asentamientos, Teruel, 1984, Actas, t. 5, pp. 179–199.
Cressier, P.: «Le château et la division territoriale dans l'Alpujarra médiévale: du hisn à la tâ'a», dans Mélanges de la Casa de Velázquez, 20, 1984, pp. 115–144.
Cressier, P.: «Les chapiteaux de la Grande Mosquée de Cordoue (oratoires d'"Abd al-Rahmân I et d'"Abd al-Rahmân II) et la sculpture de chapiteaux à l'époque émirale», dans Madrider Mitteilungen, 25, 1984, pp. 257–313, pl. 63–72 et 26, 1985, pp. 216–281, pl. 72–82.
Cressier, P. et Lerma, J.V.: «Un chapiteau inédit d'époque Tâ'ifa à Valence», dans Madrider Mitteilungen 30, 1989, pp. 427–431.
Cressier, P.: «Le décor califal du mihrâb de la Grande Mosquée d'Almería», dans Madrider Mitteilungen, 31, 1990, pp. 428–439, pl. 57–58.
Cressier, P., Gómez Becera, A. et Martínez-Fernández, G.: «Quelques données sur la maison rurale nasride et morisque en Andalousie Orientale. Le cas de

Shanash/Senés et celui de Macael Viejo (Almería)», dans La casa hispano-musulmána. Aportaciónes de la Arqueología, Grenade, 1990, pp. 229–246.
Creswell, K.A.C.: Early Muslim Architecture, 2 t., New York, 1979.
Der Nersessian, S.: L'Art Arménien, Paris, 1977.
Delgado Valero, C.: Toledo islámico: ciudad, arte e historia, Tolède, 1987.
Delgado Valero, C.: Materiales para el estudio morfológico y ornamental del arte islámico en Toledo, Tolède, 1987.
Dickie, J.: «The Islamic Garden in Spain», dans The Islamic Garden, Dumbarton Oaks, Washington D. C., 1976, pp. 87–106.
Dozy, R.: voir al-Idrîsî.
Duda, D.: Spanisch-islamische Keramik aus Almería vom 12. bis 15. Jahrhundert, Heidelberg, 1970.
Duda, D.: «Zur Technik des Keramiksimses in der Großen Moschee von Córdoba», dans Madrider Forschungen, 11, 1976, pp. 53–55.
de Epalza, M. et Guellouz, S.: Le Cid, personnage historique et littéraire (Anthologie de textes árabes, espagnols, français et latins avec traductions), Paris, 1983.
Esco, C., Giralt, J. et Senac, Ph.: Arqueología islámica en la Marca Superior de al-Andalus, Huesca, 1988.
Ettinghausen, R. et Grabar, O.: The Art and Architecture of Islam 650–1250, Penguin, Harmondsworth, 1987.
Ewert, Ch.: «Spanisch-islamische Systeme sich kreuzender Bögen. II: Die Arkaturen eines offenen Pavillons auf der Alcazaba von Málaga», dans Madrider Mitteilungen, 7, 1966, pp. 232–253, 14 fig., 16 pl.
Ewert, Ch.: Spanisch-islamische Systeme sich kreuzender Bögen. I: Die senkrechtebenen Systeme sich kreuzender Bögen als Stützkonstruktionen der vier Rippenkuppeln in der ehemaligen Hauptmoschee von Córdoba, Berlin, 1968 (Madrider Forschungen, 2).
Ewert, Ch.: «Die Moschee von Mertola», dans Madrider Mitteilungen, 14, 1973, pp. 217–246.
Ewert, Ch.: «Der Mihrâb der Hauptmoschee von Almería», dans Madrider Mitteilungen, 13, 1972, pp. 287–336, 13 fig., 17 pl.
Ewert, Ch.: «Die Moschee am Bâb Mardûm in Toledo – eine ‹Kopie› der Moschee von Córdoba», dans Madrider Mitteilungen, 18, 1977, pp. 278–354, 21 fig., 28 pl.
Ewert, Ch.: Spanisch-islamische Systeme sich kreuzender Bögen. III: Die Aljafería von Zaragoza, 3 t., Berlin, 1978 (Madrider Forschungen, 12).
Ewert, Ch.: Hallazgos islámicos en Balaguer y la Aljafería de Zaragoza, con contr. de Duda, D. y Kircher, G., Madrid, 1979.
Ewert, Ch. et Wisshak, J.P.: Forschungen zur almohadischen Moschee. I. Vorstufen. Hierarchische Gliederungen westislamischer Betsäle des 8. bis 11. Jahrhunderts: Die Hauptmoscheen von Kairouan und Córdoba und ihr Bannkreis, Mayence, 1981 (Madrider Beiträge, 9).
Ewert, Ch. et Wisshak, J.P.: Forschungen zur almohadischen Moschee. II: Die Moschee von Tinmal, Mayence, 1984 (Madrider Beiträge, 10).
Ewert, Ch.: «Elementos decorativos en los tableros parietales del salón Rico de Madînat al-Zahrâ'», dans Cuadernos de Madînat al-Zahrâ', 1, 1987, pp. 27–60
.Ewert, Ch.: «Der almoravidische Stuckdekor von Shûshâwa (Südmarokko). Ein Vorbericht», dans Madrider Mitteilungen, 28, 1987, pp. 141–178.
Fagnan, E.: voir Ibn al-Athîr et Ibn 'Idhârî.
Fernandez López, S.: «Marmuyas (Montes de Málaga). Análisis de una investigación», dans Actas del I Congreso de Arqueología Medieval Española, t. III, Saragosse, 1986, pp. 163–180.
Fernández-Puertas, A.: La Fachada del Palacio de Comares I. Situación, Función y Génesis, Grenade, 1980.
Flores Escobosa, I.: Estudio Preliminar sobre Loza Azul y Dorada Nazarí de la Alhambra, Madrid, 1988 (Cuadernos de Arte y Arqueolgía, 4).
Flores Escobosa, I., Muñoz Martín, M. et Dominguez Bedmar, M.: Cerámica Hispanomusulmana en Almería, Almeria, 1989.
Fontaine, J.: L'art préroman hispanique, La Pierre-qui-vire, Editions Zodiaque, La Nuit des Temps, 38, 1973.
Fontaine, J.: L'art mozarabe, La Pierre-qui-vire, Editions Zodiaque, La Nuit des Temps, 47, 1977.
Gabrieli, F.: «Omayyades d'Espagne et Abbasides», dans Studia Islamica, 31, 1970, pp. 93–100.
Gamir Sandoval; A.: «Reliquias de las defensas fronterizas de Granada y Castilla en los siglos XIV y XV», dans Miscelanea de Estudios Árabes y Hebraicos, 5, 1956, pp. 43–72.
García Gómez, E.: Poemas árabes en los muros y fuentes de la Alhambra, Madrid, 1985.
García Gómez, E.: Foco de antigua luz sobre la Alhambra. Desde un texto de Ibn al-Jatîb en 1362, Madrid, 1988.
García Granados, J.A., Girón Irueste, F. et Salvatierra Cuenca, V.: El Maristán de Granada. Un Hopital Islámico, Grenade, 1989.
Gayangos, P. de: voir al-Maqqarî.
Giralt i Balagueró, J.: «Fortificacións andalusines a la Marca Superior: el cas de Balaguer», dans Setmana d'Arqueología Medieval, Lleida, pp. 175–193.
Glick, Th. F.: Islamic and Christian Spain in the Early Middle Ages, Princeton, N. J., 1979.
Godard, A.: «Voûtes iraniennes», dans Athar-é Irân, 1949.
Golvin, L.: «Note sur un décor de marbre trouvé à Madînat al- Zahrâ'», dans Annales de l'Institut d'Etudes Orientales, XVIII-XIX, 1960–61, pp. 277–299.
Golvin, L.: «Les influences artistiques entre l'Espagne musulmáne et le Maghrib. La Torre de la Vela de l'Alhambra à Grenade et le donjon du Manâr de la Qal'a des Banû Hammad (Algérie)», dans Cuadernos de la Alhambra, 10–11, 1974–75, pp. 85–90.
Gómez-Moreno, M.: Arte Mudejar Tóledano, Madrid, 1916.
Gómez-Moreno, M.: «El Baño de la Judería en Baza», dans Al-Andalus, 12, 1947, pp. 151–155.
Gómez-Moreno, M.: El arte árabe español hasta los Almohades – Arte mozárabe, Madrid, 1951 (Ars Hispaniae, 3).
Gonzalez, V.: Origine, développement et diffusion de l'émaillerie sur métal en Occident islamique, Université de Provence I (Aix-Marseille), 1982, 2 t.
Grabar, O.: The Alhambra, Londres, 1978.
Guerrero Lovillo, J.: «Al-Qasr al-Mubârak, El Alcázar de la bendición», Discurso de recepción en la Real Academia de Bellas Artes de Santa Isabel de Hungria, 19–11–1970, Séville, 1974, pp. 83–109, 15 fig.
Guerrero Lovillo, J.: «Sevilla musulmána», dans Historia del urbanismo sevillano, Séville, 1977.
Guichard, P.: «Structures Sociales ‹Occidentales› et ‹Orientales›», dans l'Espagne Musulmáne, Paris-La Haye, 1977.
Guichard, P.: «Naissance de l'islam andalou», «Apogée de l'islam andalou», et «Paysans d'Al-Andalus», dans Bennasser, B.: Histoire des Espagnols, Paris, 1985, pp. 53–158.
Guichard, P.: Les Musulmáns de Valence et la reconquête (XIe-XIIIe siècles), Damas, 1990.
Halm, H.: «Al-Andalus und Gothica Sors», dans Welt des Orients, 66, 1989, pp. 252–263.
Hernández Giménez, F.: El Alminar de 'Abd al-Rahmân III en la Mezquita mayor de Córdoba. Génesis y repercusiones, Grenade, 1979.
Hernández Giménez, F.: Madinat al-Zahra, Grenade, 1985.
Heonerbach, W.: Islamische Geschichte Spaniens, Zurich et Stuttgart, 1970.
Huici Miranda, A.: Al-Hulal al-Mawshiyya, crónica árabe de las dinastías almorávide, almohade y benimerín. Tétouan, Colección de crónicas árabes de la Reconquista, 1952.
Huici Miranda, A.: Historia política del Imperio Almohade, 2 t., Tétouan, 1956/57.
Huici Miranda, A. et Terrasse, H.: «Gharnâta», dans Encyclopédie de l'Islam, t. II, 1977, pp. 1035–1043.
Ibn al-Athîr, Kitâb al-Kâmil fî l-târîkh, éd. et trad. Fagnan, E.: Annales du Maghreb et de l'Espagne, Alger, 1901.
Ibn 'Idhârî al-Marrakûshî: Kitâb al-bayân al-mughrib, 1ère partie éd. Colin, G.S et Lévi-Provençal E., Histoire de l'Afrique du Nord et de l'Espagne musulmáne intitulée . . . 2 t., Leyde, 1948-1951; 2e partie: Lévi-Provençal, E., Al-Bayân al-mughrib. Tome troisième. Histoire de l'Espagne musulmáne au XIe siècle, Paris, 1930, trad. Fagnan, E.: Histoire de l'Afrique et de l'Espagne intitulée . . ., 2 t., Alger, 1901–1904.
Ibn al-Khatîb, Muhammad, Kitâb a'mâl al-a'lâm, 2e partie éd. Lévi-Provençal, E.: Histoire de l'Espagne musulmáne, Beirut, 1956; trad. en allemand de la 2e partie Heonerbach, W.: Islamische Geschichte Spaniens, Zürich-Stuttgart, 1970.
Idris, H.R.: «Les Zîrides d'Espagne», dans Al-Andalus, XXIX, 1964/1, pp. 39–145.
al-Idrîsî, Abû 'Abd Allâh Muhammad, Kitâb Nuzhat al-mushtâq; partiellement éd. et trad. par Dozy, R. et

de Goeje, J., Description de l'Afrique et de l'Espagne, Leyde, 1866.
Iñiguez, F.: «Las yeserías descubiertas recientemente en Las Huelgas de Burgos», dans Archivo Español de Arte, 14, 1940, pp. 306–308, avec 122 fig.
Izquierdo Benito, R.: «La cerámica hispano-musulmana decorada de Vascos (Toledo)», dans Homenaje al Prof. Martin Almagro Basch IV, Madrid, 1983, pp. 107–115.
Izquierdo Benito, R.: «Tipología de la cerámica hispanomusulmana de Vascos (Toledo)», dans II. Coloquio Internaciónal de Cerámica Medieval en el Mediterraneo Occidental, Tolède (1981), 1986, pp. 113–125.
Izquierdo Benito, R.: «Los Baños Árabes de Vascos (Navalmoralejo, Toledo)», dans Noticiario Arqueológico Hispánico, 28, 1986, pp. 195–242.
Izquierdo Benito, R.: «Una ciudad de Fundación musulmana: Vascos», dans Castrum, 3, 1988, pp. 163–172.
Jiménez, A.: «Arquitectura Gaditana de Epoca Alfonsi», dans Cádiz en el siglo XIII, Acta de las Jornadas Conmemorativas del VII Centenario de la Muerte de Alfonso X el Sabio, Cadix, 1983, pp. 135–158.
Jiménez Martín, A.: La mezquita de Almonaster, Instituto de Estudios Onubenses «Padre Marchena», Diputación Provincial de Huelva, 1975.
Jiménez Martín, A.: Giralda (Exposición «La Giralda en Madrid»), Madrid, 1982.
Jiménez Martín, A.: «Los jardines de Madînat al-Zahrâ'», dans Cuadernos de Madînat al-Zahrâ', 1, 1987, pp. 81–92.
Jiménez Martín, A., Falcón, T., Morales, A.J., Trillo de Levya, M.: La arquitectura de nuestra ciudad, Séville, 1981.
Jones, O.: Plans, Elevations, Sections and Details of the Alhambra, Londres, 1842.
Jones, O.: Details and Ornaments from the Alhambra, Londres, 1845.
Kubisch, N.: Die Ornamentik von Santa María la Blanca in Toledo, thèse, Munich, 1991 (manuscrit).
Kubisch, N.: «Das kalifale Becken des Museo Arqueológico Naciónal de Madrid», dans Madrider Mitteilungen, 33, 1992, en préparation.
Kühnel, E.: Maurische Kunst, Berlin, 1924.
Kühnel, E.: «Antike und Orient als Quellen spanisch-islamischer Kunst», dans Madrider Mitteilungen,1, 1960, pp. 174–181.
Kühnel, E.: Die Islamischen Elfenbeinskulpturen, VIII. bis XIII. Jahrhundert, Berlin, 1971.
Labarta, A. et Barceló, C.: «Les fuentes árabes sobre al-Zahrâ': estado de la cuestión», dans Cuadernos de Madînat al-Zahrâ', 1, 1987, pp. 93–106.
Lagardère, V.: Le Vendredi de Zallâqa. 23 Octobre 1086, Paris, 1989.
Lautensach, H.: Maurische Züge im geographischen Bild der Iberischen Halbinsel, Bonn, 1960.
Lazoro, R. et Villanueva, E.: Homenaje al Padre Tapia. Almería en la Historia, Almeria 1988.
Le Tourneau, R.: The Almohad Movement in North Africa in the 12th and 13th centuries, Princeton, 1969.
Lévi-Provençal, E.: Inscriptions arabes d'Espagne, 2 t., Leyde- Paris, 1931.
Lévi-Provençal, E.: «Un manuscrit de la bibliothèque du Calife al-Hakam II», dans Hespéris, 18, 1934, p. 198 sq.
Lévi-Provençal, E.: Histoire de l'Espagne Musulmáne, 3 t., Paris, 1950–67.
Lévi-Provençal, E.: «La fondation de Marrakech (462–1070)», dans Mélanges d'Art et d'Archéologie de l'Occident Musulmán. Hommage à Georges Marçais, t. 2, Alger, 1957, pp. 117–120.
Lévi-Provençal, E., voir al-Bakrî, Ibn 'Idhârî, Ibn al-Khatîb.
López-Cuervo, S.: Medina az-Zahra. Ingenería y forma, Madrid, 1983.
Llubia, L.M.: Cerámica medieval española, Barcelone, 1968.
MacKay A. et Benaboud, M.: «Alfonso VI of Leon and Castille, ‹al-Imbratûr dhû'l-Millatayn›», dans Bulletin of Hispanic Studies, 56, 1979, pp. 95–102.
Manzano Martos, R.: «Dárabenaz: una alquería nazarí en la Vega de Granada», dans Al-Andalus, 26, 1961, pp. 201–218 et pp. 448–449.
Manzano Martos, R.: Poetas y vida literaria en los Reales Alcázares de la ciudad de Sevilla, Séville, 1983.
al-Maqqarî, Shihâb al-Dîn, Nafh al-tîb min ghusn al-Andalus, éd. Le Caire, 1949 (10 t.), partiellement traduit par P. de Gayangos, The History of the Muhammadan Dynasties in Spain, 2 t., Londres, 1840–1843, nouvelle éd. New York, 1964.
Marçais, G.: L'architecture musulmáne d'Occident. Tunisie, Algérie, Maroc, Espagne, Sicile, Paris, 1954.
Marín Fidalgo, A.: Arquitectura Gótica del Sur de la Provincia de Huelva, Huelva, 1982.
Marinetto Sánchez, P.: «Capiteles califales del Museo Naciónal de Arte hispanomusulmán», dans Cuadernos de Arte, XVIII, Grenade, 1987, pp. 175–204.
Marinetto Sánchez, P.: «El capitel almorávide y almohade en la peninsula iberica», dans Estudios dedicados a Don Jesús Bermúdez Pareja, Grenade, 1988, pp. 55–70.
Martín-Bueno, M., Erice Lacabe, R. et Sáenz Preciado, M.P.: La Aljafería. Investigación Arqueológico, Saragosse, 1987.
Menéndez Pidal, R.: La España del Cid, 2 t., Madrid, 1969.
Menéndez Pidal, J.: «La Mezquita-Iglesia de Santa María la Real (Alcázar de Jérez)», dans Bellas Artes, 73, n° 19, 1973, pp. 8–9.
de Mergelina, C.: «La iglesia rupestre de Bobastro», dans Archivo Español de Arte y Arqueología, 1925, p. 2.
de Mergelina C.: Bobastro, Memoria de las excavaciónes realizadas en las Mesas de Villaverde, El Chorro (Málaga), Madrid, 1927.
Miles, G. C.: The Coinage of the Umayyads of Spain, 2 t., New York, 1950.
Miró, A.: Ronda. Arquitectura y Urbanismo, Malaga, 1987.
Navagiero, A.: Il viaggio fatto in Spagna et in Francia. . ., Venise, Domenico Fani, 1563.
Navarro Palazón, J.: «Aspectos arqueológicos», Historia de la región murciana, t. II, 1980, pp. 64–107.
Navarro Palazón J.: «Siyâsa: una madîna de la cora de Tudmîr», dans Areas, 5, Murcie, 1985, pp. 171–189.
Navarro Palazón J.: «Hacia una sistematización de la cerámica esgrafiada», dans 2 Coloquio Internaciónal de Cerámica Medieval en el Mediterraneo Occidental, Tolède (1981) 1986, pp. 165–178.
Navarro Palazón, J.: «Arquitectura y artesania en la cora de Tudmir», dans Historia de Cartagena, dir. por Julio Más García, t. V, 1986, pp. 411–485.
Navarro Palazón, J.: «El cementerio islámico de San Nicolás de Murcia. Memoria preliminar», dans Actas del 1 Congreso de Arqueología Medieval Española, Saragosse, 1986, t. IV, pp. 7–37.
Navarro Palazón, J.: «Murcia como centro productor de loza dorada», et en coll. avec Maurice Picon, «La loza de la Province de Murcie, étude en laboratoire», dans Congresso Internazionale delle Università degli Studi di Siena, 1986, pp. 129–143 et pp. 144–146.
Navarro Palazón J.: «Nuevas aportaciónes al estudio de la loza dorada andalusí: el ataifor de Zavellá», dans Les Illes Orientals d'al-Andalus, Palma de Mallorca, 1987 (V Jornades d'estudis histórics locals), pp. 225–238.
Navarro Palazón, J.: «Excavaciónes arqueológicas en la ciudad de Murcia durante 1984», dans Excavaciónes y Prospecciónes Arqueológicas, Servicio Regional de Patrimonio Hstórico, Murcie, 1987, pp. 307–320.
Navarro Palazón, J.: «Formas arquitectónicas en el mobilario cerámico andalusí», dans Cuadernos de la Alhambra 23, 1987, pp. 21–65.
Navarro Palazón, J.: «La conquista castellana y sus consequencias: la despoblación de Siyâsa», dans Castrum 3, 1988, pp. 208–214.
Navarro Palazón, J.: Una Casa Islámica En Murcia. Estudio de su ajuar (siglo XIII), Murcie, 1991.
Navarro Palazón, J. et García Avilés, A.: «Aproximación a la cultura material de Madînat Mursiya», dans Murcia musulmána, Murcie 1989, pp. 253–356.
Noth, A.: «Früher Islam», dans Geschichte der arabischen Welt, éd. U. Haarmann, Munich, 1987, pp. 11–100.
Nykl, A. R.: «Inscripciónes árabes de la Alhambra y del Generalife», dans Al-Andalus, 4, 1936–1939, pp. 174–194.
Ocaña Jiménez, M.: «Consideraciónes en torno al prólogo de la obra Madînat al-Zahrâ'. Arquitectura y decoración de don Felix Hernández Giménez», dans Cuadernos de Madînat al-Zahrâ', 1, 1987, pp. 107–124.
Ocaña Jiménez, M.: «Precisiónes sobre la Historia de la Mezquita de Córdoba», dans Cuadernos de estudios medievales, IV-V, Grenade, 1979, pp. 275–282.
de Palol, P.: Regard sur l'art wisigoth, Paris, 1979.
Pavón Maldonado, B.: Memoria de la excavación de

la mezquita de Madinat al-Zahra, Excavaciónes Arqueológicas en España, n° 50, 1966.
Pavón Maldonado, B.: «La alcazaba de la Alhambra», dans Cuadernos de la Alhambra, 7, 1971.
Pavón Maldonado, B.: Jérez de la Frontera: Ciudad Medieval. Arte Islámico y Mudéjar, Asociación Española de Orientalistas, Madrid, 1981.
Pavón Maldonado, B.: Tratado de Arquitectura Hispano-Musulmána. I. Agua, Madrid, 1990.
Peinado Santaella, R. G. et López de Coca Castañer, J. E.: Historia de Granada 2: La Época Medieval. Siglos VIII-XV, Grenade, 1987.
Pérès, H.: La poésie andalouse en árabe classique au XIe siècle, Paris, 1953.
Plan especial de protección y reforma interior de la Alhambra y Alijares, Grenade, 1986.
Puertas Tricas, R.: La Cerámica islámica de cuerda seca en La Alcazaba de Málaga, Malaga, 1989.
Retuerce, M. et Zozaya, J.: «Variantes geográficos de la cerámica omeya andalusí: los temas decorativos», dans La cerámica medievale nel Mediterraneo occidentale, Congresso Internazionale della Università degli Studi di Siena, 1984, Actes: Florence, 1986, pp. 69–128.
Reuther, O.: Ocheîdir, Leipzig, 1912.
Rosselló-Bordoy, G.: «Algunas observaciónes sobre la decoración cerámica en verde y manganeso», dans Cuad. de Madînat al-Zahrâ', 1, 1987, pp. 125–140.
Rosselló-Bordoy, G.: El nombre de las cosas en al-Andalus: una propuesta de terminología cerámica, Palma de Mallorca, 1991.
Rubiera, M. J.: «De nuevo sobre los poemas epigraficos de la Alhambra», dans Al-Andalus, 41, 1976, pp. 453–473.
Sanahuja, F. P. ofm.: História de la ciutat de Balaguer, Balaguer, 1984.
Sánchez-Albornoz, C.: L'Espagne Musulmáne, Publisud, 1985.
Sánchez-Albornoz, C.: «Espagne préislamique et Espagne musulmáne», dans Revue historique, 1967, pp. 295–338.
Schlumberger, D.: Qasr al-Heir el-Gharbi, Paris, 1986.
Seco de Lucena Paredes, L.: «El barrio del Cenete, las alcazabas y las mezquitas de Granada», dans Cuadernos de la Alhambra, 2, 1966, p. 46 sq.
Seco de Lucena Paredes, L.: «Los palacios del taifa almeriense al-Mu'tasim», dans Cuadernos de la Alhambra, 3, 1967.
Serjeant, R. B.: Islamic Textiles (Material for a History up to the Mongol Conquest), Beyrouth, 1972.
Singer, H. R.: «Der Maghreb und die Pyrenäenhalbinsel bis zum Ausgang des Mittelalters», dans Geschichte der arabischen Welt, éd. Haarmann, U., Munich, 1987, pp. 264–322.
Sourdel, D.: «Wazîr et hâjib en Occident», dans Etudes d'orientalisme dédiées à la mémoire d'E. Lévi-Provençal, Paris, 1962, pp. 749–755.
Soustiel, J.: La céramique islamique, Fribourg, 1985.
Stern, H.: Les Mosaïques de la Grande Mosquée de Cordoue, Berlin, 1976 (Madrider Forschungen, 11).
Stern, S. M.: Les Chansons Mozárabes. Les Vers Finaux (Kharjas) en espagnol dans les Muwashshas árabes et hébreux. Palermo, 1953.
Terrasse, H.: «La Grande mosquée almohade de Séville», dans Mémorial Henri Basset, Paris, 1928, pp. 249–266.
Terrasse, H.: L'art hispano-mauresque des origines au XIIIe siècle, Paris, 1932.
Terrasse, H.: «Minbars anciens du Maroc», dans Mélanges d'histoire et d'archéologie de l'occident musulmán, Hommage à Georges Marçais, t. 2, Alger, 1957, pp. 159–167.
Terrasse, H.: Islam d'Espagne. Une rencontre de l'Orient et de l'Occident, Paris, 1958.
Terrasse, H.: «Les tendances de l'art hispano-mauresque à la fin du Xe et au début du XIe siècle», dans al-Mulk, 3, 1963, pp. 19-24.
Terrasse, H.: «Chapiteaux oméiyades d'Espagne à la Mosquée d'al-Qarawiyyîn de Fès», dans Al-Andalus 28, 1963, pp. 211–220.
Terrasse, H.: «La formation de l'art musulmán d'Espagne», dans Cahiers de Civilisation Médiévale, 8, 1965, pp. 141–158.
Terrasse, H.: La mosquée al-Qaraouiyin à Fès, Paris, 1968.
Terrasse, H.: «La sculpture monumentale à Cordoue au IXe siècle», dans Al-Andalus, 34, 1969, pp. 409–417.
Terrasse, M.: «La fortification oméiyade de Castille», dans Revista del Instituto de Estudios Islamicos en Madrid, 14, 1967–68, pp. 113–127.
Thierry, J.-M. et Donabédian, P.: Les Arts Arméniens, Paris, 1987.
Torres Balbás, L.: «Paseos por la Alhambra: la Rauda», dans Archivo Español de Arte y Arqueología, 6, 1926, pp. 261–285.
Torres Balbás, L.: «Hallazgos arqueólogicos en la Alcazaba de Málaga», dans Al-Andalus, 2, 1934, pp. 344–357.
Torres Balbás, L.: «Monteagudo y El Castillejo en la Vega de Murcia», Al-Andalus 2, 1934, pp. 366–370.
Torres Balbás, L.: «El alminar de la iglesia de San José y las primeras construcciónes de los ziries granadinos», dans Al-Andalus, 6, 1941, pp. 427–446.
Torres Balbás, L.: «La mezquita de al-Qanatir y el Sanctuario de Alfonso el-Sabio en el Puerto de Santa María», dans Al-Andalus, 7, 1942, p. 149.
Torres Balbás, L.: «Las Yeserías descubiertas recientemente en las Huelgas de Burgos», dans Al-Andalus, 8, 1943, pp. 209–254.
Torres Balbás, L.: «Excavaciónes y obras en la alcazaba de Málaga», dans Al-Andalus, 9, 1944, pp. 173–190.
Torres Balbás, L.: «La acropolis musulmána de Ronda», dans Al-Andalus, 9, 1944, pp. 469–474.
Torres Balbás, L.: «El Maristán de Granada», dans Al-Andalus, 9, 1944, pp. 481–498.
Torres Balbás, L.: «Rábitas hispano-musulmánas», dans Al-Andalus, 13, 1948, pp. 475–491.
Torres Balbás, L.: Arte Almohade. Arte Nazarí. Arte Mudéjar, Madrid, 1949 (Ars Hispaniae, 4).
Torres Balbás, L.: «La Mezquita Mayor de Almería», dans Al-Andalus, 18, 1953, pp. 412–443.
Torres Balbás, L.: «Arte Hispanomusulmán. Hasta la caída del califato de Córdoba», dans R. Menéndez Pidal, Historia de España, t. V, Madrid, 1957.
Torres Balbás, L.: Ciudades yermas hispano-musulmánas, Madrid, 1957.
Torres Balbás, L.: «Játiva y los restos del Palacio de Pinohermoso», dans Al-Andalus, 22, 1958, pp. 143–171.
Torres Balbás, L.: Ciudades hispano-musulmánas, Madrid, 2 t. s. d. (éd. Henri Terrasse).
Torres Delgado, C.: El antiguo reino nazari de Granada (1232- 1340), Grenade, 1974.
Uhde, C. (éd.): Baudenkmäler in Spanien und Portugal, Berlín 1892
Valdés Fernández, F.: La Alcazaba de Badajoz. Síntesis de la historia de le ciudad, Badajoz, 1979
Valdés Fernández, F.: La Alcazaba de Badajoz. I. Hallazgos islámicos (1977–1982) y testar de la Puerta del Pilar, Madrid, 1985.
Valdés Fernández, F.: «Ciudadela y fortificación urbana: el caso de Badajoz», dans Castrum, 3, 1988, pp. 143–152.
Vallejo Triano, A.: «El baño próximo al salón de 'Abd al-Rahmân III», dans Cuadernos de Madînat al-Zahrâ', 1, 1987, pp. 141–168.
Vallejo Triano, A.: «La vivienda de servicios y la llamada casa de Ya'far», dans La casa hispano-musulmána. Aportaciónes de la arqueología, Grenade, 1990, pp. 129–146.
Vallve Bermejo, J.: «De nuevos sobre Bobastro», dans Al-Andalus, 30, 1965, pp. 139–174.
Valor Piechotta, M.: «Algunos ejemplos de cerámica vidriada aplicada a la arquitectura almohade», dans II. Congresso de Arqueología Medieval Española, Madrid, 1987, t. III, pp. 194–202.
Vernet, J.: Die spanisch-arabische Kultur in Orient und Okzident, Zurich et Munich, 1984.
Vidal Beltrán, E.: voir al-Bakrî.
Wasserstein, D.: The Rise and Fall of the Party-Kings. Politics and Society dans Islamic Spain, 1002–1086, Princeton, 1985.
Watt, M.W. et Cachia, P.: A History of Islamic Spain, Edinburgh, [4]1977 (Islamic Surveys, 4).
Wirth, E.: «Regelhaftigkeit in Grundrißgestaltung, Straßennetz und Bausubstanz merinidischer Städte: das Beispiel Fes Djedid (1276 n. Chr.)», dans Madrider Mitteilungen, 32, 1991, sous presse.
Wolf, R.: Castillos, Ed. Schirmer/Mosel, 1982 (volume de photographies).
Zanón, J.: Topografia de Córdoba almohade a través de las fuentes árabes, Madrid, 1989.
Zozaya, J.: «Aproximación a la cronología de algunas formas cerámicas de época de Taifas», dans Actas de las Jornadas de cultura árabe e islámica (1978), Madrid, 1981, pp. 277–286.
Zozaya, J.: «Evolución de un yacimiento: el castillo de Gormaz (Soria)», dans Castrum, 3, 1988.
Zozaya J. et Soler, A.: «Castillos Omeyas de planta cuadrangular: su relación funciónal», dans III Congreso de Arqueología Medieval Española, Oviedo, 1989, Actas.

Crédits photographiques

Les photographes et archives cités ci-dessous ont complété les illustrations de l'Editeur. Achim Bednorz a réalisé la majorité des photographies. Les plans de construction, les dessins et les plans ont été, à l'exception de quelques documents tirés des publications de Christian Ewert, redessinés par le RZ-Studio für Werbung und Grafik Design, Hanôvre. Les références littéraires sont abrégées, on trouvera dans la bibliographie des données plus complètes.

Manuel Armengol, Barcelone: ill. p. 18, 19, 65 à droite, 66 en bas, 70, 116, 120
Erwin Böhm, Mayence: ill. p. 34, 44 en bas
R. Izquierdo Benito: ill. p. 101
Foto Mas, Barcelone: ill. p. 41, 69 en haut, 100, 101 en bas, 187
Collection Viollet, Paris: ill. p. 13, 23, 43, 136, 142 en haut et en bas, 143, 144, 148 à gauche et en bas, 150, 151, 162

R. Arié, L'Espagne musulmane: ill. p. 180 en haut
R. Azuar Ruiz, La Rábita: ill. p. 97
K. Brisch, Fenstergitter: ill. p. 44 à gauche, 45
R. Castejón y Martinez de Arizala, Medina: ill. p. 65 en bas
Encyclopédie de l'Islam: ill. p. 27
Chr. Ewert, Islamische Funde in Balaguer: ill. p. 122 en bas, 123 en haut et en bas
Chr. Ewert, Der Mihrâb der Hauptmoschee von Almería: ill. p. 93 en bas
Chr. Ewert, Die Moschee am Bâb Mardûm in Toledo: ill. p. 73
Chr. Ewert, Spanisch-islamische Systeme I (Cordoue): ill. p. 41 en bas, 74 en bas, 75, 86
Chr. Ewert, Spanisch-islamische Systeme II (Saragosse): ill. p. 117, 118
M. Gomez-Moreno, Ars Hispaniae, 3: ill. p. 69 en bas, 125, 146
A. Jiménez Martin, La arquitectura: ill. p. 98, 154 en bas
O. Jones, Alhambra, 2 vol.: ill. p. 10, 12, 15, 84, 184/185, 186, 207, 218, 220
S. López-Cuervo, Medina: ill. p. 64
A. Marín Fidalgo, Arquitectura: ill. p. 157 en bas à droite
C. de Mergelina, La iglesia: ill. p. 49
J. Navarro Palazón: Siyâsa: ill. p. 172
H. Terrasse, La Grande Mosquée: ill. p. 157 en haut à droite
L. Torres Balbás, Arte Hispanomusulmán: ill. p. 25, 46, 92, 170
L. Torres Balbás, Ciudades: ill. p. 158
C. Uhde, Baudenkmäler: ill. p. 85, 89

Carte d'orientation

Madînat al-Zahrâ', Salón Rico

Mérida, aqueduc

Cordoue, Grande Mosquée

Almonaster la Real

Seville, Torre del Oro

Ronda, Puente San Miguel

Jérez de la Frontera, Alcázar

Grenade, Alhambra, Cour des Lions

Tolède, San Cristo de la Luz

Saragosse, Aljafería

Almeria, muraille

Malaga, Alcazaba

Bobastro, église

Index

TASCHEN est. 1980 TASCHEN est. 1980 TASCHEN est. 1980 TASCHEN est. 1980
TASCHEN est. 1980 TASCHEN est. 1980 TASCHEN est. 1980 TASCHEN est. 1980
TASCHEN est. 1980 TASCHEN est. 1980 TASCHEN est. 1980 TASCHEN est. 1980 TASCHEN est. 1980
TASCHEN est. 1980 TASCHEN est. 1980 TASCHEN est. 1980 TASCHEN est. 1980
TASCHEN est. 1980 TASCHEN est. 1980 TASCHEN est. 1980 TASCHEN est. 1980 TASCHEN est. 1980
TASCHEN est. 1980 TASCHEN est. 1980 TASCHEN est. 1980 TASCHEN est. 1980
TASCHEN est. 1980 TASCHEN est. 1980 TASCHEN est. 1980 TASCHEN est. 1980 TASCHEN est. 1980
TASCHEN est. 1980 TASCHEN est. 1980 TASCHEN est. 1980 TASCHEN est. 1980
TASCHEN est. 1980 TASCHEN est. 1980 TASCHEN est. 1980 TASCHEN est. 1980 TASCHEN est. 1980
TASCHEN est. 1980 TASCHEN est. 1980 TASCHEN est. 1980 TASCHEN est. 1980
TASCHEN est. 1980 TASCHEN est. 1980 TASCHEN est. 1980 TASCHEN est. 1980 TASCHEN est. 1980